Даёшь справедливость
в любимых романах!

В 2010 году Дарья Донцова предлагает вам принять участие в игре «Детектив - как я хочу!». Теперь на судьбу персонажей влияете именно вы! После каждого нового романа Д.Донцовой будут печататься главы отдельного, особого детектива, за свой вариант продолжения которого вы лично сможете проголосовать на сайте www.dontsova.ru.

Целый год вы сможете делать с персонажами что захотите, а самая любимая писательница России станет исполнительницей ваших желаний.

Заманчиво?

Ещё как!

Что нужно для участия?

Только одно:
участвовать!

Первые главы «Детектива – как я хочу!» вы найдёте в этой книге, а полные условия игры – на сайте www.dontsova.ru.

Итак, играем!

𝒟

Катя компр 1-847-568-15-26

Читайте романы
примадонны иронического детектива
Дарьи Донцовой

Дарья Донцова

Щомевая кислота

роман

ЭКСМО

Москва

2010

УДК 82-3
ББК 84(2Рос-Рус)6-4
Д 67

Оформление серии *В. Щербакова*

Иллюстрация на переплете *В. Остапенко*

Донцова Д. А.

Д 67   Королева без башни : роман / Дарья Донцова. — М. : Эксмо, 2010. — 384 с. — (Иронический детектив).

ISBN 978-5-699-45287-3

Многие ли прекрасные дамы станут работать под чутким руководством родной свекрови?! А вот мне, Евлампии Романовой, довелось испытать такое «счастье». Из Америки внезапно прикатила маман моего мужа Макса — бизнес-леди с хваткой голодного крокодила, весьма неплохо устроившаяся в Штатах. На родине Капитолина открыла бутик модной одежды, а чтобы обеспечить успех, решила провести конкурс красоты, на котором я согласилась поработать директором. Дела сразу не задались: участниц и персонал поселили в особняке с безумной планировкой и весьма странными хозяевами. А потом мы недосчитались конкурсанток: одна сбежала, другую нашли на чердаке мертвой... Я, как примерная невестка, обязана спасти конкурс и выяснить, что случилось с красавицами!

УДК 82-3
ББК 84(2Рос-Рус)6-4

ISBN 978-5-699-45287-3

Королева без башни

роман

Глава 1

Каждый человек сам убийца своего счастья.

— Лампа, где леопард? — заорали над ухом. — Куда подевался этот чертов зверь?

Я села на кровати, потрясла головой, увидела темную фигуру и пробормотала:

— Стоит под лестницей.

— Нет его там! — обозлился лысый человек, нагло ввалившийся в мою комнату в слишком ранний час.

Меня неудержимо клонило в сон, я стала тихо опускаться на матрас, глаза закрылись.

— Не спать! — заорал нахал и почесал щеку со шрамом. — Немедленно отвечай, почему леопарда нет там, где ему положено находиться?

Я с большим трудом вернулась в вертикальное положение и промямлила:

— Зверь вчера мирно куковал справа от гостиной, а когда я пошла спать, переместился в чуланчик.

— Он испарился, похоже, удрал в пампасы! — нервничал мужчина.

— Зяма! — завизжал из коридора женский голос. — Зяма! Леопёрдина нашлась!

— Где? — закричал в ответ лысый.

— В кухне, — надрывалась тетка.

— Какого дьявола он делает у плиты? — возмутился Зяма. — Рита, ты уверена, что это именно он, а не орангутанг?

— Не знаю, — вопила Рита, — не понимаю!

— Ну ваще! — окончательно разозлился Зяма. — Кем надо быть, чтоб не отличить хищника от обезьяны?

Дверь в мою спальню распахнулась, на пороге появилась странная фигура, одетая в нечто отдаленно напоминающее свитер. Вот только он был сделан не из кашемира или простой шерсти, а связан из парчи и блестел, словно елочная игрушка, на которую упал яркий свет электрической лампы. Я прищурилась, а незваный гость упер руки в бока и обиженно прогудел:

— Леопёрд в пятнышках, а гиббон ровно коричневый, и он слегка на человека смахивает. «Не знаю» относилось к твоему вопросу про плиту. Я вообще без понятия, как зверюга там очутилась!

— У нас теперь еще и гиббон есть? — пискнула я. — Меня забыли предупредить!

Зяма поднял вверх палец.

— Орангутанг! Почувствуйте разницу!

— И в чем она? — не замедлила с вопросом Рита.

Зяма растерялся, пару секунд молчал, потом разозлился:

— Только полный, химически чистый идиот мог спросить такое! Гиббон — он гиббон, а орангутанг — орангутанг, это же ясно. И вообще мне нужна кровожадная кошатина. Пошли, Рита, а ты, Лампа, спи пока спокойно. Начнем в десять.

Я упала в подушки.

— Лучше в девять! — заорал Зяма, снова врываясь в мою спальню. — Есть изменения в первой проходке.

Я натянула одеяло на голову. Сгинь, рассыпься, исчезни, жуткое явление. Очень надеюсь, что в действительности я сейчас сплю и вижу кошмар.

Внезапно раздался грохот, перешедший в звон, затем короткий вопль, и снова визг Зямы:

— Если вы, неуклюжие тупицы, уронили торт, то мало никому не покажется!

В комнате неожиданно наступила восхитительная тишина, от которой у меня сразу пропал сон. Вас удивляет моя странная реакция? По идее, мне бы следовало воспользоваться отсутствием шума и мигом задремать. Но жизненный опыт меня научил — если в доме, где находится уйма народа, внезапно становится тихо, жди беды.

— Чтоб вас, дураков, перевернуло и из окна выбросило! — завизжал Зяма. — Торт разбили! Его целый день склеивать придется! У кого руки трясутся?

— Я не виновата, — заканючил в ответ дискант. — Блюдо под тяжестью треснуло, бисквит упал и дырку в полу пробил. Неудобно получилось.

— Плевать! — бесился Зяма. — Важен чертов торт. Немедленно собрать его, склеить и унести вниз, авось будет незаметно, что...

— Отлично прокатит, — включилась в беседу Рита. — Развалился аккуратненько, четыре куска получилось. Ага, во! Опаньки! Снова целый! Утаскивай его, ребятки.

Я встала и начала искать халат. Больше заснуть не удастся, и мне лучше объяснить вам, где я очутилась и что вообще происходит.

Когда мы с Максом стали супругами[1], большинство знакомых женщин, поздравляя госпожу Романову с обретением статуса окольцованной дамы, вздыхали и, понизив голос, спрашивали:

— Повезло тебе, никакой свекрови нет поблизости. Макс что, сирота?

Я лишь пожимала плечами. Муж никогда не распространялся о своей семье. У меня сложилось впечатление, что детство Макса было не особенно счастливым, и ему элементарно не хочется ничего вспоминать. Зачем заставлять близкого человека делать то, что ему явно не по душе? И по большому счету мне все равно, кто произвел Макса на свет: я ведь зарегистрировала брак не со свекровью. Но подружки продолжали мне завидовать, повторяя:

---

[1] О свадьбе Лампы рассказано в книге Дарьи Донцовой «Бабочка в гипсе», издательство «Эксмо».

— Ты не ценишь своего счастья! Не понимаешь, что такое любящая мамочка! Тебе не надо таскаться к ней в гости, нахваливать несъедобные пироги с тушеной капустой, выслушивать тупые советы и мило улыбаться, услышав: «Я никогда не осуждала выбор сына. Со всеми его девушками: Машей, Таней, Олей, Светой, Ниной, Наташей, Дашей, Катей, Жанной и прочими свиристелками находила общий язык. Ну какое мне дело, что они были лентяйки, нахалки, жадные эгоистки, хамки, безобразницы, алкоголички, страшилища. Лишь бы мальчику было хорошо, а я полюблю всякую. Вот теперь обожаю тебя и следующую жену Максика на руках носить буду».

Короче говоря, подруги были за меня очень рады, но зависти не скрывали. И в конце концов бес семейного счастья проснулся и понял: надо подставить Лампе подножку, а то ей слишком хорошо шагается по дороге семейного благополучия в обнимку с супругом. В один прекрасный день к нам из Америки прилетела мама Макса, женщина сверхактивная, богатая, которая велела звать ее по-свойски: Капа. Чуть раньше в нашей квартире появилась Роксана[1]. Не стану рассказывать историю знакомства с Рокси, скажу лишь, что была удивлена до крайности, когда Капа объявила: «Мы с Рокси сестры». Еще сильнее я поразилась, когда поняла, что мой супруг ранее ничего не слышал о Роксане. Ну, согласитесь, немного странно ни разу в жизни не встретиться с родной тетушкой. Заметив изумление на наших лицах, Капа поспешила уточнить:

— Мы с Рокси были замужем за одним американцем, Генри Крастом, отсюда и родство.

На мой взгляд, бывшую жену своего мужа никак нельзя считать сестрой. Но у Роксаны и Капитолины свое мнение на сей счет. У них вообще по каждому по-

---

[1] История появления Капы и Рокси рассказана в книге Дарьи Данцовой «Ночная жизнь моей свекрови», издательство «Эксмо».

воду имеется особое мнение, и, как правило, они его упорно отстаивают. Например, Рокси говорит:

— Сегодня надену белое платье.

Капа, которая ухитрилась создать в Штатах модный дом «Комареро» и искренне считает себя равной Шанель, Прада, Ив Сен Лорану и прочим великим модельерам, моментально заявляет:

— Никогда, только синее.

Далее разговор принимает творческий характер. В течение пяти минут милые тетушки повторяют: «Белое. Синее. Белое. Синее». Настает кульминационный момент. Капа скрещивает руки на груди, выставляет вперед правую ногу, прищуривает левый глаз, делает глубокий вздох и... Рокси моментально соглашается нацепить тот наряд, который велит ей сестра по мужу.

Мне всегда казалось, что обладательница уютного, милого имени Капа должна быть чуть полноватой женщиной с поварешкой в руке, тихой, немногословной домашней хозяйкой, упоенно выпекающей торты к приходу гостей. Заботливая мать, добрая бабушка, верная супруга — вот это Капитолина. Но мне достался совсем иной вариант. Наша Капа — главнокомандующий всех возможных родов войск, предводитель орды всадников с шашками наголо, царь-самодержец, Иван Грозный и Чингисхан в одном флаконе. В разговоре Капа пользуется лишь повелительной формой глаголов: сделать, выполнить, доложить, шагать и исполнять. Из всех местоимений предпочитает личное, первого лица, единственного числа, повторяя его за день не одну тысячу раз, всегда строя фразы так, чтобы «я» оказалось на первом месте.

Из всего сказанного у вас может возникнуть впечатление, что Капа родная сестрица римского императора Нерона. Хотя, насколько помню из курса истории, у этого правителя не было родственников, кроме мамаши. Впрочем, я могу и ошибаться. Ладно, речь не о нем, а о Капе.

Надо быть объективной и вспомнить о многочисленных достоинствах дамы. Расставшись в свое время то ли с восьмым, то ли с девятым мужем, Капа укатила в Америку. В аэропорт Нью-Йорка она ступила с парой долларов в кармане. Никого, кто мог бы ей помочь, не было. Зато она обладала менталитетом стенобитной машины и чутьем ягуара. Всего через пару лет у Капитолины появился собственный модельный дом, и она стала зарабатывать хорошие деньги. Потом ей встретился Генри Краст, и началась вполне сносная семейная жизнь. Американец был богат и щедр, он всегда поддерживал активную супругу и оставил ей весьма приличное наследство. Но еще раз уточню: у Капитолины гора долларов, заработанных собственноручно. Моя свекровь никогда специально не искала супруга-спонсора.

После кончины Генри Капа слегка затосковала и решила снимать кино в России. Отчего мать Макса не поставила перед собой цель штурмовать Голливуд? Понятия не имею, но она написала сценарий, прикатила в Москву и, не особо мучаясь, поселилась у сына. Капа весьма рачительна, тратить деньги просто так не желает. Если можно жить в просторных апартаментах Макса, то нет ни малейшей необходимости тратиться на гостиницы, которые в столице России очень дороги. Нет, есть и дешевые, но Капа туда не поедет, она привыкла к комфорту и никогда не поселится в клоповнике. Отчего бы не приобрести или, на худой конец, не снять квартиру? Ответ прост: отдавать кровные за проживание в чужих комнатах Капитолина считает крайне нехозяйственным. Вы знаете, сколько сейчас требуют с жильцов владельцы однушек в Центральном округе? А вселяться в крохотные, кстати, тоже не копеечные квартирки на окраине мегаполиса Капа не намерена. Что же касается личных апартаментов, то моя свекровь планирует их приобрести, но, как сами понимаете, подобную проблему за короткий срок не решить.

Когда выяснилась история с отъездом Капитолины в Америку, у меня возникли вопросы. Почему она умчалась в Нью-Йорк, не взяв с собой ребенка? Отчего не поддерживала с сыном никаких отношений? Где и с кем жил мальчик, пока мамочка штурмовала вершины модельного бизнеса в США? Ответов у меня нет. Макс никогда не рассказывал о матери, и я не в курсе, кем был отец моего мужа. Справедливости ради скажу, что несколько раз супруг с самым честным видом сообщал мне сведения о своем папе. Сначала заявил, что он был священником, который решил приобщить дикие племена Чукландии к богу, отправился в эту самую Чукландию и был там съеден аборигенами. Я слегка обалдела и спросила:

— А где находится Чукландия?

— Между Карелией и Баку, — не моргнув глазом, заявил Макс.

Через полгода он озвучил иную версию. Оказывается, его отец был тайным космонавтом, его еще до собаки Лайки запустили в космос, отправили на планету Фигон в особом корабле. Лету до таинственного небесного тела триста годков, ну и столько же назад. К сожалению, в переговорном устройстве села батарейка, поэтому связи нет.

Если по поводу отца Макс еще способен был изредка шутить, то тема матери всегда замалчивалась. Сейчас он вполне почтительно относится к Капе, улыбается ей, но общаться старается поменьше.

Вернемся к идее Капы снять кассовый блокбастер. На данном этапе моя свекровь активно ведет переговоры с рядом артистов, ищет режиссера, оператора, художника. Одновременно она озадачена рекламой своего дома моды и задумала новый проект. В Москве открыт фирменный магазин «Комареро». Торговля в нем идет ни шатко ни валко, а Капа не может оставаться в лузерах. Она во что бы то ни стало решила сделать свой бутик самым модным, посещаемым, наипопулярнейшим и придумала, как привлечь женское население в торговые залы.

«Комареро» производит все — от пижам до роскошных свадебных платьев. Капа, заручившись поддержкой глянцевого журнала «Взгляд» и радиостанции «Модная точка»[1], объявила конкурс, условия которого просты, как березовый веник. Купи в магазине любую шмотку и получи талон на участие в соревновании. Раз в месяц отборочная комиссия из членов редколлегии «Взгляда» и сотрудников радиовещательного органа отсматривает кандидаток на звание «Мисс «Комареро». Из огромного числа претенденток надо отобрать двадцать пять участниц, а уж потом, во время большого красочного шоу, выявить трех победительниц. Награды впечатляют. Девушка, которая получит Гран-при, отправится в Америку, где подпишет контракт с одним из лучших рекламных агентств. Второе место принесет его обладательнице возможность сняться в телесериале российского производства, ну а та, которой повесят на грудь бронзовую награду, тоже не уйдет с пустыми руками — ее сделают радиоведущей «Модной точки». Прибавьте сюда до кучи подарки от многочисленных спонсоров, наружную рекламу. Все девушки станут «лицами «Комареро», их фото украсят витрины бутика на Тверской улице, а еще учтите, что любой конкурс красоты непременно привлекает богатых мужчин, которые, несмотря на ум и умение зарабатывать огромные деньги, отчего-то наивно полагают: жену следует искать среди тех, кто дефилирует в купальниках по сцене. Никто из двадцати пяти красоток, сумевших пробиться в участницы действа, не останется без наград. Да, в Америку полетит всего одна счастливица, роль в сериале достанется другой, микрофон вложат в руки третьей, но остальные непременно найдут себе если не законного супруга, то обеспеченного покровителя.

Капа любит повторять:

— Если хочешь, чтобы пирог получился вкусным, пеки его сама.

---

[1] Названия придуманы автором, любые совпадения случайны.

Поэтому она лично занимается конкурсом. Капитолина сняла в ближайшем Подмосковье дом, привезла туда девиц и бригаду, которая готовит участниц к шоу: учит их ходить, танцевать, разговаривать. Два тура прошли весьма удачно, зал театра «Коралл», где проходил конкурс, был переполнен, пресса также положительно отреагировала на это событие. Думаю, журналистов привлекла не только возможность пообщаться с красавицами, но и ломившиеся от деликатесов столы, которые щедрой рукой накрывает за кулисами Капа. Сейчас из двадцати пяти красавиц осталось десять. Предстоит провести еще несколько испытаний. Потом грядет финал, в котором объявят имена победительниц. Подготовка к завершающим турам идет полным ходом, в доме царит суматоха. Зяма, главный режиссер действа, и Рита, его правая рука, вскакивают ни свет ни заря и укладываются спать далеко за полночь. Капа каждый день наведывается на базу и безостановочно общается с прессой. В дом приезжают представители различных СМИ и просят, как они говорят, «эксклюзивчик». Фотокорреспондентам хочется нащелкать такие снимки, которых нет у конкурентов, а хозяйка желает, чтобы о шоу «Комареро» написали все, включая вестник «Научные исследования в области психотерапии кольчатых червей». Поэтому она, хитро улыбаясь, шепчет репортерам:

— Только для вас. Исключительно. Хотите снимок с леопардом?

На всякий случай уточняю: хищное животное — муляж. Еще у нас есть пингвин, лев, крокодил и, как только что выяснилось, обезьяна. Какое отношение я, Евлампия Романова, имею к происходящему? Самое прямое. Узнав, что я временно осталась без работы, свекровь потерла ладони и заявила:

— Чудесно. Ты будешь директором конкурса. Солидный оклад плюс бесплатное питание и медицинское обслуживание за счет «Комареро», которое, надеюсь, тебе не понадобится. Да! Еще скидки на покупки в моих бутиках. В московском и американском.

Ну почему я спокойно не ответила:

— Гран мерси, но мой визит в США вероятен так же, как парад эскимосов в пустыне Сахара. Вынуждена отказаться от предложенной чести.

Остается лишь удивляться — в какую длительную командировку укатил мой мозг, когда я, услышав предложение Капы, радостно ответила: «С удовольствием»?! Меня извиняет лишь одно: я действительно не представляла, что творится за кулисами конкурса красоты.

Глава 2

Поняв, что заснуть не удастся, я взяла полиэтиленовый мешочек, сложила туда мочалку, мыло, шампунь, повесила на плечо полотенце и, завернувшись в халат, бодро направилась по узкому коридору в сторону лестницы. Вас удивляет, что я покинула отведенную мне комнату? Отчего бы мне не зарулить в собственный санузел или, на самый худой конец, не поторопиться в финскую баньку, расположенную рядом с моей спальней? Прошли те времена, когда россияне радовались профсоюзным путевкам в пансионаты и санатории, жили в комнатах с незнакомыми людьми и мылись в коммунальных душевых! Сейчас во всех номерах даже однозвездочных гостиниц созданы относительно комфортные условия. Вспомните мои слова про рачительность Капы. Моя свекровь не любит швыряться деньгами, поэтому в качестве базы для участников конкурса она сняла частный дом в ближайшем Подмосковье, настолько близком, что МКАД шумит буквально под его окнами.

Дом большой и до крайности бестолковый. Комнат в нем немерено, и все они расположены на первом и втором этажах. Третий, мансардный, отдан под кухню и туалет. С двух сторон к основному зданию прилегают флигели. В одном расположена столовая и здоровенный стометровый зал. Во втором обитают хозяева, некие Груздевы. Сами ли они нарисовали проект избушки сумасшедшего кролика или воспользовались услугами архитектора-наркомана, я не знаю, но особняк являет собой апофеоз маразма. Кухня, как уже упоминалось, устроена под крышей, в ней нет ни обеденного стола, ни стульев, ни даже самой завалященькой табуретки. Помещение заполнено шкафами, буфетами и панелями с «запасами», здесь же громоздятся два холодильника. Если вы решили попить чайку или слопать бутербродик, вам предстоит подняться под крышу, вскипятить чайник, соорудить сэндвич, а потом с кружкой и тарелкой в руках спуститься на первый этаж, чтобы устроиться за столом. Если пожелаете воспользоваться туалетом, нужно вновь бежать наверх: на все квадратные метры есть один сортир. Думаете, он расположен возле душа? Ан нет, забудьте. Унитаз находится под крышей, а душевая размещена в подвале.

Теперь представьте, как будет протекать ваше утро, если вы рискнете поселиться в уютном особнячке. Вскочив по звонку будильника, вы понесетесь (пардон за подробность) пописать на третий этаж, затем скатитесь по ступенькам в подвал, совершите омовение и снова — кросс под крышу: надо же сварить кофе! Наплескав в чашку кипяток и прихватив тосты, вы поспешите на первый этаж, чтобы с комфортом устроиться в столовой. Это идеальный сценарий, но, как известно, «план писали на бумаге, да забыли про овраги, а по ним бродить». В процессе бега по лестницам кофе выплескивается на ступеньки, тосты падают с тарелки, а добравшись наконец до стула, вы замечаете: сыр с маслом забыты на кухне. И скачете обратно в мансарду.

Почему Капа выбрала в качестве базы столь странное место? Ее привлекла цена, хозяева сдают помещение недорого и сами обслуживают тех, кто рискнул воспользоваться их гостеприимством. Чаще всего в доме играют свадьбы, отмечают дни рождения или корпоративные праздники. Особняк не гостиница, его надо снимать целиком, нельзя занять один номер. Думаю, в летнее время народ, имевший глупость устроить праздник в доме Груздевых, бегает по малой нужде в кустики — добраться до них гораздо удобнее, чем карабкаться по крутой, почти отвесной лестнице с узкими, сделанными, будто для ног гномика, ступеньками. Но сейчас на календаре конец ноября...

Я сначала поспешила наверх, затем спустилась в подвал, с радостью отметила, что душевая пуста, вошла в отсек, отделанный простейшим белым кафелем, повесила на крючок мешок с банными принадлежностями и открыла оба крана.

— Эй ты, модель-красавица, поосторожней с водой, — прогремело с боку.

Знакомьтесь, за стеной находится Михаил Матвеевич Груздев, хозяин этого райского места. Он здесь комендант, администратор, плотник, слесарь, электрик, закупщик продуктов и всяческих мелочей, охранник — един во многих лицах.

— Михаил Матвеевич, — крикнула я в ответ, — вы замучаетесь, если будете за каждым наблюдать.

— Во всем порядок нужен, — загремело снаружи. — Прослежу, чтобы ты мылась быстро, не лила воду попусту. У меня все схвачено. Не спорь. Ты не из клиентов, сама дом не снимала, живешь тут бесплатно.

Михаил Груздев — патологический скряга, степень его жадности невозможно представить нормальному человеку. Отец семейства экономит буквально на всем, в туалете на бачке лежит такой раритет, как газета, аккуратно порезанная на небольшие, размером с половину моей ладони, кусочки. Каждый клочок пронумерован. Вечером, перед тем как заснуть, хозяин непременно пополняет запас, он скрупулезно аккуратен и, если замечает, что домочадцы использовали слишком большое количество печатного издания, фыркает, как разбуженный зимой еж.

На двери душевой висит расписание. «Аня — понедельник. 19.00—19.15. Наташа — вторник. 19.00—19.15. Антон — четверг. 19.10—19.30». Анна — жена Михаила, Наташа — его дочь, Антон — зять. Гости имеют право купаться столько, сколько хотят, плата за горячую воду включена в обслуживание. Кстати, для постояльцев в сортире припасен рулон пипифакса. Вот на своих Михаил Матвеевич тратиться не намерен. Вам кажется, что подогрев воды — ерунда? Ну-ка подсчитайте, сколько газа потребляет котел, вспомните о техобслуживании бойлера. А если, не дай бог, перегорит мотор, подающий воду из скважины? Нет уж, лучше сурово регламентировать посещение родными душевой. Остается удивляться, когда совершает водные процедуры сам хозяин. Его имени в листке на двери нет.

В качестве моющего средства семья Груздевых использует гель домашнего производства. Да, да, я не ошиблась, именно домашнего. Могу открыть секрет его приготовления. Покупаете самый дешевый кусок мыла, в идеале — хозяйственного, семидесятидвухпроцентного. Делите брусок на двенадцать частей. Первого числа каждого месяца трудолюбиво измельчаете один на терке, насыпаете в три пластиковые бутылочки, по числу членов семьи, исключая самого старика. Потом наливаете обычной воды и разбалтываете. Получается гель. На каждой таре нарисованы несмываемым маркером деления, это ваша порция для душа. Правда, гениально? В качестве полотенец домашние используют махровые тряпочки размером с мужской носовой платок.

При всей своей патологической жадности Груздев кристально честен, он никогда не тронет чужого. Если кто-то из гостей забудет в душе пустую бутылочку из-под шампуня, Михаил подойдет к человеку и скажет:

— Милый друг, ты там на полке хорошее мыльце бросил.

Как правило, в этом случае постоялец улыбается и отвечает:

— Ерунда, выбросьте, пожалуйста.

Лишь поняв, что емкость обречена попасть в мусорное ведро, Михаил Матвеевич наполнит ее водичкой и тщательно потрясет. Прикиньте, сколько душистого дорогого средства осело на стенах и осталось на донышке пластикового цилиндра, с которым транжира решил расстаться?

Потом Михаил отдаст раствор Наташе со словами:

— Держи, дочка, пользуйся экономно!

Ясное дело, молодая женщина лишается своей доли домашнего геля до той поры, пока не иссякнет «подарок» от папеньки.

Никто из Груздевых никогда не возьмет продукты из гостевого холодильника, не притронется к чужим вещам, но и не допустит посягательств на свою собственность. Михаил Матвеевич не стесняется поинтересоваться: как посторонние ведут себя в сортире, отматывают бумагу от своего рулона или тянутся к его газете? Кстати, печатные издания дармовые: Анна ходит в супермаркет и утаскивает оттуда ежедневники с бесплатными объявлениями.

Для меня остается загадкой: где Груздевы находят клиентов? Впрочем, я уже сообщала, что, как правило, все торжества длятся не более двух дней, из которых три четверти времени гости проводят в состоянии алкогольного опьянения и похмелья. Им трудно в полной мере оценить комфорт особняка. Хотя меня насторожил бы в договоре о найме пункт, который гласит: туалетная бумага, полотенца, халаты, тапочки предоставляются за отдельную плату.

Девушек, мечтающих стать «Мисс «Комареро», и большую команду конкурса Груздевы принимают впервые. Будущим супермоделям, наверное, не особенно нравятся условия на базе, но они стоически переносят трудности, потому что понимают: будешь капризничать, требовать по десять махровых простыней, ежедневную смену белья и фуа-гра на завтрак — живо вылетишь вон. Начинающая модель бесправна, ее дело помалкивать, улыбаться и изо всех сил стараться понравиться каждому: фотографам, устроителям, спонсорам, журналистам, стилистам и даже кошке, которая ловит в зале мышей. Почему не ропщут те, кто устраивает шоу? Капа не нанимала сверхдорогих профессионалов, обошлась специалистами, так сказать, средней руки, а они отнюдь не завалены работой, потому очень рады заказу.

На фоне серой массы сотрудников выделяются три яркие личности: режиссер Зиновий, которого все, кроме участниц, кличут Зяма, его правая рука Рита и стилист Тамара. По какой причине эти люди безропотно терпят малокомфортабельные условия, я не понимаю.

А еще меня поражает, что Михаил Матвеевич ухитряется одновременно находиться в нескольких местах. Только что старик Груздев бдительно прислушивался, сколько воды выливаю на себя я, а уже через секунду я услышала его голос где-то в глубине дома. Похоже, хозяин освоил телепортацию и перемещается в пространстве, рассеиваясь в коридоре на атомы и собираясь в человеческий организм за миллидолю секунды.

Я вышла из душа и двинулась в сторону спальни. По дороге мне попалась высокая блондинка, она протянула:

— Лампа! Мне выдали блестящие колготки!

— Супер, — кивнула я, пытаясь понять, кто передо мной. Лена, Катя, Оля, Сандра? Может, Олеся? Или Нина? Вера? Надя? Конкурсантки все на одно лицо, похожи, словно куриные яйца.

— Издеваешься, да? — захныкала красавица.

Я решила рискнуть и назвать очаровашку по имени:

— Ну что ты, Катенька! И в мыслях этого не имела.

В глазах девицы вспыхнул злой огонь.

— Ну теперь ясно, кто победит! Катьке все лучшее отдают. Я Алиса!

— Прости, дорогая, — смиренно ответила я. — Объясни, чем колготки плохи?

— Они с лайкрой! — закричала Алиса. — В свете прожектора на сцене будут блестеть, и мои бедра покажутся толще.

— Не переживай так, — попыталась я утешить участницу конкурса.

— Если я не получу первое место, повешусь! — взвизгнула Алиса.

— Лучше избрать другой способ самоубийства, — вздохнула я. — Висельник не очень красив после кончины, твои фото в прессе буду непривлекательны.

— Не смешно, — зарыдала Алиса, — совсем! На кону моя жизнь. Или я выиграю конкурс, или...

Давясь слезами, красотка унеслась, я продолжила путь и наткнулась на другую светловолосую нимфу, которая тоже выразила свое недовольство:

— Лампа! Почему у меня на голове гнездо?

Я пожала плечами.

— Не знаю. Может, снимешь его, если мешает?

— Издеваешься? — закричала красотка.

— Нет... э... Катюша, — ляпнула я.

Дальше диалог до боли напоминал наше общение с Алисой.

— Понятно, кого на первое место пропихивают. — Красавица засучила бесконечно длинными ножками в босоножках на платформе. — Катюхе убогой планируют на лысину корону прибить. Я, между прочим, Лена.

— Прости, бога ради, — заулыбалась я, искренне жалея, что финалисток не пометили бейджиками.

На сцену девушки выходят с номерами, прикрепленными к одежде, а в быту разгуливают без оных, ну и как различить принцесс? Даже родная мать не сообразит, где Алиса, а где Лена: у них одинаковый цвет волос, стандартно модельные фигуры, броский майкап и гнусавые голоса. Мне ни разу не удалось подстеречь ни одну без грима. Наверное, они даже спать ложатся с макияжем.

— Понятия не имею, на какой помойке Капитолина нашла этих лохушек, им нельзя разрешать даже мыть сортиры на вокзале, — злилась Лена. — Неизвестно, из какого бачка с отбросами выползла обожаемая тобой Катька! Но знай! Первое место будет мое! Шота уже велел всем своим фанатам в Интернете за невесту голосовать. Конкурс финалисток — это формальность!

— Кто такой Шота? — неизвестно зачем поинтересовалась я и тут же мысленно отругала себя за неуместное любопытство.

Лена вскинула голову:

— Мой жених, очень-очень-очень-очень-очень богатый. Шота Руставели. Стихи пишет! Красавец! У него на счету сто сорок миллионов долларов.

Я попятилась. Шота Руставели? Классик грузинской литературы? Автор поэмы «Витязь в тигровой шкуре»? Вроде он жил аж в двенадцатом веке! Нет, конечно, я наслышана, что мужчины из Тбилиси темпераментны и щедры по отношению к женщинам. Но, простите, сколько лет Руставели? Восемьсот? Девятьсот? Пятьсот? Какая, в конце концов, разница? Полагаю, что, перешагнув столетний рубеж, любой дедок не станет заводить себе молоденькую любовницу — ему элементарно нужен покой, а не ежедневная дискотека.

— Ага! — мстительно отметила Лена. — Испугалась?

— Нет, просто пытаюсь вычислить возраст твоего ухажера, — честно призналась я. — Неужели сочинение стихов столь прибыльное занятие?

Леночка снисходительно взглянула на меня.

— Стихи — его хобби. Деньги Шота зарабатывает на поле.

— Он комбайнер? — поразилась я. — Или владелец плантаций цитрусовых?

Лена скривилась:

— Фу! Я похожа на человека, который свяжется с фермером? Выйдет замуж за механизатора? Или за куровода? Шота — футболист! Он играет за сборную Англии! Команда называется... э... ну не помню, то ли «Реал», то ли «Бавария»!

У меня отлегло от сердца. Гениальный поэт не имеет ни малейшего отношения к Лене, он давно спит под памятником. Наша конкурсантка живет с парнем, который носится с мячом по газону. Вот только странно, что она точно не помнит название его команды. Обычно девушки спортсменов — сами ярые их фанатки и никогда не спутают клубы.

— Я здесь главная, — возвестила Лена, — потому что невеста богатого человека. Андестенд, Лампуша? Разберись с моим гнездом.

— Где оно? — спросила я.

— Неужели не видно? — всплеснула руками капризница. — В волосах! Причесали меня, как деревню! Скажи стилистке, один кивок Леночки, и ее отсюда пяткой под зад вытолкнут! А мой рот?

Пухлые силиконовые губы девушки сложились буквой «о».

— Нравятся? — сердито осведомилась она.

— Я не принадлежу к членам жюри, — заканючила я. — Мое мнение ничего не значит.

— А помада, — продолжала Лена, — любуйся! Каково?

Я поежилась. В коридоре дует, надо бы поспешить в свою комнату и натянуть джинсы со свитером.

— Смотри! — приказала Елена.

Я вновь взглянула на ее рот и рискнула высказаться:

— Розовый блеск с перламутром вполне уместен.

— На туфли позырь! — взвилась Лена. — Ищи макияж!

Меня охватило удивление. Неужели красавица красит обувь косметикой?

— Разве можно голубые босоножки сочетать с цветом палевой розы на лице? — заорала Лена. — Да, если туфли или ботиночки красивые, то ничего! Но с этими розовый никуда! Черт!

— Где все? — донесся из репетиционного зала возмущенный голос Риты. — Сколько можно ждать? Отлично, начнем с теми, кто явился вовремя, остальные будут отстранены. Слишком рано кое у кого проклюнулась звездная болезнь.

Лена резко повернулась и кинулась в сторону флигеля. Слишком высокие каблуки и мощная платформа мешали передвижению, поэтому через секунду девушка скинула обувь и помчалась на зов, держа босоножки в руках. Я невольно отметила, что без обуви рост Лены практически совпадает с моим, и поспешила в другую сторону.

Глава 3

Когда я вошла в большой зал, Зяма сидел на стуле, а шеренга девушек в купальниках пыталась отрепетировать выход на сцену. Я устроилась за спиной режиссера и сделала вид, что нахожусь тут давно. Зяма с большой долей вероятности не заметил моего отсутствия при начале репетиции. Режиссер полностью погрузился в работу, а вот Рита изобразила на лице кривую улыбку и буркнула:

— Ты пока не очень нужна, отдышись спокойно.

Маргарита, естественно, в курсе, что директор шоу — невестка Капы, поэтому старательно изображает мою подругу и никогда не напоминает, что за должностью директора скрывается завхоз. В наше время непрестижные профессии пытаются закамуфлировать под элегантными названиями. Если раньше в трудовой книжке писали «уборщица», то теперь там укажут «менеджер по спецобработке». Я не решаю никаких творческих задач, приглядываю за постояльцами, костюмерами, гримерами, парикмахерами, слежу, чтобы у них работали утюги, фены, отвечаю за инвентарь для съемок, приказываю рабочим притаскивать фигурки леопарда и прочих зверушек, заказываю автобус для участников и выполняю еще кучу всего. Главный по творческим вопросам у нас Зяма, от него зависит успех действа. Выше Зиновия по рангу лишь Капитолина, а я жена ее сына. Расклад понятен?

— Встали, повернулись, руку на талию, пошли, — скомандовал Зиновий, — ать, два! Стоп! Алиса! Где твои лапы?

— Вот они, — пропищала блондинка.

— Это веревки, — рявкнул Зяма, — болтаются, как языки у больных коров. Все втянули живот, свели лопатки, подняли подбородок! Алиса!

— А? — откликнулась девица.

— Подняли, а не задрали голову, — отчеканил Зяма, — работаем! Раз, раз, раз! Делимся на два ручья. Оп! Оп! Оп! Оп! А теперь парами. Стоп! Алиса!

— Ну почему вы меня постоянно дрючите? — заныла девушка. — Другие, че, такие правильные, а я типа коза?

— Все встали по две, — вмешалась Рита, — одна Алисочка самостоятельно чешет!

— Мне человека не хватило, — закричала конкурсантка.

— Невероятно, — сказал Зяма, — вас десять. Делим это число на два. Сколько получим?

Девушки замерли.

— Десять на два, — повторил Зяма, — ну?

Конкурсантки сонно моргали.

— Имеется десять тысяч рублей, — сказала Рита, — вы можете потратить их в двух магазинах. Сколько оставите в каждом бутике?

— Если в ювелирном, то ни на одну приличную вещь не хватит, — фыркнула Лена, которую я опознала среди десяти Барби по голубым босоножкам.

— Ну, конечно, — протянула Алиса, — наша королева без башни привыкла тратить миллионы на брюлики!

— Ты как меня обозвала? — сдвинула брови Лена. — Повтори, коза!

— А ты жаба, — ринулась в бой Алиса, — королева без башни! Получила? Нравится? И что ты со мной сделаешь? Башню у нашей Леночки — королевы неземной красоты — снесло! Десять тысяч ей не деньги! Ну точно, без башни!

— Тишина! — заорала Рита. — Вы, обе, прекратите! Забыли, что в контракте есть пункт, обязывающий вас относиться друг к другу вежливо, с уважением!

— Я пришла однажды в зоомагазин, — зачастила стоящая с самого края девушка, — спросила: «Сколько стоит вон тот прикольный котеночек?» Продавщица и говорит: «Двадцать тысяч». Я растерялась и сказала: «У меня есть лишь десять тысяч, но котика очень хочется». А она в ответ: «Нам запрещено торговать половинками животных. Идите к управляющему, если он разрешит, я разрежу перса».

— И ты пошла? — заинтересовалась Лена.

Девушка приуныла.

— Неа! Подумала, ну зачем мне полкота? Хочется целенького, чтобы и голова, и хвостик! Неприкольно, когда он по частям!

Я впала в транс. Это шутка? Или девица всерьез размышляла над вопросом приобретения половины кошки?

Зяма хлопнул в ладоши.

— Встали попарно.

— Участниц не десять, а девять, — не выдержала я, — одной не хватает.

— Кого? — разозлился режиссер.

— Катьки! — мстительно выпалила Лена. — Она не пришла!

Зиновий побагровел.

— Лампа, немедленно найди сикозявку и приволоки ее сюда.

— Ага, — не упустила момента высказаться Алиса, — обещали опоздавших от шоу отстранить! Зачем за Катькой посылать?

— Затем, что без нее выход ломается, — спокойно пояснил Зиновий.

Продолжения беседы я не слышала, потому что покинула зал.

В крохотной спальне Кати не оказалось. Я на всякий случай заглянула под кровать и в шкаф, потом поспешила в душ, обыскала столовую, сбегала в туалет, посетила кухню и в завершение засунула нос во все жилые комнаты. Катерина как сквозь землю провалилась. Возвращаться в зал с заявлением «Катя испарилась» не хотелось.

Да и не могла девица исчезнуть, она хочет получить Гран-при.

Я вздохнула и прошлась по дому второй раз, теперь уже открывала и буфеты, и комоды, и даже полистала глянцевые издания в столовой. Хотя, согласитесь, это откровенный идиотизм. Катя стройная девушка с параметрами 80—61—80, но она не блинчик, ей между страницами не уместиться.

В тот момент, когда я, встав на колени, заглядывала в камин, который Груздев никогда не разжигает — жалеет дров, — за моей спиной раздался резкий голос Маргариты:

— Полагаешь, Катерина замыслила свершить акт самосожжения? Решила воплотить в жизнь девиз «Светя другим, сгораю сам»?

Я почувствовала себя уязвленной.

— Нет, просто нагнулась к очагу.

— И где Катя? — поинтересовалась помощница Зямы.

— Понятия не имею, — призналась я, — ее нигде нет.

— Это невозможно! — отрубила Маргарита. — Ты плохо искала.

— Научи, как лучше, — попросила я.

— Пошли вместе, — приказала она.

Мы обошли весь дом, вернулись в столовую, и Рита промямлила:

— Точно нет. Что делать?

— Надо сказать Зяме об уменьшении числа претенденток, — пожала я плечами, — Катя пропала.

— Невероятно, — крикнула Рита, — куда она делась?

— Ушла, — без особой уверенности предположила я.

— А смысл? — нахмурилась Маргарита. — У нее все шикарно складывалось, попала в десятку, могла рассчитывать на призовое место. На хрена ей уходить?

Я решила успокоить Маргариту.

— Если Зяме необходима на сцене великолепная

десятка, пусть возьмет в команду девушку, которая сейчас на одиннадцатой позиции. Думаю, Капа не станет перечить. Ей все равно, кто победит, главное — сам конкурс.

— Поздно! — взвизгнула Рита. — Шоу стартует через несколько часов! Давай еще раз обежим здание.

Чуда не произошло, Катерина не обнаружилась. Мы предстали перед очами Зямы, который, увидев наши лица, все понял и заорал:

— Девки, перерыв! Полчаса! Потом снова репетиция вход-выход, — а затем накинулся на нас с явным желанием порвать на конфетти. — Неслыханно, — бесновался Зяма, — мое представление! Воды! Скорей! Много воды сюда! Море!

Желая услужить разгневавшемуся до красных чертей режиссеру, я опрометью бросилась выполнять его приказ, сносилась в душ, наполнила эмалированный таз доверху и, не расплескав по дороге ни капли, притащила десять литров воды в зал.

Зяма, сотрясавший в воздухе кулаками, замер, потом спросил почти человеческим голосом:

— Это что? Зачем?

— Ты просил воду, — ответила я, — хотел как можно больше. А в душе есть тазик.

Зиновий обхватил голову руками и простонал:

— Вокруг одни идиоты! Я просил попить! Глоточек! Маленький!

Рита, забыв о том, что режиссера не следует бесить, заржала во весь голос, а Зяма трагическим тоном произнес:

— Ненавижу баб! Шоу разваливается. Куда подевалась эта тупая мочалка?

— Зяма, Зяма, — завизжала Алиса, влетая в зал, — вот, нашла у себя под подушкой.

Постановщик выхватил у претендентки на Гран-при клочок бумаги и начал читать вслух нацарапанный на нем текст:

— «Нужно мне ваше шоу в грабу!» Рита, она так и

начеркала — «в грабу»! Проверочное слово, похоже, «граб»!

Маргарита подскочила к Зяме, я подошла с другой стороны и получила возможность лицезреть послание.

«Нужно мне ваше шоу в грабу. Я все ровно самая кросивая и умноя. Уезжаю с Шатой Руставели. Он миня пазвал в Лондон, а Ленку бросил. Всем превед. Катя».

— Обалдеть, — протянула Рита, — каким макаром этот Шота с ней договорился? Участницы повсюду строем ходят! Вместе из автобуса вышли, группой сели!

— Свинья грязь найдет, — буркнул Зяма, потом зашипел: — Офигеть! Мы потеряем двух девок.

— Почему двух? — не поняла я.

Зяма воззрился на меня.

— Идиотка, да? Катька свинтила с женихом Лены. Едва последняя услышит эту новость, она впадет в истерику. Надо молчать. Ни гугу до того, как завершится представление. Господи, дай мне сил! Если мероприятие благополучно закончится, я больше никогда не соглашусь работать на конкурсе красоты. Лучше уж постановка шоу с обезьянами, кошками, блин, черепашками, но не с девками! Нет, нет и нет!

— Потом поистеришь, — остановила его Рита. — Что делать будем?

Зяма примолк. Маргарита повернулась к Алисе:

— Что хочешь за молчание?

— Первое место, — не растерялась та.

Рита вытащила телефон и набрала номер:

— Капа? У нас форс-мажор.

Продолжая разговаривать с матерью Макса, Рита быстро отошла в противоположный конец зала, потом вернулась и кивнула:

— Хорошо. Получишь все, что просишь!

— Вау! — завизжала Алиса, прыгая почти до потолка. — О! Иес!

Рита схватила обалдевшую от счастья девушку за плечи.

— Заткнись! Первое место тебе присудят только в

случае соблюдения нашего уговора. Ни полслова, ни намека, ни взгляда на Лену! Она не должна ни о чем догадаться. Сегодня полуфинал.

— Но потом-то, вечером, я смогу ей сказать? — с придыханием поинтересовалась Алиса.

— Нет, — гаркнула Рита, — ты прикусишь свой змеиный язык. У нас на завтра назначена фотосессия, еще предстоит финал, заключительная пресс-конференция, бал всех, кто принимал участие в шоу. Набьется много журналистов, спонсоров, светских тусовщиков. Хочешь получить корону королевы красоты?

Алиска прижала кулачки к груди и быстро закивала.

— Тогда ни шур-шур, — отрубила Рита, — отдай послание.

Алиса протянула записку, Маргарита ее схватила.

— Отлично, договорились. А сейчас иди и скажи всем, что Катя сломала ногти, ей делают наращивание. Процедура долгая, поэтому больше репетиций не будет, отдохнем и поедем в концертный зал. О'кей?

Алиса кивнула и удрала. Зяма посмотрел на Риту.

— Я чего-то не понял?

— Тотто-лотто, — коротко ответила помощница, — забыл!

— Блин! — простонал режиссер. — Ё-моё! За что! Ритуля? Как быть?

— Надо срочно найти любую девку, — ответила Рита. — Я ее мигом в Катьку превращу. Плевое дело! Парик, грим — и кушайте пончик!

— Где? Где? Где? — словно актер в древнегреческой трагедии, завел Зяма. — Где?

— Дай подумать, я соображу, — выпалила Рита.

— Нет, все пропало, — трясся Зяма, — такие бабки! Нас на куски порвут и по полю разбросают! Господи!

— Не отчаивайся, — оптимистично воскликнула помощница, — вылезали и не из такого. Звякну нашей Варьке в агентство, она пригонит новую блондинку.

— Которая не знает сценария, — простонал Зиновий, — не видела сцену, ни разу не посетила прогон. Она завалит все дело.

— Обучим, — не сдалась Маргарита.

— За час? — чуть не зарыдал Зяма. — Будь проклят тот день, когда я согласился на это идиотское шоу! А все ты! Уговорила! Зудила: деньги! деньги! деньги! Кашу заварила, а расхлебывать мне! Мне!

Я опустила глаза. Большинство мужчин не способно честно и откровенно заявить: «Я идиот, вляпался в некрасивую историю».

Увы, сильный пол старается переложить свою вину на женские плечи. Зяма не исключение.

Рита погладила начальника по плечу:

— Все будет хорошо!

Зиновий шарахнулся к окну.

— Да пошла ты!

— Может, я могу помочь? — тихо спросила я, наблюдая, как постановщик меряет шагами зал.

— Необходимо в течение получаса найти десятую участницу, — протянула Маргарита.

— Проще переделать выход на девятерых, — посоветовала я. — Если начнут спрашивать про Катю, можно честно сказать, что она не выдержала нервного напряжения и сбежала.

Рита скривилась.

— Наивняк. А тотто-лотто?

— Что? — не поняла я.

Маргарита понизила голос до еле слышного шепота:

— Тотализатор. На наших девок делают ставки. Кто проиграет, кто выиграет, номер места. Если Катюши нет, нас сразу заподозрят в нечистоплотной игре и надают по шеям.

Я замерла:

— Девочки вроде лошадей на ипподроме?

Маргарита закатила глаза:

— Да они намного хуже кобыл. Скакун благородное животное, разве ему втемяшится в башку удрать с чужой конягой за десять минут до старта?

— Думаю, нет, — осторожно ответила я.

— А теперь вспомни Катьку. Сволочь, — зашипела Рита, — сбежала с чужим любовником.

— Нехорошо, — согласилась я.

— Жуть, — мрачно подтвердила Рита, — что делать? Зяма в истерике, но он в принципе прав. Нам нужна Катька! Эй! Стой!

Я замерла.

— Ну-ка, пройди вперед, — приказала Маргарита. Мне пришлось подчиниться.

— Зяма! — завопила Маргарита. — Сколько раз тебе повторяла! Не падай духом! Все непременно устроится. Лампа поработает за Катю!

— Никогда, — испугалась я.

— Когда, когда, — зачастила Рита, она бросилась к режиссеру, схватила того за руку, подтащила к стулу, усадила и закурлыкала: — Все отлично станцовывается. Лампа знает сценарий. Посещала все репетиции. У нее шикарная фигура.

— Мне не двадцать лет, — пискнула я, — и, если честно, не тридцать, причем уже давно.

— Комбез! — выпалил Зяма. — Эффект второй кожи, он подтянет обвисшую!

— Точняк! — обрадовалась Рита. — Сверху татуаж! Круто!

— Парик, — потер руки Зиновий, — походка, губы, румяна. Штукатурки побольше. Вау! Она будет принцесса Востока. А ну покажи живот!

Я не успела среагировать, как Рита с Зямой налетели на меня, словно коршуны на бельчонка, и вытряхнули из одежды.

— Не надо комбеза, у старушки нет целлюлита, — обрадовался режиссер.

— Он на костях не заводится, — пояснила Рита, — жаль, грудь у нее... мда!

— Топик с бахромой! — взвыл Зяма. — Эй, там...

Маргарита зажала режиссеру рот:

— Ваще, да? Хочешь, чтобы звон пошел? Никому

нельзя говорить ни слова! Сами справимся. Лампа! Сидеть!

Словно дрессированная цирковая собачка, я плюхнулась на стул и засунула голые ноги под сиденье, а режиссер и Рита стали метаться туда-сюда, размахивая разноцветными тряпками и париками и жонглируя коробками с гримом.

Глава 4

В концертный зал меня привезли отдельно от остальных участниц. Я ехала к месту действия в «Мерседесе» Риты, которая, нажимая на педали, твердила, словно мантру:

— Ничего не бойся. Главное, кураж. Не смотри в зал, не реагируй на девок, делай то, что должна, и получится шоколадно. Помни о деньгах, которые мы тебе с Зямой отстегнем за помощь. Спокуха!

— Спокуха, — повторяла я, уже стоя за кулисами и глядя, как участницы выпархивают под барабанную дробь на сцену.

— А сейчас, — завопил ведущий, какой-то молодой киноактер из популярных сериалов, — появится участница под номером десять, Катерина.

Зяма шлепнул меня между лопаток.

— Спишь, детка, пошевеливайся.

Звукорежиссер прикрепил мне сзади на пояс шаровар черную коробочку с проводочками, просунул под топик крохотный микрофон и крикнул:

— Петля готова.

— Пошла, — приказала Рита, — не подкачай!

— Не дыши ртом, чадра некрасиво прилипает, — дал последний совет Зяма.

— Коробочка, — шепнула я, — та, что со звуком...

— Катерина, Катерина, Катерина, — скандировала публика.

— Она тяжелая, шаровары могут упасть, — пожаловалась я.

Но Рита проигнорировала мое замечание, она пнула меня пониже пояса, и я выбежала на сцену.

Главной задачей было не шлепнуться, невероятной высоты каблучищи могли подвернуться в любую минуту. Но мне удалось безо всяких приключений добраться до нужного места и встать между двумя девушками, Оксаной и Алисой.

— Гадина, — моментально прошипела первая, — думаешь, раз спишь с Зямой, получишь первое место? Считаешь, нацепила крутой костюмчик, последняя в линию встала и жюри твое? Ха! Дура! Кому ты, уродина, нужна!

Продолжая говорить гадости, Оксана ухитрялась очаровательно улыбаться, глядя в зал, потом она незаметно завела свою руку за мою спину и изо всей силы ущипнула меня за филейную часть. Я постаралась придвинуться как можно ближе к Алисе, а та неожиданно прошептала:

— Наш план в силе? Мутим игру?

Я поняла, что Алиса и Катерина строили какие-то козни и, не желая попасть в идиотское положение, еле слышно, но вполне конкретно ответила:

— Нет. Отмена.

Алиса вздохнула и спросила:

— Почему отказываемся?

В мою задачу не входило болтать с участницами шоу, поэтому я прошипела:

— Форс-мажор! Потом полялякаем! Не на сцене же!

Слава богу, через пару секунд зазвучали фанфары и началась собственно конкурсная программа. Памятуя о наставлениях режиссера и его помощницы, я изо всех сил старалась выложиться на сцене, брала пример с девушек, безостановочно твердя про себя: «Лампуша, втяни живот, сведи вместе лопатки, подними подбородок, опусти плечи. И раз, и два, и три, и четыре».

Спустя час я успокоилась. Участницы шоу не поняли, что вместо Кати среди них отплясывает Лампа — мое лицо скрывалось под чадрой.

К тому же большинство девушек оказались вялыми, они двигались с трудом, кое-кто зевал. То ли девицы устали, то ли сильно перенервничали, но больше двух третей конкурсанток походили на сонных мух. Казалось, им наплевать, победят они или нет. Меньше всего красоток заботила «Катя». Жюри тоже не испытывало к «Катерине» никаких особых чувств, мне ставили средние оценки.

До начала шоу Зяма и Рита, давая мне наставления, в один голос твердили:

— Твоя задача не оказаться десятой. Лучше всего занять шестое-седьмое место. В финал выйдет пять человек, из них выберут потом трех победительниц. Никто не возмутится, если Катя не получит корону. Главное, чтобы зритель усёк — Катерина срезалась на каком-то испытании.

Я понимала, что выигрыш мне ни к чему, но и в лузерах одна из прежних фавориток шоу очутиться не может.

Перед последним, музыкальным, испытанием Рита подошла поправить мне костюм и шепнула:

— Хорошо бы сейчас тебе выиграть, а то пока ты на девятой позиции. Пойдут слухи, что дело нечисто. Позавчера первая, а нынче плетешься в хвосте. Сможешь сыграть на рояле? Хоть собачий вальс! Произведешь благоприятное впечатление на уродов в жюри.

Я протяжно вздохнула. А судьи кто? Ладно, не стоит продолжать цитировать бессмертную комедию «Горе от ума». Но люди, которые раздают оценки девушкам, действительно выглядят несколько странновато. Во главе длинного стола восседает престарелая актриса, которая из-за огромного количества пластических операций потеряла способность улыбаться. Губы ее напоминают сардельки, на лице пенсионерки двигаются только глаза, и я не понимаю, каким образом некогда популярная дива спит. Когда она моргает, ее рот приоткрывается. Неужели бабушка российского кинематографа дремлет, разинув пасть? По правую руку жертвы хирургов сидит мужчина, которого ведущий имену-ет секс-символом нашего кино. Может быть, этот актер, хотя, если честно, я никак не могу вспомнить, где он снимался, и был когда-то молод и хорош собой, но сей-час смахивает на откормленного к зиме кабана. Инте-ресно посмотреть на девушку, которую не стошнит при виде двухсоткилограммового мачо. Вот третий член су-дейской коллегии весьма симпатичен. Это восходящая звезда шоу-бизнеса, смазливый юноша в слишком узких джинсах и майке-алкоголичке, которую он нацепил, несмотря на глубокую осень. То ли повелитель фанеры нюхает некий волшебный порошок, то ли у него беда со щитовидной железой. Иначе чем объяснить, что парню жарко, когда все остальные клацают зубами в ненатопленном зале?

На конкурсе пятибалльная система, и старая актри-са ставит всем единицу. Думаю, бабушку откровенно раздражают симпатичные девочки, у которых впереди долгая жизнь и карьера.

Слонопотам, наоборот, постоянно поднимает таб-личку с цифрой «5», он безобразен снаружи, но добр в душе и даже стал мне нравиться. А вот певец пытается быть объективным. Он слишком серьезно восприни-мает свою роль и наивно полагает, что от его оценок зависит исход шоу. Но самое ужасное не это. Всякий раз, перед тем как высказать свое мнение, голосистый соловей непременно исполняет отрывок из какого-ни-будь хита, так сказать, а капелла.

Публика воет от восторга, птичка раскланивается, а я, закончившая московскую консерваторию по классу арфы, испытываю приступ зубной боли. Увы, певцу не удается правильно взять ни одной ноты. Ну почему он не прихватил с собой фонограмму?

Рита толкнула меня в бок:

— Эй! Очнись! Мы выкатим на сцену рояль, принe-сем гитару, скрипку, виолончель, флейту, губную гар-мошку. Можешь хоть на чем-то слабать? Ау! Нам нужно шестое-седьмое место, тогда не будет никаких претензий. Девятое не прокатит.

— Тащите арфу, — шепнула я в ответ.

Маргарита поперхнулась.

— Что?

— Арфу, — повторила я и поторопилась на сцену.

Не знаю, каким образом Маргарите удалось выполнить мою просьбу, но спустя рекордно короткое время на сцену вывезли затребованный инструмент. В зале повисла тишина, даже ведущий слегка сбился, произнося подготовленный текст:

— Ну, девушки-красавицы, кто может сейчас продемонстрировать таланты? Простите, музыкальный талант.

И тут настал мой час. Рука сама собой поднялась, я воскликнула:

— Я! Я! Я! Только, пожалуйста, принесите еще и стул, на арфе играют сидя.

Миновав шеренгу мрачно насупившихся конкурсанток, я привычно положила кисти рук на струны, оттопырила мизинцы и закрыла глаза. Сколько лет прошло, а пальцы все помнят. Конечно, сегодняшнюю мою игру нельзя назвать великолепной, и, если честно, госпожа Романова всегда была фиговым исполнителем. В консерваторию я отправилась по приказу мамы, оперной певицы, и отсидела в здании на Никитской улице положенные годы, не испытывая ни малейшей радости, но тем не менее прекрасные педагоги сумели вбить в меня ремесло.

Когда последние звуки музыки угасли, зал начал бешено аплодировать, даже престарелая актриса заставила себя пару раз хлопнуть в ладоши. Я кланялась, словно китайский болванчик, радуясь, что оркестр, который сопровождает шоу, спрятали на балконе и я не вижу лица дирижера Сергея Жилина. Вот он-то точно понял, сколько раз исполнительница облажалась! Почему же зритель в восторге? Ну, сейчас в зале не та публика, что посещает симфонические концерты и подкована по части классики, а те, кто пришел полюбоваться на красивых девушек. Вероятно, основная масса народа сегодня впервые увидела арфу. Конкурсантки тоже оказались под впечатлением. Когда мы шеренгой убегали за кулисы, девушки молчали, только Лена не удержалась и шепнула:

— Все равно первое место мое! Можешь хоть задницей в саксофон дуть, победю я!

Я покосилась на красную от злости Лену. Может, Алиска не зря называет ее «королева без башни»? Похоже, девушка не умеет сдерживать эмоции.

— Что ты молчишь? — сжала кулаки Лена.

Я отвернулась и посмотрела на Маргариту.

— Отлично! — одобрила меня Рита. — Слава богу! Всё. Сейчас объявят результат, полагаю, ты у нас будешь на шестом месте. Пройдем круг почета, помашем партеру лапкой и домой.

Но Маргарита ошиблась. Вероятно, влияние Зямы на членов жюри было не столь велико, как рассчитывал режиссер, или актриса с певцом и ожиревшим секс-символом решили твердо продемонстрировать, от кого зависит судьба конкурсанток, но после длительного совещания, мэтры огласили вердикт. Первое место было единогласно отдано девушке Кате, то есть мне, Лампе Романовой.

Едва мы вернулись на базу, как Зяма с Ритой утащили меня в комнату режиссера и начали орать.

— Какого дьявола ты изображала из себя Паганини! — гневался режиссер.

— Он играл на скрипке, — уточнила я, чем вызвала на свою голову еще большой гнев.

— Да хоть, ё-моё, на дудуке[1], — вышел из себя Зиновий, — нам не требовалось призовое место. Мы хотели красиво исключить Катерину из участниц и навсегда забыть. А ты, блин! Славы захотела? Контракта?

---

[1] Д у д у к а — армянский духовой музыкальный инструмент с девятью игровыми отверстиями. Известен с древности.

В зеркало глянь! Давно поезд ушел, теплоход уплыл, остались развалины причала!

— Зяма, — предостерегающе кашлянула Рита, — Лампа нас выручила, и она невестка Капы.

Постановщик захлебнулся очередной порцией брани и отвернулся к окну. А я, сославшись на головную боль, быстро ушла.

Девушки разошлись по своим комнатам. Алиса, Лена, Сандра и Оля праздновали победу, остальные хлюпали носами и собирались домой. Я захотела принять душ. Схватила полотенце и поторопилась в подвал, но душевую уже успели занять. Из-за двери доносился мерный шум воды. Я решила подождать около входа в предбанник. Кабина одна, девушек много, если я убегу в спальню, а потом вернусь, вероятно, обнаружу целую очередь.

Я привалилась к стене и прикрыла глаза. Журчание стихло, кто-то вышел в раздевалку, зашуршал там, по всей видимости, человек одевался.

— Алло, магазин? — послышался из душевой знакомый капризный голос. — Доставьте букет! Прямо сейчас! Розы в виде сердца! Ну... одиннадцать штук. В центр воткните открытку, там напишите... нет, сами начирикайте. Значит так. «Леночка! Поздравляю. Люблю, обожаю. Твой Шота!» Шота! Да не шо так, а Шота! Это не вопрос! Имя такое! Диктую по буквам! Шашлык, Оля, Таня, Аня. Ясно? Как можно быстрее! Шота! Слушай, блин, тебя взяли на работу после победы в конкурсе дебилок? Шашлык, Оля, Таня, Аня. Это подпись. Ну наконец-то! Добралось, как до жирафа!

Я передумала принимать душ и побежала по коридору. Конкурсанткам велели сдать мобильные телефоны. Ничто, по мнению Зямы, не должно отвлекать девушек от репетиций. Сейчас сотовые заперты, но хитрая Лена имела два аппарата. С одним она смиренно рассталась, а второй припрятала. Но зачем заказывать доставку букета от имени своего любовника?

Я вернулась в спальню, набрала номер Макса и попросила:

— Будь добр, узнай, есть ли в сборной Англии по футболу грузин по фамилии Руставели?

— На ум приходит Дэвид Бэкхем, — хмыкнул Макс.

— Очень надо, — взмолилась я.

— Без проблем, — успокоил меня он, — уже сижу в поисковой системе и... о... Да, здесь сорок восемь Руставели, и все гоняют мяч под флагом Великобритании. Тебе которого?

— Его имя Шота, — быстро подсказала я.

— Представь, они все Шоты, — абсолютно серьезно ответил Макс, — хотя, наверное, данное имя не имеет множественного числа.

Тут только до меня дошло, что муж надсмехается надо мной, и я обиженно произнесла:

— Врешь, да?

— Конечно, — быстро согласился Макс, — брешу, как сивый мерин. Вот интересно, почему это животное упомянуто в пословице? Врать, словно сивый мерин. Разве что кони в Древней Руси умели болтать. И что такое «сивый»?[1] Цвет или качество характера?

— В английской команде нет Шота Руставели? — прервала я Макса.

— Ага, — опять не стал спорить Макс, — и его там даже близко не было. Хотя...

— Нашел? — удивилась я.

— Неа, я подумал, вдруг ты перепутала, назвав парня футболистом, — пояснил Макс.

— Мне сказали, что Руставели — член сборной Англии по этому виду спорта, — подтвердила я.

---

[1] Есть несколько версий происхождения этого оборота. Слово «врать» в прошлом имело значение «болтать, пустословить, нести вздор». Слово «сивый» (светло-серый, седой) означало «старость». Сивый мерин в переносном смысле — привирающий о своих подвигах старик. Другая версия восходит к сивому мерину, старому коню, тот «врал», то есть неверно прокладывал, ошибался при прокладке борозды, и крестьяне избегали на нем пахать.

— Сборная состоит не только из парней, которые гоняют мяч, — ответил Макс, — врачи, массажисты, психолог, тренеры, повара — все они тоже включены в команду. Но Руставели среди них нет! А зачем он тебе?

— Одна девушка из числа конкурсанток не упускает возможности напомнить каждому, что она невеста Шота Руставели, очень богатого футболиста, — вздохнула я.

Макс засмеялся:

— Странно, что ты решила это проверить. Нимфа хочет вызвать зависть окружающих. Футболисты не только имеют многомиллионные контракты, они еще и кумиры, почище звезд кино и шоу-бизнеса. Среди фанатов кожаного мяча не только обычные люди, но и элита общества, включая президентов. Стать девушкой парня из сборной — мечта половины женского населения земного шара. Что у вас там происходит? Фира и Муся[1] соскучились. Мопсы сидят под дверью, вытирают лапами горючие слезы и стонут: «Где наша мама? Верните, о, верните ее!» «Ведь так не бывает на свете, чтоб были покинуты дети»! Надеюсь, я верно процитировал мультик про мамонтенка? Охо-хо, я скормил им все шоколадное печенье.

— Собакам нельзя сладкое, — испугалась я.

— Ой, правда? А я мажу курабье сливочным маслом и посыпаю сахарным песочком, — ответил Макс, — Фире с Мусей нравится, они в восторге.

Я онемела от возмущения, а Макс продолжил:

— Не волнуйся, я их ограничиваю, даю всего пол-кило мармелада в день. Эй, отомри!

Я издала стон. Макс засмеялся:

— Они едят свой корм, успокойся, печенья дома нет.

— Босс, босс, — заорал кто-то в трубке, — шеф! Клиент приехал.

---

[1] История появления у Лампы двух мопсих Муси и Фиры рассказана в книге Дарьи Донцовой «Ночная жизнь моей свекрови», издательство «Эксмо».

— Мне пора, — живо отреагировал Макс и отсоединился.

Я засунула телефон в карман и пошла в столовую. Значит, Шота Руставели? Ну-ну, подожду курьера с цветочками!

Встречались ли вам люди, для которых самое главное в жизни — произвести на окружающих впечатление беспредельно богатых и всемогущих? Они хорошо усвоили одно правило: люди верят тому, что слышат. В эпоху перестройки в Москве орудовал мошенник, который, особо не стесняясь, объявил себя генералом и втерся в доверие к членам так называемой светской тусовки. Не самые глупые, образованные и весьма оборотистые люди попали под обаяние этого афериста, давали ему деньги в долг, решали его проблемы. Правда, спустя некоторое время веревочка перестала виться и «генерал» угодил в тюрьму. Но ведь очень длительный срок ему удавалось водить многих за нос. Если вы с многозначительным видом закатите глаза и «по секрету» сообщите ближайшей подружке, что у вас интимная связь с самим фараоном Тутанхамоном, слух птицей разлетится по округе и никто не воскликнет: «Секундочку! Он умер в тысяча триста тридцать восьмом году до нашей эры».

Главное — врать с уверенным видом! Ну, Лена, погоди!

Во время ужина раздался звонок в дверь, и спустя пару минут Михаил Матвеевич внес в столовую букет. Флористы хорошо знали свое дело, они расправили лепестки, розы стали огромными, издали одиннадцать бутонов смотрелись целой клумбой.

Когда девицы узрели шедевр, они замерли, а Лена поинтересовалась:

— Ну и кому эту жуть прислали?

Хозяин старательно прочитал текст на открытке, торчащей из центра букета:

— «Леночка, поздравляю, люблю, обожаю. Твой Шашлык, Оля, Таня, Аня».

Алиса нервно захихикала, Сандра растерянно заморгала, Оля разинула рот. Лена вскочила, выхватила открытку и зачастила:

— Это Шота! Он шутник! Хе-хе! Шашлык, Оля, Таня, Аня! Понятно, да? Сложите первые буквы, выйдет Шота! Милый! Он не может вылететь из Англии, играет за сборную, но никогда не забывает меня подбодрить! Солнышко!

На нее устремились завистливые взгляды. Лена села на место, она явно чувствовала себя главнокомандующим на параде, благородным догом среди убогих дворняжек, тигрицей в окружении куриц.

Глава 5

Когда конкурсантки поужинали, я поспешила в комнату Лены.

— Чего надо? — злобно спросила красавица, впуская меня.

— Можно полюбоваться на цветы? — спросила я.

— Только не лапай, — предупредила Леночка, — завянуть могут. Вот!

— Они прекрасны, — вздохнула я.

— Доставлены самолетом из Голландии эксклюзивно для меня, — не преминула заявить врунья.

— Ну надо же! — восхитилась я. — Они так хорошо владеют русским! Написали записку без единой ошибочки!

Елена села на кровать.

— Ты не в курсе? Поздравление составил Шота!

Я начала атаку:

— Почерк женский.

Лена не сдалась:

— Уж какой есть!

— Шота сейчас в Великобритании? — промурлыкала я.

Собеседница не заметила подвоха.

— Ага.

— Цветики прилетели прямехонько из Амстердама? — спросила я.

Леночка оттопырила губку.

— Руставели привык дарить все самое лучшее. Если изумруды, то исключительно из Боливии, сумочки он мне в Париже заказывает, туда же мы за шмотками ездим!

Я опустила глаза и удержала на языке вопрос: если ты катаешься с женихом в столицу моды, то каким образом очутилась на конкурсе среди покупательниц фирмы Капы? Девушка, привыкшая носить Шанель-Диор-Живанши-Гермес, пройдет мимо лавки «Комареро», даже не притормозив у витрины.

— Розы, естественно, из Голландии, — продолжала, ничего не подозревая о моих мыслях, Лена.

— Шота в Лондоне, — занудно повторила я. — И как он открыточку передал в Амстердам?

На секунду во взоре Леночки промелькнуло смятение, но она живо нашла выход:

— Это не проблема! По факсу переслал!

Я взяла почтовую карточку, потерла пальцем слово «Шашлык» и сказала:

— Не пачкается. Обычная шариковая ручка.

— Ну и что? — не дрогнула Лена.

— След от печатного порошка черный, — пояснила я.

— Значит, Шота заранее весточку отправил, — невозмутимо отреагировала лгунья.

— Да он экстрасенс! — восхитилась я. — Предвидел твой успех, блестящий выход невесты в финал!

Леночка вскинула подбородок.

— Мой Руставели — главный спонсор конкурса индиго! И знает: я получу первое место. Ясное дело, пройду в финал.

— Наверное, ты хотела сказать «Инкогнито», — невольно улыбнулась я и снова вернулась к открытке: — Погляди-ка, на обороте указано: «Сделано в России. Комбинат бумизделий». Ай да Шота! Он же грузин?

— Ну да, — насторожилась Лена.

— Небось, вы с ним встречаетесь в Лондоне или в Москве, — тараторила я, — в Тбилиси заезжаете?

— Исключительно в Англии тусуемся, — вякнула Лена. — Он в Россию ни ногой.

— Ну совсем интересно, — обрадовалась я. — И давно он проживает за рубежом?

— С рождения, — пояснила Леночка, — он только по имени грузин, а так англичанин, с ихним паспортом. Скоро его королева в джентльмены посвятит, шпагой по плечу ударит, и Шота будет благородных кровей.

— Сделай одолжение, поясни, где он тогда раздобыл открытку, произведенную в России? — хмыкнула я, решив не говорить Лене, что венценосная особа прикосновением острого клинка посвящает человека в рыцари. Джентльменами не становятся, ими рождаются. Лена притихла, а меня понесло вскачь:

— Такой предусмотрительный! Решил, что приятнее всего любимой получить карточку из Москвы. Наверное, его родители проездом из Тбилиси в Лондон много лет назад прикупили поздравительный набор, хранили его, и вот настал его час! Шота нацарапал на открытке теплые слова, подписался оригинально: Шашлык, Оля, Таня, Аня, переправил автограф в Голландию, там его приложили к букету и переслали в Москву. Настоящая романтика. Ромео, залезающий на балкон к Джульетте, просто отдыхает. Помнится, юноша из семьи Монтекки не прихватил с собой даже завалященькой незабудки. Ай да Шота, проделать такое за сорок минут!

Несмотря на полный разгром, Елена попыталась сохранить лицо:

— У Руставели было намного больше времени!

Мне надоела тупая беседа, я отошла от стола, где в вазе стоял букет, села в кресло и положила ногу на ногу.

— Прекрати! Я слышала, как ты сама делала заказ по телефону из раздевалки душевой, и в сборной Англии нет человека по имени Шота Руставели. Перестань врать!

Ленка моргнула и заревела.

— Руставели не существует? — уточнила я.

Лена замотала головой.

— Ты его выдумала? — не успокоилась я.

— Да, — плакала дурочка.

— Вот уж глупость! — удивилась я.

Елена схватила с кровати ночную рубашку, вытерла ею лицо и заныла:

— Лампа, ну плиз, никому ни слова! Мне надо выиграть конкурс! До жути! Главное для победы — деморализовать соперниц! Убедить их, что у них нет шансов!

Я перебила фантазерку:

— Поэтому на свет родился богатый, известный футболист Шота Руставели, который оплатил своей невесте Гран-при.

— Это техническая хитрость, — заверещала Лена, — психологический прием. Видела, как боксеры перед боем друг друга ругают? Типа «я его размажу... уже отправил в нокаут тыщу человек». Где в нашем контракте написано, что нельзя иметь богатого жениха? Ты меня не выдашь?

— Нет, — ответила я, — но при одном условии. Шота перестанет быть основной темой твоих разговоров с соперницами.

— Стопудово! — кивнула Лена. — Все равно я победитель!

— Лена, почему тебе пришло в голову имя Шота в соединении с фамилией Руставели? — запоздало удивилась я.

Девушка хихикнула:

— Я кинушку посмотрела, из древней истории о поэте. Очень мне понравилось, как его звали! Красиво и романтично: Шо-та Ру-ста-ве-ли. Скажи, это лучше, чем какой-нибудь Джон Смит!

— Понятно, — кивнула я, — ты девушка восторженная. Ладно, вернись к суровой действительности. Финал через несколько дней, а сегодняшний тур убедил всех, что поведение жюри непредсказуемо. Катерине прочили вылет из группы лидеров, а она ухватила первое место. Помнишь, что сказал Зяма перед посадкой в автобус?

— «Не расстраивайтесь, вы все молодцы, и каждая получит подарки от спонсоров», — процитировала Лена. — А потом Сандра вылезла с вопросом: «Хорошо бы знать, кто вылетит?» Зяма ей ответил: «Я не гадалка, но думаю, Катерина займет седьмое место, она в последнее время демонстрирует расхлябанность, посмела не явиться на репетицию, ей ничего не светит!»

— И что вышло? — усмехнулась я.

Лена заговорщицки подмигнула:

— Это они нарочно. Зиновий к Катерине при народе жуть как придирается, орет на нее, обзывает уткой толстожопой — Катюха чуть вразвалку ходит. Но на самом деле Зяма ее вверх подсаживает. Всегда Катьку в центр линии ставит, босоножки ей лучшие велел дать, голубые.

— Мне показалось, что обувь у всех одинаковая, — удивилась я.

Лена покачала головой.

— Неа! Приглядись завтра на репетиции. У всех, кроме Ольги и Катьки, шикарные туфли со стразами, но у них пятка не фиксирована и ремешок вокруг щиколотки. Очень танцевать неудобно, ступня туда-сюда ездит. Ну, Ольге-то случайно повезло, а Катьке наворожили, ей достались голубые, вроде простенькие, без камушков, но у них другая застежка и есть кожаный задник. Почему Катька бальные испытания лучше всех проходит? У нее отличная обувь. И костюмы ей подбирают секси, но не слишком. В жюри старая крыса сидит, она всех девок с полуобнаженной грудью зарубила. А про сегодняшний день ваще молчу. Арфа! Кто на ней сбацать может? Зяма знал, что Катька умеет струны дергать, и дал ей шанс! Но у меня есть секретное оружие. Я его в финале использую, и все Зямкины-Катькины планы рухнут.

— Думаешь, Катерина — любовница режиссера? — хмыкнула я.

Лена захихикала.

— Он пидор! Ты не поняла?

— Не задумывалась, — ответила я. — Но если он не имеет связи с Катей, зачем ему ее протаскивать?

Леночка легла на кровать, забыв снять тапочки.

— Чё, первый раз на конкурсе?

— А ты нет? — задала я вопрос.

Девушка принялась загибать пальцы.

— Я участвовала в «Мисс «Эльдоро», это сеть кофеен, получила второе место в «Девушка «Железный крюк», ты смотрела одноименный фантастический фильм? Для его раскрутки акцию устроили. И еще в десяти шоу засветилась. Я с четырнадцати лет пробиваюсь. Порядки везде одинаковые. Просто так никогда не получишь ленту и диадему. Либо за тебя спонсор башляет, либо ты в темных лошадях. Тотто-лотто.

— Тотализатор, — с умным видом кивнула я.

Лена привстала.

— Знаешь, как система пашет?

Я решила изобразить неоднократно стреляного воробья:

— Вроде ипподрома. Там лошади, в шоу девушки. Зрители ставят на участниц.

Лена подняла палец.

— Во! Азартного народу много, казино запретили, вот он весь в подпольный тотализатор и двинул. На конкурсах всегда ставки делали, но они были маленькие, больше ста баксов не поднимали. Так, семечки. А теперь суммы огромные, потому что кое-кто без щекотки нервов жить не может! Смотри, Катя фаворит. Лучше всех танцует, жопой крутит, все ответы на вопросы знает. Следовательно, на ее победу много пипла поставит. Но чем больше шансы у девки выиграть, тем меньше дадут за нее игроку в случае победы. А вот если Катька сойдет с дистанции, а на коне я окажусь, то тот, кто на меня, типа серую мышь, бабло загрузил, кучу рубликов поимеет. Лучше всего «темненькой» быть.

— Хочешь сказать, ты будущий лидер? — уточнила я. — Та самая «серая мышь»?

— Нет, — занервничала Лена. — Просто объясняю, как система работает. Катька дура, решила, раз ей Зяма помогает, тортик испекся. Вот ржачно на финале будет! Катюха мимо пролетит, завоюет пятое место.

Я чуть прищурилась.

— Ты уверена?

— А то! — махнула рукой Лена. — Видела ее сегодня? Корова в крапиве! Живот висит, задница как куль, ноги кривые. Не зря ее в восточный наряд обрядили, целлюлит прятали! Да ей специально арфу приволокли! Но в финале корону надену я! Никто другой! Алиске и туфли не помогут!

Наверное, на моем лице появилось недоумение, потому что девушка захихикала:

— Внимательнее надо вокруг глядеть! Сегодня в Катькиных босоножках выходила Алиска. Только ей не светит!

— Полагаешь, Катюша отказалась от удобной обуви в угоду подруге? — спросила я.

Лена рухнула в подушки.

— Ха! Она ей их продала.

— За деньги? — глупо спросила я. — Разве вам дают костюм не напрокат?

Леночка повернулась на бок и подперла голову рукой.

— Зямка лепит образ и велит Тамаре стилисту прикид собрать. Алиска должна Катьке что-нибудь за босоножки сделать, или она сговорилась с Томой, чтобы та Катьке неудобные туфли всучила. Может, у них своя игра.

Я вздернула голову.

— Хотят своего лидера вывести?

Лена прикусила губу.

— Ну, может, «серая лошадь» Алиса, раз ей хорошие босоножки дали. Хотя Зяме на обувь плевать. Он всегда замечание только про платье делает, про туфли молчит, небось не понимает, чем они отличаются, мужику про фиксированную пятку не вдолбить. Ладно, я спать хочу, завтра репетировать в девять.

Я покинула ее спальню и безо всякого стеснения направилась к Алисе.

Есть у меня теперь к ней несколько вопросов. Я толкнула дверь и влетела в комнату.

— Офигела, да? — возмутилась девушка. — Стучать не умеешь? А если я голая?

— Боишься испугать меня своим обнаженным телом? — фыркнула я. — Где ты нашла записку Кати?

Алиса не отступила от первой версии:

— Под подушкой.

Но я не удовлетворилась ее ответом:

— Ты дружишь с Катериной?

— С этой выскочкой? Фу! Конечно, нет, — поморщилась Алиса. — Она тупая!

— Объясни тогда, почему именно тебе она оставила послание? — наседала я.

Алиска растерялась.

— Не знаю. Ну... ну... ну...

— Что? — перебила я. — Назови хоть одну причину!

— Э... э... э, — тянула Алиса, — типа... моя спальня первая от входной двери. А Катькина последняя по коридору. Катя торопилась, ей ближе всего ко мне заскочить. Вот.

— Проще всего бросить цидульку у зеркала в прихожей, — сурово перебила я дурочку. — Еще можно было бы понять поведение беглянки, если вы близко общались, иначе это странно.

— Мы лучшие подружки, — быстро изменила показания Алиска, — всем-всем делились.

— И ты знала про желание Кати отбить у Лены Шота Руставели? — провокационно поинтересовалась я.

— Ага, — попалась на крючок глупышка, — он за ней приехал и в Лондон увез. Ленке фига! Катьке повезло.

— Рискованный план, — вздохнула я.

— Не, шикарный, — не согласилась Алиса, — футболист сюда тайком подъехал.

— Центральный вход закрыт, — напомнила я, —
другого нет.

Алиса не смутилась.

— У Шота отмычка была! Вот.

Я потерла руки.

— Отлично. Но, говоря про риск, я имела в виду не
вероятность быть пойманной, а то, что твой обман мог
элементарно раскрыться, что и случилось.

— Я ваще в непонятках, о чем ты говоришь, — заморгала Алиса.

Я уселась на стул.

— Эй, ты, не устраивайся, как дома, — разозлилась
лгунья, — завтра мне рано вставать. Если не посплю
семь часов, глаза опухнут.

— Не беда, — отмахнулась я, — намного хуже будет,
когда Зяма и Рита сообразят, что их надули. Вот тогда
одними опухшими веками ты не обойдешься.

— По какому праву ты мне нормально отдохнуть не
даешь? — возмутилась Алиса.

Я улыбнулась.

— Спокойствие. Ты написала записку от лица Кати
и продемонстрировала ее Зяме с Ритой.

— Чтобы мне никогда в жизни туфли от Лабутен не
носить, если я вру, — дрожащим голосом сказала Алиса, — нашла ее у себя на кровати.

— Простись навсегда с обувью на красной подошве, — мстительно перебила я дурочку. — Катя не могла
удрать ни с каким Шота.

— Почему? — воскликнула Алиса.

Следовало ответить: «Потому что его в действительности не существует» — но я не имею права подводить
Лену, поэтому ограничилась заявлением:

— Можешь мне поверить, я знаю точно. Катюша
никогда не видела тезку великого грузинского поэта.
Или ты рассказываешь правду, или больше не участву-
ешь в конкурсе.

Алиса поступила стандартно. Сначала зарыдала, потом начала умолять меня молчать-молчать-молчать, пообещала за сохранение тайны свою вечную дружбу и добавила:

— Я между показами работаю в салоне, мастер по педикюру-маникюру, ты всегда, в любое время, без звонка прибегай, я тебя по высшему разряду обслужу, бесплатно, как лучшую подругу.

Но в конце концов, увидев, что я не собираюсь уходить, Алиса вновь отчаянно заревела и призналась в содеянном.

Записку девушка составила лично. Сообразила, что Катя сбежала, и решила гарантированно оставить за собой место лидера. По хитроумному расчету Алиски Зяма должен был перепугаться и просить ее хранить молчание.

— На Катюху ставки сделаны, — всхлипывала красавица, — если букмекеры узнают, что девка смылась, Зяме башку отвертят и в футбол ею сыграют. Он будет молчать про Катьку! А меня наградят.

— Но зачем приплетать к делу Шота? — допытывалась я.

— Лена противная, — шмыгала носом Алиса, — вечно хвастается! Шота это подарил! Руставели то преподнес! Мы на Мальдивы, на Карибы едем! Он мне «Бентли» купит! Вот я и захотела с нее спесь сбить! На, получи, фашист, гранату! Сбёг твой футболист шоколадный с уродиной, блин, Катькой! Ничё у той красивого нет. Грудь две фиги, задница с кулак, глаза крысиные. А этот, из агентства, как ее увидел...

Алиса уткнулась лицом в подушку:

— Ну почему мне так не везет? Непруха!

— Не слишком умный ход, — поддела я собеседницу. — Что, если Лена попросит у Зямы телефон, позвонит в Лондон и выяснит: Шота даже не слышал о Кате. Почему ты не приняла в расчет такую возможность?

— Не подумала! — простонала Алиса. — В голову не пришло!

— Ты сильно рисковала, — вздохнула я, — и о каком агентстве сейчас ведешь речь?

Алиса вытерла лицо о подушку и затрещала рассерженной сорокой.

Я молча слушала девушку. Алиса придумала Лене прозвище «королева без башни», но, похоже, ее саму можно назвать точно так же.

Глава 6

У Алисы ушки на макушке. Она замечает любые детали и не упускает возможности постоять под дверью комнаты, которую Зяма оборудовал под свой офис. Благодаря своей пронырливости и безумной активности Алиса чаще других попадает в объективы журналистов. Ее личико всегда удачно оказывается прямо в центре всех снимков. Едва за оградой замаячит машина с представителями прессы, Алиса бросается наводить марафет и первой кидается к парню с фотоаппаратом и диктофоном. Другие девчонки еще понятия не имеют, что на базу прибыли борзописцы, а Алиса уже принимает соблазнительные позы перед носом корреспондента. Кто не успел, тот опоздал. Наша жизнь — пиар. Эти две истины Алиса отлично усвоила. А еще она хорошо знает: побеждает не тот, кто получает золотую медаль, а тот, о ком много и охотно говорят. Нет, конечно, неплохо водрузить на голову корону, но о выбранной королеве покричат день, два, ну максимум три, а потом пятая власть займется следующими сенсациями и позабудет о той, что столько сил положила для восхождения на Олимп. Как вы думаете, почему девушки так хотят победить? Из-за призовых и подарков?

Нет, на самом деле презенты, как правило, — наборы косметики, не очень дорогие вещи и совсем даже не элитные украшения. Спонсоры с гордым видом выкладывают к ногам победительницы шубку из норки, колье из шикарных камней, чек с неслыханными нулями. Репортеры скачут вокруг сцены, фотографируют героинь дня в манто и бриллиантах, потом в глянце появляется роскошная картинка и какая-нибудь семиклассница, задыхаясь от зависти, говорит: непременно стану королевой красоты! Умру, но заполучу диадему!

И осуществляет задуманное! Вот только после триумфа глупышка понимает: момент славы длился всего два часа. Сейчас она уже никому не нужна. Шуба на самом деле из кролика, а сумму, проставленную в чеке, можно потратить лишь в магазине спонсора, который торгует оборудованием для дантистов. Ну зачем вам дома бормашина или набор крючков и зеркалец на длинных ручках? Роскошная корона — переходящий аксессуар, и скоро он очутится на голове другой победительницы. Материальной выгоды никакой. Только полная дурочка может рассчитывать обогатиться за счет конкурса красоты среди слушательниц радио «Болтун», которое вещает исключительно для жителей одной из многочисленных московских парковых улиц.

Нет, сообразительная девушка рвется в конкурсантки для того, чтобы обеспечить себе рекламу и завести связи. За кулисами, как правило, появляются богатые мужчины, которые подыскивают молоденьких любовниц, и волонтеры крупных модельных агентств Запада. Думаете, как мир узнал про большинство супермоделей? Почти всех отрыли на каких-нибудь не особо значимых конкурсах.

Вот Алиска и решила пойти проторенным путем. Участие в нескольких шоу не принесло ей известности. Время стремительно уходит, подкрадывается старость, годика этак через четыре пора будет отправляться на модельную пенсию, а шанс все никак не появляется. Поэтому сейчас Алиса так отчаянно пытается привлечь к себе внимание, постоянно находится настороже и даже спать ложится при полном макияже: вдруг в момент сна возникнет возможность попасть в объектив фоторепортера?

В ночь накануне того дня, когда из двадцати пяти участниц собирались отобрать десять полуфиналисток, к Алисе в комнату неожиданно заявилась Екатерина и безо всяких подготовительных маневров спросила:

— Хочешь контракт с агентством «Синяя звезда»[1]?

Алиса чуть не скончалась на месте. «Синяя звезда» имеет безупречную репутацию, практически все российские девушки, сумевшие более или менее хорошо устроиться в Америке или Европе, находились под патронажем этой фирмы. «Синяя звезда» никого не обманывает, не заставляет заниматься проституцией, не принуждает красавиц к подписанию кабальных договоров, а на самом деле обучает манекенщиц и пристраивает их за рубежом. Почему же все девчонки не несутся только туда? По какой причине многие попадают в руки грязных дельцов?

Хозяйка «Синей звезды» Маша Кротова устраивает жесткий отбор. Она ищет не только интересную внешне претендентку, а еще и работоспособную, неистеричную. Машина позиция формулируется просто: лучше отправить в Париж одну блондинку, которая станет суперзвездой, чем прислать десяток скандальных, глупых, ленивых красоток, у которых в планах не карьера, а поиск богатого покровителя. Кротова очень печется об имидже своего агентства и не собирается никому отдавать звание лучшего российского поставщика супермоделей на мировые подиумы.

— «Синяя звезда», — захлопала в ладоши Алиса. — О, Катюшечка! О! Конечно! О! О! О!

Поликовав минут пять, Алиска пришла в себя, и тут в ее голове возникли разные вопросы. С какой стати Катерина о ней заботится? Среди конкурсанток дружбы нет. Да, они мило улыбаются друг другу, говорят комплименты, обнимаются на глазах у журналистов и публики. Но подумайте сами, о какой любви может ид-

---

[1] Название придумано автором, любые совпадения случайны.

ти речь, если из десяти полуфиналисток жюри выберет
лишь одну победительницу и двух вице-мисс? Думаете, отсеянные неудачницы искренне порадуются за
коллег и преподнесут им торт? Впрочем, сладкое девчонки как раз способны подарить, но вручат они бисквит с кремом не из добрых побуждений, а в надежде,
что избранная королева наберет пару килограммов ве-
са и ее забракуют иностранные менеджеры. Так почему Катя пришла к Алисе? Неужели она действительно
нашла тропинку, ведущую в «Синюю звезду»? И зачем
ей идти туда в компании с заклятой подружкой?

Катя просчитала все размышления Алиски и проронила:

— Не дергайся, ща объясню! Знаешь про тотализатор?

— Конечно, — усмехнулась девчонка, — не первый
раз замужем.

— Сообразила, кого в лидеры выводят? — склонила
голову набок Катюша.

— Тебя, — невозмутимо ответила Алиса, — по туф-
лям догадалась. Самые удобные тебе дали, и менять их
не заставляют. Хорошая обувь — лишний шанс на победу.

Катюша поежилась.

— Ага, так вроде, кажется, и Зяма мне знаки внимания оказывает, и Рита улыбается, и Тамарка первой бежит булавки крепить. Только я подслушала треп Зиновия с Маргаритой и сообразила: я временный фаворит.
Гран-при они собрались отдать Сандре.

— Кому? — ахнула Алиса. — Этой страшиле? Да чудо уже, что она в десятку попала! Я думала, у жюри сле-
пота с глухотой случились, когда они Сандру пропус-
тили. Ты ее хорошо разглядела? Лоб, как крышка от
кастрюли, глаза навыкате, рта нет. Где сексуальный объем губ? Высокие скулы? Узкий подбородок? Весь подиум с треугольными лицами, а у Сандры физиономия
блином и какая-то желтая. Ни то, ни сё, ни латинос, но
и не европеянка. Ты шутишь?

Катюша покосилась на дверь и понизила голос:

— Нет. Позавчера Зяма встречался с представителем журнала «Блицкадр», официальным пресс-спонсором шоу, и тот ему объяснил:

— Победителем будет Сандра. Мы планируем ее отправить потом в Нью-Йорк. «Треугольники» больше не в моде, модельеры хотят девушек с простыми, крестьянскими лицами. Возник новый типаж: обычная девчонка из провинциального города, а не неземной ангел с инфернальным видом. Думаю, мода на таких, как Сандра, продлится лет пять, главное, вовремя просечь тенденцию, тогда мы будем в шоколаде, как те, кто первым вывел из-за кулис чернокожих пантер или Твигги[1]. В ближайшие годы героинями конкурсов станут Сандры с рабоче-крестьянскими чертами.

— Уродины с мордами коров? — возмутился Зяма.

— И где ты видел красоток-моделей? Они все страшнее ядерной зимы, — отбрил главный редактор. — Делай, что велено! Катерина для всех звезда, но в финале она будет в ауте. Прикидываешь навар? Букмекеры в обмороке, на Сандру никто практически не ставил, но у меня дорога для нее проторена. Утром она получает корону, вечером летит в США. Смотри не подведи. С жюри вопрос решен:

— Вот сволочи, — прошептала Алиска, — гады! Вертят нами, как пешками!

— Если поможешь мне, не видать Сандре контракта, — пообещала Катенька, — сами в Нью-Йорк отправимся.

— Что делать надо? — загорелась Алиса.

Катерина изложила свой план. Девушка не сомне-

---

[1] Твигги — легендарная манекенщица 60-х годов XX века. Благодаря ей в моде утвердился стиль девочка-подросток весом меньше собаки. Из-за Твигги, чей объем бедер был как у куклы Барби, миллионы женщин сели на диету, пытаясь хоть чуть-чуть соответствовать образу анорексички.

валась, что в полуфинале, когда из десяти красавиц останется пять, первенство отдадут ей.

— Зяме нельзя пугать букмекеров, — шептала Катюша, — я вроде как лидер, оттягиваю на себя большое количество ставок. Зиновий джинсу устроил, ты читала про конкурс в «Желтухе»?

— Неа, — произнесла Алиса, — я так устаю, что сразу спать валюсь, не до культурного просвещения мне.

Катюша надула губки.

— За три дня до полуфинала «Желтуха» напечатала интервью с человеком, который не разрешил обнародовать свою фамилию. Якобы он из организаторов шоу и утверждает, что все те, кто замутил конкурс, поставили немалые денежки на Катю, и Зяма, и Рита, и Тамара, и даже Капитолина — хозяйка «Комареро» не пожалела пары миллионов. Народ сделал вывод и попёрся к букмекерам, на меня много бабла поставили, о Сандре даже не вспомнили. На следующий день «Желтуха» дала опровержение. Простите, дорогие читатели, ошибка получилась. Никто из-за кулис конкурса никакими азартными играми не балуется. После этого пипл ещё больше рубликов накидал. А теперь раскинь мозгами, что будет, когда в самом конце Сандра в шоколаде, а я в углу рыдаю? Кто больше всех выиграет? Дурень, который поставил на лузера, на Сандру. Красиво, да?

— Предлагаешь мне сделать правильные ставки? — фыркнула Алиса. — Заработать на Сандре-страшилке?

— Нет, — отрезала Катя, — я хочу им ваще малину обломать. Они мною поиграть решили, обсосать конфетку и выбросить. Отдадут мне первое место в полуфинале, ещё больше ставки взвинтятся, получите хрен в карман. Обо мне никто не подумал, я им, выходит, плюшевый мишка! Поиграли и выкинули в мусор! Во! — Катенька сложила фигу и повертела ею в воздухе. — Вот чё они огребут. Я придумала суперплан! Меня украли, хотят выкуп. Преступник связался с тобой и приказал: «На сцене конкурса сделаешь объявление. Выйдешь из шеренги и скажешь: «Уголовник хочет за

Катю миллион баксов. Их должна передать я. Не будет денег — Катюшу убьют». Вот это фейерверк! Зрители с кресел попадают, журналюги от радости описаются, Зяма в истерике. Капитолина от злости лопнет, удавится, но ни цента на мое спасение не выдаст, жадная очень. И тут, в самый разгар паники, на сцену выйдет представитель «Синей звезды» и скажет: «Спокуха! Мы даем выкуп за Катю, а потом берем девушку к себе! Наше агентство не бросает моделей в беде. Алиса, вы готовы доставить чемодан с баксами?» Ты, естественно, орешь: «Да, да, я ради подруги свою кошечку съем!»

Что имеем в графе «итого»? «Синяя звезда» пропиарилась круче некуда, агентство в героях на всех первых полосах. Алиска типа мать Тереза, не побоялась деньги передать. Зяма в инфаркте, Ритка тоже в нокдауне. Остальные девки ногти грызут и плачут! Им фиг, а нам контракт с «Синей звездой». Сандре победы не видать, жюри не сможет ей при таком раскладе Гран-при отдать. Корона по праву моя, она принадлежит той, кого похитили. Сама знаешь, в России любят покойников, несчастненьких и уродов. Я после освобождения на сцену вся в бинтах выползу. Ну а ты — моя верная подруженька, тебе титул «Вице-мисс». Моргнуть не успеешь, как в Америке очутишься.

Глава 7

— Ну и бред! — вырвалось у меня.

— Почему? — обиделась Алиса. — Гениальная придумка!

— Да уж, — произнесла я, — глупей не придумаешь! Получается, Катерина договорилась с «Синей звездой»? У них совместная пиар-акция?

— Подробностями она со мной не поделилась, — сказала Алиска.

— А ты ничего не уточняла? — мрачно спросила я.

— Ты сама бы упустила шанс стать героиней шоу? — возмутилась Алиса. — Похищение фаворитки конкурса красоты! Да камеры мигом прикатят! Начнут интервью брать. А кто в курсе? Только я!

Алиса торжествующе вскинула голову и повторила:

— Дело пахло новостями дня центральных каналов! Программой «Время»!

Мне захотелось схватить красотку за плечи, встряхнуть, как бутылку со старой простоквашей, и сказать: «Очнись! Первый канал не выдает в эфир «желтые» сплетни. Он свято блюдет свою безупречную репутацию. И любая новостная программа страны не станет заниматься конкурсом красоты фирмы «Комареро», это слишком мелкое, локальное событие. Во «Время» попадает лишь то, что интересно всей России. К тебе возникнет масса вопросов, и первый из них: «Почему преступник позвонил Алисе, а не Капитолине или на худой конец Зяме?»

Но я удержалась от замечания, лишь проговорила:

— На мой взгляд, дело пахло совсем другим, малоаппетитным и по аромату, и по виду. Субстанцией, которой удобряют поля.

Алиса скорчила гримасу.

— Я поверила Катьке! И она ведь удрала! Все хорошо шло, а потом гляжу, она в прикиде шамаханской царицы за кулисами стоит. Я прифигела, у Катюхи уже на сцене тихонечко спросила: «Наш план в силе? Мутим игру?» А она нервно ответила: «Нет. Отмена!» Я чуть от любопытства не спеклась, потребовала: «Расскажи, почему отказалась от этого дела?» Катюха прошептала: «Форс-мажор. Потом поболтаем».

Я не дура, поэтому заткнулась. Голос у ней был другой. Видать, что-то серьезное похищению помешало, раз она захрипела! Вот и всё! А потом, уже вечером, до меня докатило! Катька совсем другое придумала, она меня обманула, использовала! Вот пока не пойму, что она затеяла. А с письмом я сдурила, хотела Ленку ущипнуть!

Я посмотрела в безмятежно голубые глаза Алисы.

Она говорила правду. Катерине и действительно пришла в голову «восхитительная» идея — устроить свое похищение.

Нахалка полагала, что Зяма не сможет найти выход из непростой ситуации и разразится чудесный скандал. Но Зиновий вынул из рукава козырь. «Катя» участвовала в полуфинале. Алиса ничего не предприняла, план Зиновия сработал. Никто из зрителей, членов жюри или девушек-конкурсанток не заподозрил подмены. В полуфинале не было интеллектуальных конкурсов, требовалось танцевать, фланировать по сцене, а потом демонстрировать музыкальный талант. Я не Майя Плисецкая, но, как все профессиональные исполнители, обладаю чувством ритма, и в студенческие годы с удовольствием посещала кружок балета, который в консерватории вели преподаватели Московского хореографического училища. Наше тело — интересный механизм. Научившись в детстве кататься на велосипеде, и через тридцать лет, оказавшись в седле, бойко завертишь педалями и удержишь равновесие. С танцами та же история. Освоив самбу, румбу, вальс, ча-ча-ча, танго, вы никогда не забудете правильные движения. Выйдете на сцену, встанете с незнакомым мужчиной в пару — и ноги сами собой начнут двигаться. Если вам достанется в качестве партнера профессионал (а на конкурсе работают опытные танцовщики), то хватит двух секунд, чтобы с ним договориться. Устроители шоу не дают девушкам порепетировать с будущими кавалерами, это осложняет конкурсные задания, кое-кто из претенденток на корону начинает спотыкаться. Сегодня на вальсе «завалилось» трое, на фокстроте двое, а когда пять человек объявили полуфиналистками и велели станцевать румбу, Оля упала, что моментально сделало ее лузером. Я же довольно бойко запрыгала в объятиях слишком загорелого для конца осени парня. В первую секунду, правда, слегка подзадержалась, но партнер шепнул:

— Ритм. И раз, и два!

А потом ловко завертел меня, и я не ударила в грязь лицом.

К журналистам победительницу не пустил Зяма, он сказал:

— Ребята, Катюша немного простудилась, охрипла, и она вам все уже про себя рассказала раньше. Снимите лучше Лену, Алису, Олю и Сандру, поговорите с ними. Катюша поедет на базу лечиться, не забудьте, через пару дней финал, ей надо быть в форме.

И меня вытащили на улицу через черный ход, сунули в «Мерседес» и доставили домой раньше остальных участниц.

Лена, Алиса, Оля и Сандра раздавали интервью, снимались на фоне стенда с надписью «Комареро», обнимались с Капой, а я тем временем сняла парик, умылась, переоделась и вновь превратилась в Евлампию Романову.

Когда счастливая четверка впорхнула в дом Михаила Матвеевича Груздева, Зяма строго сказал:

— Катерина больна! Ее спальня заперта, не смейте лезть к подруге. Она должна выздороветь до финального шоу.

Зиновий и впрямь тщательно закрыл дверь, а ключ сунул к себе в карман. Вот только никто не знает, что комната Катерины пуста. Зяма отчаянно надеется найти беглянку, он попросил меня порасспрашивать девиц, авось дурочка наболтала кому-то о своих планах. Но оказывается, у Кати были сообщница и замысел своего спектакля. Я, ответив Алисе «Нет, отмена», абсолютно того не ведая, погубила тщательно выпестованный план. Катя-то исчезла! А Алиса не стала делать заявление о выкупе. Единственное, что удалось девчонке в полной мере — это вывести равновесия Лену, которая выдумала себе жениха Шота Руставели.

Катя где-то скрипит зубами от злости, а Алиса недоумевает.

— Чё делать-то? — повторяла собеседница, не знавшая, какие мысли бродят в моей голове. — Не верю я в болезнь Кати! Но поговорить с ней не получается! Зяма замок запер! Я около полуночи к ней стучалась, ответа не дождалась. Как ты думаешь, завтра она на репетиции покажется?

Я отвела глаза в сторону:

— Не знаю. Вероятно, у твоей подруги грипп, он заразен, лучше не мечись у ее комнаты, еще подхватишь инфекцию, свалишься, не сможешь принять участие в финале.

— Вау! — испугалась Алиса. — Я и не подумала! Теперь не пойду в левый коридор. Никогда!

— Катя действовала очертя голову, — сердито продолжала я, — и тебя втянула в дурно пахнущую авантюру. Ты могла все потерять! Представь, что кто-то из конкурсанток случайно подслушал бы вашу беседу и сдал вас Зиновию. Чем пахнет это дело? Отстранением от участия, испорченной репутацией, дурной славой.

— Не, — легкомысленно отмахнулась Алиса. — У Катьки не голова, а Государственная дума!

— Полагаешь, именно в думе собрались лучшие умы человечества? — съехидничала я. — Процент идиотов в коллективе — константа.

— Чего? — жалобно протянула Алиска.

Я улыбнулась.

— На сто академиков приходится двадцать кретинов, на сотню шоферов двадцать болванов, среди ста поваров, учителей, писателей, артистов, шпалоукладчиков, слесарей непременно будет два десятка дураков.

— Больно много, — вздохнула Алиса.

— Ладно, пусть пять, — снизила я планку, — дело не в количестве балбесов, а в том, что они присутствуют во всех слоях общества. Ладно, забудем. Слушай, а где Катерина предполагала спрятаться? Навряд ли у себя дома. Там ее живо могли отыскать досужие представители прессы. И здесь тоже.

Главный вопрос я задала мимоходом, с таким видом, словно мне абсолютно неинтересен ответ. Алиса захихикала:

— Она не дура! И отсюда не выйти! Входную дверь днем открывать нельзя, ночью она заперта, окна задраены.

— Хочешь сказать, что Катя предполагала затаиться в этом доме? — недоверчиво переспросила я.

— Супер, да? — радовалась Алиса. — Ваще, умище у Кати нечеловеческий! Разве станут на базе искать? Конечно, нет. А она туточки!

— Где? — зевнула я. — Место назови! Навряд ли Катерина рассчитывала пересидеть в своей спальне. Совсем идиотская идея. Ванная и туалет в доме в единичном числе. Как пописать сходить, а?

— Не знаю, — прошептала Алиса, — не думала об этом.

— И помыться, — не утихала я, — порулит Катя в душ, а оттуда Рита с мочалкой!

— Не знаю, — повторила Алиса.

— Поесть захочется, — продолжала я, — потребуется на кухню заглянуть!

— Не знаю, — твердила Алиска.

— О чем ты вообще думала? — взорвалась я. — Согласилась на глупую авантюру!

— В Нью-Йорк хочу! — жалобно простонала глупышка. — Там супермодели миллиардерши.

— У Кати должен быть помощник, — зашипела я, — он ей еду притащит, горшок вынесет. И это ты!

— Нет, нет, — испугалась Алиса, — о таком речи не было. Я лишь про выкуп должна была сказать. Это Антон. Катюха его обработала.

В первую секунду я не сообразила, о ком идет речь, но потом поняла и впала в изумление:

— Антон? Муж Наташи? Зять Михаила Матвеевича, хозяина особняка?

Алиска кивнула.

— Ага! Он как Катюху увидел, начал слюни пускать. Если вспомнить про его бабу, то это неудивительно. Наташка неуклюжая, под глазами синяки, за собой не следит, про педикюр-маникюр-эпиляцию не слышала. И вдруг Катюха! Почувствуйте разницу! Мужики кобели! И козлы!

— Значит, по-твоему, Антон обещал спрятать Катю, — протянула я. — И где он оборудовал убежище?

— А я откуда знаю, — огрызнулась Алиса. — Про Антона она помалкивала, я сама доперла. Точно он ей пособничал. Но какая теперь разница, если Катька в спальне с температурой лежит?

Я опомнилась.

— Действительно.

— Чё мне делать? — заканючила Алиса. — Мы объявляем похищение? Плиз, ты тут директор, сделай так, чтоб я смогла поболтать с Катюхой! Хочешь пятьсот евро за услуги?

Наглость Алисы поражала, я сложила ладони ковшиком.

— Давай.

Девушка нахмурилась:

— Что?

— Полтысячи в европейской валюте, — серьезно сказала я, — сумма подходит.

— У меня их нет, — призналась красавица.

Я нахмурилась.

— Зачем тогда предлагаешь?

Алиса заморгала.

— Ты меня к Катьке своди, потом я с тобой расплачусь!

Я продолжила бессмысленный разговор:

— Где еврики возьмешь?

— Не думала пока, — стандартно ответила финалистка конкурса красоты. — Где-нибудь.

— Забудь, — отрезала я.

— Ага, — кивнула Алиса.

— Дай честное слово, что будешь спокойно заниматься танцами и спортом, — потребовала я.

— Хорошо, — протянула девушка.

Но мне этого обещания показалось мало.

— Поклянись!

Алиска схватилась за шею.

— Это настоящая «Шанель»! Очень-очень-очень дорогие бусики. Мне их один человек подарил! Обещал жениться, но передумал! Пусть я их разорву, потеряю, если к Катьке в спальню полезу!

Я расслабилась. Похоже, жемчужное ожерелье является для Алисы талисманом. Конкурсантка никогда его не снимает. Если Тамара подбирает девушке аксессуары, то Алиса прячет бусы под блузкой, но не расстается с ними. Кстати! Я, успев дойти до порога, обернулась:

— Катя отдала тебе свои удобные босоножки?

— Да, — жалобно протянула Алиса, — у нас нога одинаковая, они очень комфортные, их Зяма специально для нее заказывал!

Секунду я обдумывала информацию, потом задала новый вопрос:

— Что значит специально? Он с Катей был знаком до начала шоу?

Алиса захихикала:

— Наивняк! Думаешь, сюда простые покупательницы «Комареро» попали? Меня и Сандру Тамара привела, она нас по соревнованиям «Мисс Зубная щетка» знала, а Катька с Зямой роман крутила. Она мне сказала, что они давным-давно скорешились, потом секс умер, но режиссер решил бывшей бабе приятное сделать, позвал сюда. Остальные тоже не с улицы. Ну, ты меня насмешила! Зяма Катьке дорогу к победе расчистил, туфли заказал, а потом ему велели Сандру вытаскивать. Ну он и забыл про Катюху, прошла любовь, завяли помидоры. Бабло побеждает.

Глава 8

Около семи утра я, совершенно не выспавшись и оттого зевая во весь рот, поднялась на третий этаж, на кухню, где дочь хозяина Наташа варила кофе.

— Рано встали, — отметила Ната, — вы всегда около восьми шевелиться начинаете.

— Хорошо, когда работа с полудня, — тихо сказал Антон.

— Лучше молчи, — фыркнула Ната, — семью накормить не можешь, идиот. Бывают же мужики, которые приносят в дом столько, что даже канарейке на воду не хватит.

— Солнышко, я много кручусь, — попытался оправдаться Антон.

— Ага, и копейки получаешь, — вступила на привычную тропу скандала жена, — таких уродов еще поискать надо!

— Я стараюсь, у нас все есть, — попытался перевести беседу в мирное русло супруг.

Наташа швырнула в мойку чайную ложку.

— Любовницу завел? Поэтому мне хамишь?

— Что ты, — испугался Антон, — вчера я вообще из дома не высовывался.

— А-а-а, — протянула супруга, — дрых в тишине! Почему не пашешь в полную силу?

— Я зарплату получил большую, — похвастался муж.

— А мне ерунду отдал, — насупилась вздорная баба, — небось в заначку в три раза больше отложил! Хочешь на другую бабу рублики спустить?

— Милая, — возразил Антон, — либо я много зарабатываю и от тебя прячу, либо мало и тогда честен перед тобой. Ты уж определись!

Наташа развязала фартук, швырнула его на столик и заорала:

— Делаешь только то, что отец велит! Нет бы мне по дому помочь!

— Я же в среду пылесосил, — напомнил Антон.

— Лучше б ты ваще на диване лежал, а не путался под ногами! — объявила супруга.

Высказавшись, она удалилась.

— Наташа не логична, — пробормотала я, — то помоги по дому, то ничего не делай.

Антон потер затылок.

— На жену осень плохо влияет. А еще у нее мать странная. Когда я в женихах ходил, Анна Кирилловна услышала, что я невесте «солнышко» говорю, и ну бурчать: «До свадьбы все ласковые, потом развернется, наплачешься». Я ей сказал: «Люблю Наташу и никогда ее не обижу». Но тещу не сдвинуть. Прошел у нас год совместной жизни, я все Нате «зайка» да «киска». Анна Кирилловна дулась, дулась и новый аргумент нашла, насела на дочь: «Интересно узнать, откуда твой благоверный такие словечки знает? Нормальный мужик их не произносит. Пидор он! Помяни мое слово, поймаешь его с парнем!»

— Интересный вывод, — улыбнулась я.

Антон включил чайник.

— Анна Кирилловна не способна ничего хорошего в человеке увидеть. Услышала, что у одного нашего клиента в банке большой вклад есть, и в своем духе отреагировала: «Во! У самого деньжищ лом, а жена без шубы, в старом пальто приехала». Принес я на Восьмое марта два букета, она снова недовольна:

— Мне три гвоздики, Натусе пук роз.

Ладно, я на Пасху два здоровенных куста роз припер. Специально продавщицу попросил:

— Пересчитайте у цветиков лепестки, померяйте длину стебля, надо, чтобы растения выглядели как из ксерокса.

Отдал за подбор деньги и радуюсь, что теперь придраться не к чему. Щас! Анна Кирилловна на цветы посмотрела и выдала:

— Видать, совсем у зятя с башкой нелады. Тещу с женой уравнял. Этак он скоро ко мне лапы протянет!

— Вам не позавидуешь, — улыбнулась я. — Может, лучше жить подальше от гарпии?

На кухню влетела Наташа, ее лицо пылало благородным негодованием.

— Где мой шарф?

Антон схватился за голову.

— Ой! Забыл забрать из химчистки!

— Забыл? — протянула супруга. — Мой шарф?

— Прости, солнышко, — извинился муж, — совсем из головы вон!

— Из головы вон? — с непередаваемым выражением процедила Ната.

— Натусенька, — жалобно замямлил Антон, — не нервничай. Тебе вредно. Вот, ты какая сегодня бледненькая, под глазками синячки.

Наташа боднула головой воздух.

— Я бледная?

— Да, солнышко, не надо расстраиваться, — захлопотал Антон.

— Как смерть? — уточнила жена.

Муж, не подумав, кивнул.

— Я, по-твоему, страшна, как старуха с косой? — пошла в атаку Ната.

— Э... по... ну... — растерялся Антон.

— Жить со мной хуже, чем подохнуть? — гнула свое Наташа. — Ты готов из окна прыгнуть, лишь бы меня не видеть?

— Кисонька, тебе лучше прилечь, — начал Антон, но был остановлен воплем:

— Ты согласен наркотики жрать, со смертью подружиться, а меня побоку? Я уродина сиволапая?

— Нет, нет, не сиволапая, — в ужасе замотал головой несчастный, — нет, нет, у тебя красивые ноги, ну... как... у... этой... ну в кино еще снималась... сцена на стуле... без белья... забыл название.

— Я проститутка, по-твоему? — зловеще поинтересовалась Наташа. — Перед всеми ляжки раздвигаю?

— О боже! Нет! — подпрыгнул Антон.

— Сравнил жену с б...? — катила танком на беднягу Наташа.

Я сочла необходимым вмешаться:

— Антон не имел в виду ничего плохого.

— Че я, глухая? — разозлилась она. — Муж дорогой хорошего слова не скажет, а сволочью обозвать у него в порядке вещей. Все приличные мужики в младенчестве под трамвай попали, остались одни идиоты!

— Солнышко, не гневайся, — попросил Антон.

— Мерзавец! — гаркнула Ната и улетела прочь.

— Господи, мне еще «покойником» заниматься, — чуть не зарыдал Антон.

Я не удержалась от любопытства:

— Покойником? Что вы имеете в виду?

Антон пригорюнился:

— У моей мамы есть машина. Она ею не пользуется, водить не умеет, ну и попросила меня ее продать. Автомобиль не новый, Наташа его «покойником» прозвала, она свекровь недолюбливает.

Я вспомнила сверх меры активную, авторитарную Капу и подавила вздох. Антон продолжал:

— Я дал объявление в бесплатной газете, сегодня человек приходит. А я только сейчас вспомнил, что один вынужден в гараж идти.

— Вы же не маленький, — приободрила я хозяйского зятя, — сами справитесь.

Антон чуть не зарыдал:

— Нет. Должен еще сидеть пассажир. Спереди.

— Почему? — недоумевала я.

Антон откашлялся.

— Вам нетрудно мне помочь?

— С радостью, — защебетала я.

— Скатайтесь со мной на продажу, — попросил Антон, — управимся меньше чем за час.

— Прекрасно, — кивнула я и не покривила душой.

Мне его предложение в самом деле показалось великолепным. Антон будет испытывать ко мне благодарность, я заведу с ним неспешную беседу и в процессе вытяну из него, где находится Катя. Думаю, Алиса права: Катерина соблазнила супруга Наташи.

Конкурсантка вернется в стойло, Зяма и Рита не подведут букмекеров, шоу благополучно завершится, Капа получит вожделенную рекламу в прессе.

Если же я не смогу найти Катерину, то, к гадалке не ходи, мне придется опять отплясывать на сцене в чадре и шароварах, а затем, уже дома, выслушивать язвительные комментарии Капы в свой адрес.

— Пошли, — засуетился Антон.

— Куда двинемся? — на всякий случай уточнила я на улице. — Может, лучше поехать на машине? Погода не очень-то располагает к длительным пешим прогулкам, холодно, дождик собирается или может снег пойти.

— Нам только через МКАД перебежать, — пояснил Антон, — вон мамин дом! «Покойник» стоит чуть подальше, в гараже. Если на машине, то далеко колесить до разворота, а по переходу всего пять минут.

Я застегнула куртку, накинула на голову капюшон и последовала за споро шагающим Антоном. К сожалению, ничего в жизни не достается даром, за все приходится платить, и я полезла в стеклянный переход.

Спутник не обманул. На дорогу до стоянки мы затратили даже меньше озвученного им времени. Наверное, потому что бежали, подгоняемые в спину пронизывающим ветром.

— Добрались, — объявил Антон, останавливаясь около «ракушки», которая громоздилась возле мусорных бачков, — сейчас открою. Вот. Смотрите.

Я заглянула внутрь «конюшни» и присвистнула.

— Он кто?

— «Мерседес», — гордо сообщил Антон.

— На капоте знак «БМВ», — заметила я.

— Ну да, — не смутился Антон. — Небось отец крышку менял и поставил, какая досталась! Надо его выкатить. Сейчас!

Когда чудо автопрома с громким пуканьем выбралось наружу, я получила новый повод для удивления.

— Я могу понять, почему к «мерсу» приделана запчасть от «БМВ», но сзади на багажнике железка с надписью «Лада».

Антон пояснил:

— Дело было так. Родитель приобрел у соседа «мерин», взял его в нерабочем состоянии. Отец был очень рукастый, он мог космический корабль из веников собрать. «Мерс» у него как новенький стал. Сосед прямо обрыдался, когда шарабан мимо него со свистом проехал, но было поздно. Продал, теперь кури в сторонке. Ну, конечно, пришлось вложиться в механизм. Капот «БМВ», крылья «Ниссана», колеса от «Форда», крыша с «Бентли».

Я с интересом оглядела «покойника». Интересно, за что папенька Антона отсчитал доллары, если все железо сменить пришлось? И крыша от «Бентли»? Что-то не верится!

— Во, — постучал ногтем по стойке Антон, — точно «Бентли»! Родитель эту деталь на Рублево-Успенском шоссе нашел, она там в овраге валялась! Отчистил, отмыл, покрасил и приладил все найденные части, один багажник покупной!

— В этом лего что-нибудь есть от самого «Мерседеса»? — осведомилась я.

— Руль и коврики, — отрапортовал Антон, — они родные! Заводские!

— А почему одно сиденье черное, а другое бежевое? — не успокаивалась я.

— Такие попались, — пояснил зять скряги, — родитель все находил в мусоре. Ну ладно! Нет нужны обсуждать внешнюю сторону, главное, продать ее выгодно.

— Чудовище ездит? — уточнила я. — Сколько лет «покойнику»?

Антон призадумался.

— Точно не скажу, отец умер, когда я еще мальчишкой был. Помню, он по двору ехал. МКАД тогда однополосная была, ее только открыли, а из домов один этот стоял, а на месте остальных лес. Год... э... начало шестидесятых.

Я удивилась.

На вид Антону едва ли тридцать, но если году этак в шестьдесят втором-третьем он видел отца, катавшегося на шарабане, и запомнил эту картину, то ему должно быть не менее пятидесяти пяти годков. Интересно, чем Антон питается, раз сохранил на удивление моложавый вид?

Антон внезапно обрадовался, словно щенок, получивший морковку:

— О! Дата выплыла! Двенадцатое апреля тысяча девятьсот шестьдесят первый! Что-то в тот день интересное произошло! Вспомнил, Юрий Гагарин полетел в космос! Мать говорила, все соседи из квартир на радостях выскочили, прыгают, в воздух чепчики бросают, из мушкетов палят! И тут родители на новом авто прируливают.

Я закашлялась. «В воздух чепчики бросают»? Это же цитата из «Горе от ума», народ давно растащил пьесу на крылатые выражения и употребляет их, не думая об авторстве Грибоедова. Но слова «из мушкетов палят» настораживают. Вроде это оружие, которым изредка, когда не дрались на шпагах, пользовались три мушкетера, и даже тогда оно считалось слегка устаревшим. Откуда оно у москвичей в шестьдесят первом? Или маменька Антона слегка перепутала век? Папенька обзавелся машиной в тысяча семьсот шестьдесят первом году? Антон из семьи графа Сен-Жермена[1]?

— Только-только он его покрасил, — радовался он, —

---

[1] Граф Сен-Жермен (фр. Le Comte de Saint-Germain, ок. 1696—1784) — авантюрист эпохи Просвещения, дипломат, путешественник, алхимик и оккультист. Происхождение графа Сен-Жермена, его настоящее имя и дата рождения неизвестны. Владел почти всеми европейскими языками, а также арабским и древнееврейским. Обладал обширными познаниями в области истории и химии. Чаще всего именовал себя графом Сен-Жерменом, представлялся иногда под другими именами. С ним было связано множество вымыслов, в частности легенда о его бессмертии.

до двенадцатого апреля «покойничек» разноцветным ходил! Краску родитель четыре года собирал, до этого никак не мог багажник найти, пришлось ему в Калинин катить, там попалась. В шестьдесят пятом он на машину заднюю часть приделал.

— Маловероятно, — перебила я владельца рухляди, — завод в Тольятти открыли в середине семидесятых прошлого века.

— А кто говорит про «Жигули»? — поразился Антон. — Это уже второй багажник! От чего изначально родитель кузов ставил, я забыл. Отцу вечно на дороге кретины попадались, то в бочину засандалят, то в зад въедут. Он в машине тонул, с горы кувыркался, в болото разок его засосало, хорошо, мимо каторжники шли, дело на Владимирском тракте было, охрана им велела отцу помочь.

Я икнула. Каторжники? Ну почему я совершенно забыла школьные уроки истории? Наша учительница Антонина Михайловна подробно рассказывала о премьер-министре России Петре Столыпине, она его обожала, считала великим реформатором и, оглядываясь на дверь, шептала:

— Дети, не все царские чиновники были дураками. Многие отличались умом и милосердием. Петр Аркадьевич придумал возить уголовников к месту каторги по железной дороге, до него несчастные шли пешком через всю Россию! Один из главных людей государства позаботился о преступниках!

Отлично помню ее речи, но в каком году убили Петра Аркадьевича Столыпина?[1] Вроде это случилось в начале двадцатого века? Ладно, лучше не разбираться в том, что говорит зять Груздева, есть машина, и ее надо продать!

Антон посмотрел на часы:

---

[1] Столыпин П.А. (1862—1911) — политик, министр внутренних дел царской России, премьер-министр России с 1906 по 1911 г.

— Сейчас покупатель подъедет. Лампа, большая просьба, садитесь спереди и не вставайте, пока вас не увезут!

Я потрясла головой.

— Что значит «пока не увезут»?

Антон похлопал «покойника» по крыше:

— Он шикарно ездит, но с одним условием: если около водителя кто-то сидит.

Я кивнула, но решила уточнить:

— Это я уже слышала, но не поняла, почему так происходит.

Продавец пожал плечами:

— Фиг его знает. Без разницы, главное — итог: если возле шофера никого нет, капец! Не заведется, с места не стронется. Вот, убедитесь!

Антон сел за руль, повернул ключ зажигания, но мотор не заурчал. Водитель похлопал ладонью по свободному сиденью.

— Устраивайтесь!

После небольшого колебания я опустилась на жесткую подушку, шофер предпринял новую попытку оживить двигатель, но не добился успеха.

— Не хочет работать, — констатировала я, — сломался!

— Вы сколько весите? — неожиданно спросил муж Наташи.

Найдется ли на свете женщина, которая откровенно ответит на столь бесцеремонный вопрос? Вот только мне приходится преувеличивать количество своих килограммов, неприлично говорить «сорок пять».

— Пятьдесят, — объявила я, — тяну ровно на полцентнера.

— В сапожках, куртке и с сумкой? — уточнил Антон.

Мне показалось, что он издевается, поэтому я довольно резко ответила:

— Ну и что?

Водитель выкарабкался из-за баранки.

— Родитель делал сиденье под нормальную женщину, примерно на сто килограммов без одежды. Хорошего человека должно быть много.

Я опешила, а Антон умчался в ракушку и вернулся с тачкой, в которой лежал чугунный блин.

— Ничего, — радостно загудел он, — сейчас утяжелитель на сиденье шваркну, вы сверху плюхнетесь. Ну-ка, пустите!

В полном обалдении я вышла наружу. Антон, кряхтя, плюхнул чугунину на кресло, набросил сверху потертый плед и велел:

— Устраивайтесь!

— На железяке? — уточнила я.

— Конечно, — кивнул продавец, — с ней вы будете весить нормально, и двигатель оживет.

Делать нечего, я снова нырнула в салон.

— Удобно? — заботливо поинтересовался Антон.

— Замечательно, — ответила я, ни на один миг не забывая, что должна выяснить, где Антон прячет Катю, и не обращая внимания на чушку, скрытую под тонюсеньким покрывалом, — никогда еще не ощущала себя столь комфортно!

Водитель повернул ключ, мотор заурчал. Я в который раз изумилась. Простите, коим образом вес седока способен повлиять на двигатель?

Антон обрадовался:

— Отлично пашет, как клоун на ярмарке. Ваша задача не вставать, пока мы с покупателем не договоримся. Если будущий владелец захочет сделать тест-драйв, поедете с ним.

— Может, лучше вы сами? — предложила я.

Антон надулся.

— Нет. Когда продавец в компаньоны набивается, это вызывает подозрения. А вот если он родную жену с чужим человеком отправил, следовательно, авто в полнейшем порядке. Супругой рисковать не станут.

— Если не мечтают от нее избавиться, — вздохнула я. — Значит, мне предстоит исполнить роль матери семейства?

— Неужели трудно? — удивился Антон. — Заодно покатаетесь. Бесплатно. Я с вас ни копейки не возьму.

— За что здесь можно брать деньги? — опешила я.

Антон начал загибать пальцы.

— Амортизация сиденья!

— Скорей уж просиживание чугуна, — не выдержала я, — хорошо, съезжу с покупателем. А как он домой отправится, если авто приобретет? Машина без груза не пожелает двигаться.

— С вами, — нагло заявил Антон.

Я обомлела.

— Секундочку! Вы решили продать меня в качестве утяжелителя? Пардон, у меня другие жизненные планы, в них не входит вечное сидение на переднем кресле.

Антон укоризненно посмотрел на меня.

— Всего-то попросите довезти вас до входа в метро, там распрощаетесь и ныряйте в подземку!

— Так у покупателя «покойник» не заведется, — напомнила я.

— Это не моя проблема, — заявил Антон, — раз купил, то все!

— Это же жульничество! — возмутилась я.

— Вовсе нет! Продажа автомобиля — дело тонкое, — не смутился хозяин, — тише, вот он.

Глава 9

Пока я пыталась прийти в себя, Антон выскочил на мостовую и замахал руками:

— Сюда, сюда, мы здесь!

Я вздрогнула. Клиент походил на пятиклассника. Короткое тощее тело, руки-ноги, наоборот, длинные, шея торчит из слишком широкого воротника куртки. Сходство с подростком ему придавали еще и ботинки — здоровенные бутсы на толстой подошве, с разноцветными шнурками и железными шипами на мыске.

— Вы Николай? — закричал Антон.

— Вроде того, — кивнул «школьник». — А это, значит, «Мерседес»?

Зять Груздева скрестил руки на груди и запел, словно акын, который увидел стадо голубых верблюдов:

— «Мерс» тюнингован по спецзаказу, корпус собран вручную из эксклюзивных деталей, стекла бронебойные, салон отделан телячьей кожей. Это моя жена, зовут Лампа, хорошая женщина, работает, деньги в дом приносит, не шмоточница, не выпивоха, по мужикам не бегает, весит пятьдесят кило.

Николай окинул «покойника» оценивающим взглядом.

— И скока?

— Шесть штук, — объявил цену Антон.

Если вспомнить рассказ про папеньку, первого автовладельца, который приобрел колеса, то остается лишь восхищаться коммерческими талантами мужа Наташи.

— Гринов, — на всякий случай уточнил Антон и правильно сделал.

Приди мне в голову идея приобрести эту колымагу, я подумала бы, что стоимость объявлена в рублях. Больше за развалину не дать.

— Музыка есть? — продолжил опрос претендент на тачку.

Антон заливался соловьем:

— Самая суперская. Сидиченджер на сорок дисков.

У Николая загорелись глаза.

Я подавила смешок. Хорошо, что Николай не додумался спросить, в каком году отец Антона установил в шарабане магнитофон.

— Еще коврики отдам бесплатно, — продолжил соблазнять дурака Антон, — вот, гляньте! Велюровые, с тефлоновой пропиткой, лежат пятьдесят пять лет, а как новые.

Коля попятился.

— Чё? Скока им годов?

Я решила прийти на помощь продавцу:

— Пять. Но мы на нем практически не ездили, жалели. Катались на «Бентли», он подешевле и попроще.

— Аха, — протянул Николай, — чой-то мне не то послышалось. Колесики у него какие?

— Резина «Нокиа», «хапелита» «восьмидесятая»[1], — отчеканил Антон. — Сносу ей нету. А машина зверь. Вы ее опробуйте.

Николай сел за руль, повернул ключ, мотор заурчал.

— Если жена с вами поедет, ничего? — заулыбался Антон.

— Она ко мне не пристанет? — испугался Николай.

Антон опешил, а я, сидя на чугунине, живо ответила:

— Нет. Честное слово, я никогда не нападаю на мужчин.

Коля вытер лоб ладонью и слишком резко отпустил педали сцепления. Гибрид кастрюли с самокатом скакнул вперед, тяжелый диск съехал с кресла и вместе со мной очутился на полу.

— Ну ё-моё, — испугался Антон, — вставай, дорогая. Сейчас помогу. Коля, вы пока поглядите, как классно работают щетки, чистят стекло до блеска. Грейдеры им позавидуют. И радио крутое.

Я, отлично понимая, по какой причине Антон пытается отвлечь внимание Николая, тихо валялась под торпедой. Не скажу, что мне было удобно, тело приняло форму улитки, но теперь деваться было уж точно некуда. С одной стороны, мне надо расположить к себе Антона, чтобы он откровенно рассказал, где спряталась Катя, с другой — элементарно неприлично будет подвести его. Я же пообещала ему содействие при продаже трупа бывшего «Мерседеса».

Вероятно, Антон включил приемник, потому что салон заполнил скрипучий мужской голос:

---

[1] Я не большой знаток покрышек. Но сейчас вроде самой современной считается «Хапелита шесть». Антон врет, восьмидесятую еще не изобрели.

— Взятничество и в России приняло глобальные масштабы...

— Заткни его, — попросил Коля, — вруби музыку.

--- Лучше щетки включи, — быстро предложил хозяин, и я сообразила: в тачке есть нечто вроде сетевого приемника. Помнится, когда я была крошкой, у моей мамочки на кухне была коричневая коробочка с матерчатой передней частью. К чуду техники прилагался провод, вилка втыкалась в радиорозетку, не путать с электрической, и пожалуйста: «Говорит Москва. Слушайте «Пионерскую зорьку». Потом радиоточку ликвидировали. Всякий раз, отдавая квартплату, мама сердилась.

— Безобразие, радио давно нет, а деньги за него берут.

Вероятно, в «покойника» вмонтирована та самая штучка с тканью, способная транслировать лишь бубнильно-говорильную программу.

— Вы прослушали интервью с директором главной дирекции главного инженера фабрики по производству крючков для шнурков ботинок всех типов, — объявил диктор.

— Черт, — прошипел Антон, — не выключается.

— А сейчас для вас прозвучит балет «Лебединое озеро», — продолжал приемник.

Я удивилась. Каким образом можно транслировать по радио балет? И тут же получила ответ. В уши полилась бессмертная музыка Петра Ильича Чайковского. Ее перекрыл гундосый баритон:

— Утро. На сцене просыпаются лебеди. Вы видите, как они машут крыльями, руки балерин, словно сплетены из воздуха. Сегодня, двадцать первого ноября тысяча девятьсот пятьдесят третьего года, партию Одетты-Одиллии исполняет Галина Уланова.

Меня обуял кашель. Да «покойник» — просто машина времени!

— Солнышко, — нежно пропел Антон, — там прямо перед тобой рычажок, дерни за него!

Я прищурилась, в сантиметре от моего носа покачивался провод ярко-синего цвета.

— Такой красивый, — продолжал хозяин, — напоминает море!

Ага! Радио заклинило. Хозяин не может сказать потенциальному покупателю правду. Он поет про рычаг, рассчитывая на мою понятливость. Надеется, я соображу, вырву проводок, и трансляция заткнется.

— Нашла, кисочка? — поторопил «муженек».

— Сейчас, — пообещала я и ухватилась за оплетку. Раздался хлопок, треск, вопль, звон, запахло чем-то вроде сгоревшей картошки, мне на голову посыпались осколки, следом завизжал Коля:

— Ваще! Блин! Шесть штук баксов! Пошел ты на...

Послышались громкие шаги, похоже, покупатель спешил прочь, воцарилась тишина. Молчание длилось и длилось. В конце концов я спросила:

— Все живы?

— Но принц очарован черным лебедем! — взвизгнуло радио. — Послушайте, как он бьет крыльями и щелкает клювом!

— Чё ты дернула? — простонал Антон.

— ...озеро наполнено грозой...

— То, что велел, — фыркнула я, — провод!

— ...лебеди поникли, их перья вспушены...

— Ваще! Я вел речь о рычажке! — взвился хозяин.

— ...вода волнуется, музыка тоскует, Чайковский глубоко осуждает морально разложенческое поведение принца...

— Там был лишь проводок, — пыталась оправдаться я.

— ...несчастные лебедята хотят остановить черные тучи...

— Офигеть! — стонал Антон. — Вылезай и посмотри, что ты наделала!

— ...Лапы-ноги отбивают пуантами такт...

Я с кряхтением выкарабкалась наружу, огляделась и взвизгнула:

— Мама!

У гибрида не было дверей, они лежали на асфальте.

— Почему дверцы отвалились? — проблеяла я.

— ...вековые ели тянут руки к черному лебедю, сама природа восстала против...

Антон со всей силой долбанул кулаком по рулю. Радио, обиженно квакнув, заткнулось.

— Почему они отвалились? — повторила я.

— Не знаю, — честно признался Антон, — может, они держались на том шнуре, который ты оборвала?

— ...белые розы, белые розы, беззащитны цветы, — заголосил приемник.

Хозяин снова отвесил рулю оплеуху.

— Однако оригинальная конструкция у этой машины, — пролепетала я, — извини, не хотела спугнуть Николая.

Антон неожиданно улыбнулся:

— Фиг бы с ним! Ничего, двери навесить недолго.

— Ежедневный прием капель от жидкого стула губительно влияет на потенцию, — ожило радио, — наше лекарство помогает одновременно избавиться от двух главных для мужчин проблем — поноса и отсутствия эрекции. Одна таблетка, и целый месяц вы не посещаете туалет, вдобавок радуете свою жену!

Хозяин снова треснул руль. Я еще раз окинула взглядом «покойника». Ну, теперь я отлично знаю замечательное средство от всех мужских проблем! И понос, и импотенция отойдут на задний план, если представитель сильного пола узрит, как у его тачки, почти благополучно проданной идиоту, который даже не открыл капот машины, одновременно отваливаются все двери. Покажите мне парня, способного в данный момент думать о жене и собственном желудке.

— Надо его спрятать, — вздохнул Антон.

Мы начали заталкивать машину в «гараж».

— Зато ты теперь знаешь, как переключать радиостанции, — хихикнула я, когда хозяин запер «ракушку» и пошел в сторону МКАД. — Надо ударить по рулю. Кстати, где ты спрятал Катю?

Старый прием. Хотите выяснить то, что вам навряд

ли расскажут? Тогда не задавайте вопроса в лоб, правдивого ответа не получите, услышите вранье. Предположим, вы задумали узнать, чем ваша вторая половина занималась в последний день недели, отчего муж прикатил к жене, тоскующей на даче с ребенком, лишь в субботу к обеду. Советую вам завести ничего не значащую беседу, а в разгар ее осведомиться:

— Милый, а ты где был в пятницу?

Девяносто процентов из ста, что любимый машинально брякнет:

— Да мы с Павлухой на футбол смотались, пивка попили, перебрали чуток.

Он не ожидал прямого вопроса, не приготовился лгать и попался. Метод срабатывает без осечек, если, конечно, ваша вторая половина не имеет высшего шпионского образования и не подготовлена к подобным штучкам-дрючкам. Главное, выбрать подходящий момент. Если начнете беседу с фразы: «Давай поговорим, я так больше не могу, отвечай честно, смотри мне в глаза», то муж забеспокоится и приготовится лгать. Если вы усыпите его бдительность, то узнаете правду. Вот только сначала подумайте: она вам нужна, эта правда? Может, кое о чем лучше не догадываться?

Но Антон не попался.

— Катя? — искренне изумился он. — Зачем она мне? Я вздохнула.

— Скажи, если надо спрятаться в вашем доме, где это лучше всего сделать?

— На чердаке, — без колебаний ответил он.

— Можешь отвести меня туда? — попросила я.

— С какой целью? — насторожился Антон.

Я не стала скрывать причину своего любопытства:

— Хочу поискать там Катю. Заплачу тебе за хлопоты.

— Там всего полно, — зачастил зять Груздева, — много добра хранится.

— Отлично, — кивнула я, — увижу, что Кати нет, и уйду. Не трону ваше богатство. Можешь наблюдать за мной во все глаза.

Вход на чердак располагался... в туалете. Антон встал на унитаз, пошарил рукой по потолку и снял несколько длинных деревяшек, которыми он был обит. Из открывшегося отверстия выпала веревочная лестница.

— Полезешь? — спросил Антон.

— Да, — храбро ответила я и ухватилась руками за деревяшки-ступеньки.

— Лучше сам вперед отправлюсь, — передумал Антон.

Если честно, то мне было страшно, но нельзя демонстрировать свой испуг другим людям. Я бойко влезла в подкрышное пространство и увидела гору хлама: останки мебели, санки, лыжи, хомут для лошади, пару сундуков, башню из пустых цветочных горшков, кипы пожелтевших газет, перехваченных шпагатом, гитару без струн, несколько прогоревших сковородок, узлы, коробки...

Справа около круглого крохотного окошка было относительно свободное пространство. Крыша здесь резко сходила на нет. Прямо под окном стояла раскладушка, на ней спиной к нам лежала худенькая фигурка в темно-синих джинсах и черной футболке со словами: «Красавица «Комареро». Такие майки обязаны носить в доме не только участники, но и организаторы конкурса. Правда, Зяма, Рита, Тамара и другие, включая меня, надевают их лишь тогда, когда из прихожей доносится властный голос Капы.

Я наклонилась над кроватью.

— Катя! Хватит! Комедия окончена! Вставай!

Подлая интриганка даже не пошевелилась.

— Ну, хватит, — вздохнула я, — история с похищением не удалась. Давай решим дело полюбовно. Ты отрабатываешь финал, и мы расстанемся. Организаторы не станут предъявлять тебе претензии. Заберешь себе подарки спонсоров. Ну?

Катенька, похоже, не умела проигрывать. Она упорно притворялась спящей. Я схватила нахалку за плечо, перевернула на спину и попятилась.

На раскладушке лежала... мертвая Лена.

Не спрашивайте, почему я поняла, что она умерла. Это стало ясно сразу. Сзади послышался сдавленный всхлип, потом звук, который издает мешок с мукой, если его случайно уронить на пол. Я обернулась. Возле рассохшегося комода лежал Антон, потерявший сознание.

Глава 10

Через два часа в спальне Зямы собрались Капа, Макс, Рита, Тамара и я.

— Всем молчать, — приказала Капа. — В конкурс вложена куча денег! Заключены контракты на размещение рекламы и фотографий почти во всей прессе. Продажи «Комареро» должны взлететь!

— Если газеты сообщит о смерти одной из участниц, народ кинется в ваши магазины, — зачастила Тамара, — люди обожают такое.

— Не факт! — отрезала Рита. — Может выйти наоборот!

— Давайте проверим, — не успокаивалась Тома.

— Что ты предлагаешь? — спросил Макс. — Сначала объявить «Лену убили», а потом, когда продажи замерзнут, исправить положение, сказав: «Ой, простите, мы ошиблись. Лена просто заболела»?

— Вечно меня всерьез не воспринимают! — обиделась Тома.

— Ну что ты! — слишком ласково сказал Макс. — Ты напоминаешь мне учительницу по географии, Анечку, ей было всего двадцать три года, когда она к нам в класс вошла, хороша, как картинка! Нам по тринадцать! Все мальчики в нее влюбились!

Тамара кокетливо стрельнула глазами.

— Правда?

Макс кивнул.

— Анечка одни пятерки всем ставила. Один я умудрился у нее «банан» получить.

— Почему? — проявила неуместное любопытство Тамара.

Максим слегка вытянулся.

— Географичка вопрос задала: «Дети, если мы начнем рыть ход в глубь Земли, то где окажемся?» Пока класс думал, я ответил: «В психушке. Подумают, что мы с ума сошли!» Подростки отнюдь не дипломаты, я сказанул, что думал.

— В пубертатный период ты был невыносим, — поморщилась Капа. — Только с работы приду, устала, как водовозная кляча, бац, из интерната звонят: «Забирайте своего сына, надоел всем педагогам, не слушается, хулиганит». И так по пять раз на неделе!

Я вздрогнула. Что значит из интерната? Макс жил в детдоме? Мне он не рассказывал. Правда, никогда не упоминал и о родителях, но сейчас не время обсуждать личные темы. Я повернулась к Тамаре и с укоризной произнесла:

— Не забыла, что на чердаке лежит тело Лены?

Тома схватилась за виски и зарыдала.

— Без истерик! — приказала Капа. — Необходимо решать проблему. Слушать всем! Меня! Итак! Девкам ни слова! Сорвут шоу! Кто проговорится — мой враг до конца жизни!

Зяма передернулся, Рита ойкнула, Тамара перекрестилась.

— Отлично, — обрадовалась Капа, — до всех дошло!

Я подняла руку.

— Не велите казнить, велите слово вымолвить!

— Хватит идиотничать, — возмутилась Капа.

Я решила проигнорировать хамство свекрови. На самом деле она пытается быть со мной вежливой, но сейчас у маменьки Макса из-за нервов отказали тормоза. Не стоит акцентировать внимание на ее словах.

— Никто не сообщит о кончине Лены, но нам следует знать, что случилось с девушкой.

— Она умерла, — разозлилась владелица фирмы «Комареро».

— Просто так молодые люди на тот свет не уходят, — поддержал меня Макс.

— Елена выглядела здоровой, — подхватила Рита. — Ни на что не жаловалась, и у участниц анализы брали. Обычный пакет: на СПИД, сифилис и тому подобное.

— Очень предусмотрительно, — одобрила Капитолина.

— Нам судебные иски не нужны, — пояснила Рита, — проигравшие девочки способны на многое. Не получила корону, пролетела мимо призового места, не дали хороших подарков, и она побежит в газеты с воплем: «Меня во время конкурса один из устроителей изнасиловал, сифилисом заразил!» Я слышала о подобных историях. Так вот, Елена здоровее космонавтов.

Капа сдвинула брови:

— Чтоб скончаться, особых причин не требуется. Например, под машину попала!

Я вытаращила глаза, а Макс спокойно сказал:

— Интересная версия. Даже если отбросить тот факт, что участницам конкурса категорически запрещено покидать дом, то...

Капа, как всегда, не дала другому человеку договорить:

— О боже! Можно подумать, что замки способны остановить глупую девицу, которая решила ночью убежать к любовнику. У них у всех ум между ног! Кольцевая дорога, вот она, рукой подать. Движение там не затихает ни на минуту, поленилась подниматься в переход, бумс! Переехал Лену грузовик.

Я уставилась в пол. Мне лучше не возражать Капе. Пусть кто-нибудь другой объяснит владелице «Комареро» абсурдность ее предположения!

— Над входной дверью висит камера, — неожиданно сказала Капа. — Можно проглядеть запись, и мы увидим, кто и когда покидал дом.

— Жадный Михаил разрешил сделать в стене особняка дырки? — удивилась Тамара. — И мне никто не говорил про наблюдение.

Рита поежилась.

— Нам с Зямой тоже! Вы чего, за нами следили?

Капа хмыкнула:

— Конечно. Как иначе? Меня предупредили, что в России всякое случается. Иногда к участницам конкурсов красоты ночью мужиков приводят. Я здесь постоянно не живу, но глаз-то нужен. А Михаилу пообещали оставить аппаратуру, Груздев обрадовался, что задаром получит систему видеонаблюдения. Никому о ней знать не следует, нехорошо, если журналисты начнут писать: «Конкурсантки томятся в тюрьме».

— Непременно полюбуемся на «кино». Вот только возникает один вопрос: Лену правда сбила машина? — спокойно спросил мой муж.

— Да, — кивнула Капа. — Никто, кроме нее самой, не виноват!

— Бывает, — согласился Макс. — Значит, самосвал лишил девушку жизни, а та встала, отряхнулась, взяла голову под мышку, пошла на базу, залезла на чердак и мирно отошла в мир иной? Сюжет для небольшого триллера.

Зяма судорожно закашлялся. Рита отвернулась к окну, Тамара разинула рот, а я быстро заморгала. Надо отдать должное Капитолине, та не стала защищать свою глупую версию, а сразу заявила:

— Я ошиблась!

Макс кивнул:

— С каждым случается. Лично я совершенно уверен: у Лены случился приступ аппендицита!

Я уже не первый раз за сегодняшний разговор лишилась дара речи. Аппендицит? Интересно, как Макс ухитрился поставить диагноз? Он лишь бегло взглянул на тело! И ему, профессионалу высокого класса, не свойственны поспешные выводы.

— А чё, бывает! — оживилась Тамара. — У моей тетушки так произошло. Ныл у нее живот, ныл, потом перестал. Она обрадовалась, решила — выздоровела. А ночью ее в клинику поволокли, но не довезли. Пери... мери...

— Перитонит, — с видом знатока кивнул Зяма.

— О! Верно! — обрадовалась Рита.

— С Леной то же самое приключилось, — заявил Макс, — я сразу догадался. У нее на щеке было красное пятно! Самый верный спутник гнойного процесса.

— Не неси чушь! — возмутилась я и ощутила резкий щипок за бок.

Недосказанная часть фразы застряла в горле, я с запозданием поняла, что Макс неспроста несет феерические глупости.

— Чушь? — переспросил Зяма. — То есть ты считаешь, что Максим не прав?

— Ну конечно, — смело ответила я. — Не в красном пятне дело, а в цвете лба! Легкая синева стопроцентно свидетельствует: Елена умерла от перфорации отростка слепой кишки.

— Какая, на фиг, разница, — сказала Капа, — пятно, лоб! Главное, у нее была беда с животом. Но девкам нельзя говорить о ее смерти, идиотки перепугаются, сорвут финал.

Макс вынул телефон.

— Герасим, ты далеко?

Я постаралась незаметно для окружающих выдохнуть. Герасим — кличка эксперта Гены. Прозвище он получил за необычайную молчаливость. Геннадий редко открывает рот, в основном обходится жестами, зато пишет подробные отчеты и всегда подмечает самые крохотные детали. У Гены есть собака непонятной породы. Угадайте, как ее зовут? Правильно, Муму. Вот только я не в курсе, сам Гена присвоил животному это редкое имя или постарались его коллеги. Муму никогда не лает, она спит у Гены в кабинете на кресле. Те, кто впервые попадает в офис, сначала принимают песика за плюшевую игрушку, хотят подвинуть, чтобы сесть, и пугаются:

— Ой! Она живая!

Макс вернул телефон на место.

— В ближайшее время сюда приедет «Скорая помощь», в дом войдут врач и санитары. Лену вынесут из здания не в мешке, она будет лежать с открытым лицом, под одеялом. Для пущей убедительности один из санитаров возьмет в руки капельницу. Конкурсанткам и хозяевам надо сказать, что у Елены резко заболел живот и ее отправили в больницу. Я думаю, никто волноваться не будет.

— Правильно! — одобрила Тамара. — Груздеву лишь деньги интересны. А девчонки обрадуются, когда узнают, что одна из претенденток на победу сошла с дистанции.

Зяма и Рита переглянулись. Я поняла, о чем думают режиссер и ассистентка. Аппендицит — это форс-мажор, он брокерами воспринимается без радости, но и без агрессии, вот за побег Кати их по головке не погладят. Внезапная болезнь Лены просто перетасует ставки. Те, кто рассчитывал на ее победу, сгрызут локти от злости, остальные потрут ладошки, их шансы на успех возрастут.

Капа встала.

— Хорошо! Я поехала по делам. Буду на связи! Никакой самодеятельности! Я хозяйка! Мне докладывать обо всем! У меня муха мимо носа не пролетит! В фаворитках Катя?

Зяма умоляюще взглянул на меня.

— Да, да, — поспешила подтвердить Рита, — пока она. Ну а уж как финал пойдет, неведомо.

Я сделала вид, что очень заинтересована своими ногтями, приглядываюсь, не сколупнулся ли где лак. Капа может сколько угодно кричать: «Я хозяйка!» Но если хочешь на самом деле быть хозяйкой, никогда не доверяй руководство своим делом посторонним людям. Если уж тебе пришлось отдать бразды правления, то ежедневно очень тщательно проверяй обстановку. Допускаю, что в Америке, где Капа успешно подняла бизнес, и можно понадеяться на администратора, который за хорошую зарплату будет пахать за барыню, но в Москве подобный фокус не пройдет. Зяма с Ритой побоялись открыть Капе правду, она ничего не знает о побеге девушки-конкурсантки. А ведь шоу на грани срыва.

— Работать, — гаркнула Капа, — не спать! Остался финал!

Громко цокая каблуками, Капитолина прошагала к двери, Макс за ней. Я, чуть подзадержавшись, тоже поспешила следом.

Капа носится со скоростью реактивной ракеты. Я подошла к повороту в холл в тот момент, когда мать уже напустилась на сына, и невольно стала незримой участницей их совсем не приятной беседы.

— Не смей раздавать мне указания! — шипела Капитолина.

— Еще раз повторяю, — спокойно произнес Макс. — Лампа моя жена, и замечания ей имею право делать только я.

— Да что я сказала? — возмутилась свекровь.

— Заявила: «хватит идиотничать», — процитировал Макс. — Надеюсь впоследствии ничего подобного от тебя не слышать.

— Не пугай! — фыркнула Капа. — Я никого не боюсь! Сын обязан слушать мать! Уважать ее! Жена на пятидесятом месте!

— У нас получилось по-другому, — мягко сказал Макс. — И, позволь заметить, чтобы, как ты выразилась, любить и уважать мать, надо быть с нею знакомым. А я тебя очень плохо помню, потому что все детство провел в Сколкине.

— Я отправила тебя в санаторий, чтобы поправить твое здоровье, — возмутилась Капа.

— Очень тебе благодарен, — странным голосом произнес Макс. — Уточни, пожалуйста, какая у меня была хвороба?

— Частые простуды, — выпалила Капа, — постоянный насморк. Я очень беспокоилась, врачи посоветовали Сколкино, отличное место, дом в лесу!

— Я попал туда в пять лет, а ушел, когда получил аттестат зрелости, — тихо произнес Макс, — один там такой был, стал местным старожилом, остальные жили по два, максимум три года.

— Думаешь, легко сыну свежий воздух обеспечить? — вздохнула Капа. — Приходилось взятки давать.

— А я все сопли пускал, — усмехнулся Макс. — Да такого мальчика сжечь надо, чтобы бациллами не чихал! Знаешь, я тебя забыл! Ты в Сколкино никогда не приезжала ни на Новый год, ни на мой день рождения. Сначала я плакал, а потом твое лицо из памяти стерлось.

— А вот и неправда! — возмутилась Капитолина. — Мы встречались! До моего отъезда в Америку виделись. На свадьбе у Розы Ангеликовой! Отлично помню! И еще совместно гуляли у Леонида Сергеевича! Кто виноват, что ты был агрессивный, неуправляемый, в колонию попал? Я?

— Нет, — тихо ответил Макс, — я сам дурак.

— Вот видишь, — назидательно произнесла Капа, — генетика твоего отца-кобеля вылезла! С моей стороны отличная наследственность. И не забывай, я тебя родила и очень-очень-очень люблю. Мать всегда обожает сына! Каким бы он ни получился! Он ее родное дитя, и точка!

Я начала осторожно отступать к своей спальне. Надеюсь, сейчас под ногой не скрипнет рассохшийся от старости паркет и Макс не догадается, что я стала невольной свидетельницей его откровенного разговора с Капой.

Маневр удался, я втиснулась в комнату и села в кресло. Макс всегда шутит и ерничает, постоянно разыгрывает меня. Я поняла, что мужу по какой-то причине не хочется демонстрировать серьезные чувства. Макс способен забыть про мой день рождения. Зато он часто притаскивает мне милые пустячки, даже купил двух мопсов, Фиру и Мусю. Я не просила собаку, знала, что у Макса их никогда не было, не собиралась делать из мужа заядлого собачника. Но он сам все понял и подарил мне щенков.

А еще в его квартире, где мы сейчас живем вместе, остались напоминания о бывших пассиях. Чашки с изображением зверушек, пара розовых полотенец, чью кайму украшала надпись «I love you». Комплект постельного белья с рисунком из незабудок. Плюшевая обезьянка на шкафу.

Поймите меня правильно, я пришла в дом к Максу, а не он переехал в Ложкино, где живет моя семья: Катюша, Лиза, Кирюша, Володя, Костян, Юлечка, Сергей, мопсы Муля, Ада, Феня и стаффордширский терьер Рейчел. Ну какое право я имела выбрасывать то, что не покупала? Не могу сказать, что испытывала чувство радости, натыкаясь на кружки или замечая мартышку, но я ничего Максу не говорила. Просто старалась лишний раз не смотреть на шкаф, где восседала макака, купила нам симпатичный чайный сервиз и засунула поглубже на полку полотенца и белье с цветочками.

А потом все неожиданно исчезло. Обезьянка, кружки, полотенца, постельное белье и коврик из прихожей. В отношении последнего я была искренне удивлена, считала, что жуткую вещь из щетины приобрел сам Макс. Муж каким-то чудом понял: мне неприятно соседство с мартышкой и выбросил ее, заодно «убрав» и остальные напоминания о прошлом. Я так и не знаю — уничтоженные пустячки принадлежали одной женщине или нескольким. Наверное, правильно, когда мужчина не вешает на спутницу жизни груз своих прошлых связей. Я не хочу знать о тех, кого Макс любил до меня. Но про свое детство в интернате он мог мне рассказать! Равно как и о том, что побывал в колонии.

Дверь спальни без стука распахнулась.

— Перестала мышей ловить, — с укоризной заявил Макс, — хорошо хоть с опозданием, но ты сообразила и сделала сенсационное заявление про цвет лба Лены.

Глава 11

— Ты решил убедить наивных людей в естественной смерти Лены? — спросила я. — Хорошая попытка. Но зачем?

Макс сел на стул и вытянул ноги.

— Странная архитектура у этого дома, не находишь? Вход на чердак из туалета, и полно комнат-клетушек. Сколько тут спален?

— Много, — вздохнула я, — и при этом один унитаз на самом верху, душ внизу, кухня под крышей, а столовая на первом этаже. Логово сумасшедшего кролика. И здесь совсем неуютно. Хотя чего ожидать от здания, которое постоянно сдают и хозяин его самозабвенный скряга! Зато здесь чисто, несмотря на то что прислугой служат родная дочь, жена и зять Михаила Матвеевича.

— Мда, — крякнул Макс, — не позавидуешь тетенькам, небось целый день шастают тут с пылесосами!

Я улыбнулась.

— Странно, но нет. Правда, сервис здесь сведен практически к нулю. Постельное белье и полотенца нам со дня въезда не меняли, кровати за гостями не заправляют, но, когда мы уходим на репетицию в пристройку, хозяйки затевают уборку. Еда тут, мягко говоря, не разнообразная. Готовит Михаил Матвеевич, он профессиональный повар, варит вкусный суп, делает приемлемые котлеты, но изо дня в день подают одно и то же.

— Странно, что бизнес Груздевых до сих пор не утонул, — вздохнул Макс.

Я кивнула.

— Сама удивилась, но потом сообразила. Михаил никогда не сдавал особняк надолго. Зяма рассказывал, что, как правило, тут играют свадьбы или справляют юбилеи. Народ приезжает, допустим, после обеда в субботу, а в воскресенье, к полудню, выспавшись, отправляется восвояси. Дом приводят в порядок перед появлением новых гостей и убирают после их отбытия. Хорошо выпившим людям наплевать на размер спальни, они не намерены проводить здесь ежегодный отпуск, всего-то остаются на одну ночь. У хозяина есть договор с кафе, там заказывается еда для гулянки. Угощенье привозят на машине, но можно принести и в руках, трактир в торговом центре, расположенном в двух шагах. За несколько часов до веселья прибывают официанты со своей посудой, накрывают столы и обслуживают. После того, как последний гость отползает в спаленку, лакеи живо собирают грязные тарелки-бокалы-вилки и утаскивают с собой. Михаилу Матвеевичу остается лишь организовать завтрак. Он, как правило, варит кофе, потому что человек с похмелья от любого деликатеса отвернется.

Мы первые, кто сюда приехал на длительный срок. Я не понимаю, почему Капитолина выбрала именно это место, оно такое странное! Зал для торжеств, который у нас служит репетиционным, прекрасно оборудован. На мой взгляд, правда, с излишним новорусским шиком, но, не скрою, многим это по сердцу. Хрустальные люстры, картины в позолоченных рамах, дубовые стулья с бархатной обивкой. Но если внимательно изучить интерьер, то становится понятно: это, как говорили раньше, «кролик под котик». Полотна — на самом деле постеры в обрамлении из папье-маше, светильники из пластика, удачно имитирующего изделия от Сваровски, ну и так далее. Но, повторяю, впечатление шикарное. После обеда, в районе шести-семи вечера, Зяма впускает сюда журналистов, и писаки реагируют одинаково: войдя в пристройку, ахают: «О! Красота!»

Крохотных спален им не показывают, в туалет не третий этаж не водят. Сам конкурс проводится в пафосном концертном зале, а участницы и сотрудники живут в весьма скромных условиях! Тебя такой расклад не удивляет?

Макс засмеялся.

— Нет, все объяснимо. Капитолина очень расчетлива. Конкурсную площадку посещает большое количество народа: спонсоры, фотографы, телевидение, не говоря уже о зрителях, которые приобрели билет. Капа отлично понимает: необходимо в данном случае пустить пыль в глаза. Но зачем селить девчонок в роскошном отеле? Тратиться на аренду? Отдавать нереальные бабки за то, чтобы конкурсантки мылись в шикарных ваннах, ходили по персидским коврам и наслаждались комфортом? Участницы хотят победить в соревновании, они не звезды и могут сами за собой койку прибрать. Организаторы получают от Капитолины оклад, им тоже нет нужды шиковать. Разумная экономия — вот принцип Капы. И, на мой вкус, она сумела откопать неплохое место для базы, вполне приемлемое, чтобы впустить прессу. Капа молодец, она не так давно в Москве, но уже хорошо ориентируется. Ты была в ее бутике?

Я кивнула, а Макс продолжил:

— Магазин на Тверской. Пафос через край! Интерьер заказывался чуть ли не самому Филиппу Старку. Роскошные примерочные кабинки, в центре зала фонтан. У каждого продавца элегантная, сшитая на заказ форма, на ней золотой значок с именем. Пластиковые бейджики Капа посчитала пошлыми. Но загляни в служебную часть. Крохотные помещения, бухгалтер сидит в бельэтаже, там высота потолка меньше двух метров. Кондиционеры отсутствуют, офисная мебель из самого дешевого сетевого магазина, ни кухни, ни гостиной для отдыха персонала нет. Владелица даже холодильник не купила, вывесила на доске объявлений листок: «Есть на рабочем месте категорически запрещено». Служащим не положена кофе-машина. И туалет один, унисекс. Капа экономит даже на туалетной бумаге, закупает рулоны отходов от производства наждака. Зато есть шикарная переговорная, куда приглашают партнеров и журналистов. Центральный вход в бутик украшен мрамором, за дверь с ручной резьбой и инкрустацией заплачены огромные деньги. А в служебную часть ведут две бетонные ступени, их даже не обложили самой дешевой плиткой, и железная, плохо покрашенная дверь. Знаешь, встречаются женщины, у которых под платьем от дорогого бренда надето дешевое, далеко не новое белье. Ну зачем тратиться на то, что посторонние не увидят?

Я засмеялась:

— А вдруг шикарный наряд придется снимать в присутствии кавалера?

Макс поднял одну бровь.

— Разве ты не сталкивалась с дамами, которые рассуждают так: «Сегодня надо нацепить симпатичный комплект, праздничный лифчик и трусики, после работы иду к врачу»? У некоторых исподнее делится на категории: обычное и выходное. Лично мне кажется, что лучше иметь под скромным платьем роскошное белье, чем напяливать рваные трусики под костюм от Диора. Но что-то нас с тобой занесло совсем не в ту степь. Давай вернемся к Лене.

— На что спорим, она умерла не своей смертью! — воскликнула я. — Надеюсь, Герасим не задержит отчет, и мы быстро узнаем, что убило девушку!

— Почему ты заподозрила насильственную кончину? — спросил Макс.

Я обхватила руками колени. Макс действительно не заметил очевидных свидетельств или хочет проверить мою наблюдательность?

— Элементарно, Ватсон! Чердак открывается неудобно. Надо встать на унитаз, вытащить из потолка пару деревяшек и выдернуть из подкрышного пространства веревочную лестницу. Идиотская система, но не будем ее обсуждать. Когда мы с Антоном вошли в сортир, вход был задраен. Кто-то заманил Лену, лишил ее жизни, потом ушел, аккуратно вернув на место вагонку. Преступник надеялся, что тело не найдут.

Макс встал и потянулся.

— Однако здорово. А запах разложения?

— Разве я сказала, что уголовник все точно рассчитал? — удивилась я. — Думаю, ему пришлось внезапно расправиться с Леной. Девушка сказала или сделала что-то, напугавшее убийцу.

— А потом пошла с ним или с нею под крышу? — прищурился Макс. — Она совсем глупая?

— Почему? Помнишь дело Варвары Кораблевой? — спросила я. — Она стала случайной жертвой преступника. Мужчина потерял голову, когда Варя, как ему показалось, с намеком спросила: «Тебе нравятся старинные сундуки? Я в кайфе от кофров со здоровыми, железными замками, они прикольнее комодов». Бедная Варвара и понятия не имела, что ее спутник убил пять женщин и похоронил все тела в сундуках. А маньяк решил: Варя знает о его «хобби» и, недолго думая, придушил девушку. С Леной могло произойти то же самое. Она просто произнесла некую фразу, не придав ей никакого значения, а убийца испугался. У преступников нервы напряжены, как бы они ни старались выглядеть спокойными, на самом деле все дергаются, не хотят попасться.

— Боюсь тебя разочаровать, но встречаются экземпляры с железными нервами, — не согласился Макс.

— Послушай теперь историю про Катю, — продолжила я и рассказала Максу все, что случилось в последнее время.

— Хотел бы я поглядеть на тебя в шароварах и чадре, — ухмыльнулся муж.

— Полагаю, что мне придется еще раз изображать восточную красавицу, я попала по глупости в финал, — пригорюнилась я. — Зяма с Ритой боятся букмекеров и не хотят портить отношения с Капитолиной.

— Значит, они обещали корону Алисе, если та не проболтается? — уточнил Максим. — А Елена давила на участниц психологически, постоянно рассказывала о несуществующем Шота Руставели?

— Правильно, — кивнула я, — дурочка рассчитывала, что девушки потеряют боевой задор, решат, что первое место проплачено, им без шансов получить корону, и завалят испытания.

— Но в середине шоу Зяма решил сделать победительницей Сандру? — пытался понять все детали Макс.

— Так говорила Алиса, — подтвердила я. — Лидерство Кати для отвода глаз. Екатерина была уверена, что Зяма и Рита в сговоре с каким-то человеком, который сделал большую ставку на Сандру. Если победит «темная лошадка», махинаторы сорвут отличный куш. Но ничего не удастся, если Катя исчезнет, а Алиса сообщит о ее похищении.

Макс сел на место.

— Давай рассуждать спокойно. Катерина решила привлечь внимание к своей особе и разыграть похищение. Помочь ей должна была Алиса, но план не удался. Почему же Катерина не вернулась, когда ей стало понятно, что шума не будет?

Я подумала секунду:

— Побоялась?

— Кого? — с удивлением спросил Макс. — Девчонка отлично знает про тотализатор, похоже, они все в курсе местных порядков. Катюша затаилась в укромном уголке, она надеялась на хороший бонус, но обломалось. Я бы на ее месте прямиком примчался назад и загнал Зяму с Ритой в угол, объявив им: «Отдавайте мне победу, иначе я расскажу журналистам, что в полуфинале участвовало подставное лицо». Либо потребовал бы хороших отступных. Но Катерина словно сквозь землю провалилась.

Я привстала.

— Полагаешь...

Макс кивнул.

— Да. Кто-то убирает претенденток на победу. Сначала преступник воспользовался идеей «похищения» Катерины, затем настал черед Лены.

— Маловероятно, что убийца среди организаторов, — прошептала я. — Зяма и Рита давно устраивают всяческие шоу, у них хорошая репутация, им невыгодно убирать Катю, парочка ждет барыш от тотализатора, в их интересах сдувать с Катерины пылинки, чтобы ту счи-

тали до самого конца фавориткой. А потом — опля, из
рукава вынимают Сандру, и в карман падает толстая
пачка банкнот. Какой смысл уничтожать Катю, а потом, нервничая, упрашивать меня нарядиться в шаровары и завесить тряпкой лицо? Они очень рисковали,
обратившись ко мне. Я могла возмутиться нечестной
игрой, поднять шум, настучать Капе про их художест-
ва. Нет, режиссер и помощница тут ни при чем!

— Есть еще Тамара, — напомнил Макс.

— Она тоже участвует в тотализаторе, — вновь не
согласилась я. — Единая команда с режиссером и его
помощницей! Вероятнее всего, убийца среди девочек.
Одна из них настолько сильно хочет получить первое
место, что способна на все. И это полуфиналистка. Круг
сужается до трех человек: Оля, Сандра и Алиса.

— А Катя? — спросил вдруг Макс. — Почему ты ее
вычеркнула из списка?

— Вроде мы решили, что Екатерина тоже жертва, —
удивилась я. — Исчезла, не показывается, не звонит.

Макс оперся руками о подлокотник кресла.

— А если мы ошибаемся? Если именно Катя убила
Лену? Убрала, на ее взгляд, наиболее сильную против-
ницу? Сейчас она появится перед Зямой и Ритой, вы-
нудит их выставить ее в финале. Раз не удалось разыграть похищение, Катюша пойдет ва-банк.

Я вновь возразила:

— Крайне нелогичный поступок. Вспомним рассказ Алисы, что в финале корону получит Сандра. Катя должна была лишать жизни «темную лошадку», а не
Лену!

Макс потянулся.

— Рассказ Алисы! А если девчонка наврала? Выдумала все: историю с похищением, беседу с Катериной?

— В таком случае у нее талант литератора, — пробормотала я. — Алисе следует писать книги. Непохоже,
что девушка способна столь буйно фантазировать, она
очень глупенькая, непредусмотрительная, на многие
мои вопросы отвечала: «Ой, я не подумала!»

— Знавал я дурочек, которые, как потом выясня- лось, оказывались умнее многих, — вздохнул Макс. — Ладно, будем считать Лену и Катю жертвами, Алису идиоткой. Ну и кто остался? Оля?

— Вероятно, все затеяла Сандра, — предположила я. — В тихом омуте черти водятся. Красотка ходит, опус- тив глаза, от нее только и слышишь: «Здравствуйте», «Спасибо», «Пожалуйста». Вежлива, скромна, ни разу не закатила истерики.

— Ну и зачем ей мочить конкуренток? — пожал плечами Макс. — И так победа у нее в кармане.

— Полагаешь, ее предупредили? — усомнилась я.

— Стопроцентно, — кивнул Макс. — Ни малейших сомнений! Она в курсе! Что скажешь по поводу Оли?

Я растерялась.

— Ничего. Она еще тише Сандры. Беспрекословно подчиняется Зяме, ни разу не высказала собственного мнения ни по одному вопросу. Всегда молчит.

— Снова тихий омут, — констатировал муж. — Тем- ная вода в глубокой яме, а на дне живут чудища. Имеем четверых подозреваемых, включая Катю, никого от- бросить нельзя, вроде все белые лебеди, но одновре- менно и черти.

— Круг намного больше, — возразила я, — есть от- сеянные девушки, у них имеются родители, любовни- ки, кое-кто горит желанием отомстить более удачли- вым соперницам.

— В дом не пускают посторонних, — поспешил ска- зать Макс, — но нам необходимо проверить записи ка- меры наблюдения, хорошо, что о ней никто, кроме Ка- пы, не знал!

Я снова согласилась с ним:

— Если только убийца входил-выходил через дверь.

— Сквозь трубу влезть сложно, — парировал Макс.

— Забыл про окна? — съехидничала я.

— Так они все забраны решетками, — заморгал Макс.

— Действительно, — бормотнула я.

— Что-то мне это здание напоминает. Куча крохотных каморок с жесткими кроватями, рамы с железны-ми прутьями, один туалет на три этажа, — протянул муж и резко сменил тему. — Не хочется думать, что пре-ступник — кто-то из конкурсанток. Такие красивые девочки, на оленят похожи, большие глаза, трогатель-ные мордочки, стройные ножки.

Я, непонятно почему, разозлилась:

— Они только притворяются пушистыми и ласко-выми, а сами хитрые лисы.

Макс рассмеялся.

— Ревность — низкое чувство.

Меня охватило возмущение:

— Мне и в голову не придет ревновать тебя к рас-крашенным куклам! Если ты до сих пор не понял, ска-жу прямо: я абсолютно лишена этого разрушительного чувства. Ты не моя собственность! Вот!

Макс заулыбался во весь рот:

— Похоже, твои руки действуют отдельно от голо-вы. Мозг диктует: «Лампуша, не стоит думать о быв-ших бабах мужа». А лапки бац, бац, бац, расколошма-тили все кружки с изображением мышей. Ну чем тебе не угодили чашки, которые мне подарил клиент — вла-делец фабрики посуды?

В первую секунду я испытала радость и выпалила:

— Чашки тебе преподнес мужчина?

Макс расплылся в улыбке:

— Верно. Ему показалось прикольно снабдить хо-зяина детективного агентства предметами с мультяш-ными принтами. Мы с тобой один раз приняли отлич-ное решение: будем обсуждать все назревшие пробле-мы совместно. Но утвержденный единогласно закон, как часто случается, не работает. Почему ты не подо-шла ко мне и не спросила прямо: «Кто приволок в дом кружки?» Нет, вместо конструктивной беседы Лампа Андреевна предпочла регулярно бить фарфор. Выжи-вала врага из дома поштучно!

— Не было такого! — рассердилась я.

— Да ну? — Макс округлил глаза. — А почему с каждым днем бедных чашек делалось все меньше?

— Одну я случайно уронила в мойку, — призналась я, — со второй произошла беда, налила чай, пошла к столу, расплескала кипяток на пальцы, от боли разжала их и... бац! Остались осколки! Третью сквозняк с подоконника сдул.

— Чума поразила посуду! — тоном глашатая объявил Макс. — А я думал, что тебе привиделась армия блондинок, баб сорок-пятьдесят, которые хороводом пронеслись через мою квартиру, причем каждая с подарком. Вообще-то гусары денег не берут, но я подумал и решил выкинуть все, что могло взбаламутить твою ревность. С опозданием поясню — плюшевая обезьянка от Герасима, презент на мой день рождения.

— Думаешь, я поверю, что эксперт способен на такое? — мрачно осведомилась я. — Не ври!

Макс сел на ручку моего кресла и обнял меня.

— Ты макаку рассматривала?

— Даже пальцем к ней не притронулась! — гордо возвестила я.

Макс погладил меня по голове.

— Дорогой утюг, не шипи и не плюйся паром. У Герасима своя логика. Обезьянка — пособие для детей, родителям которых в голову пришла мысль рассказать малышам об анатомическом строении животных. У нее открывается живот, оттуда вытаскиваются печень, желудок, легкие.

— Фу! — закричала я. — Притащить такое способен только Герасим! Ни одна девушка не сочтет макаку замечательным презентом. А розовые полотенца?

— Их дали мне в подарок, когда я покупал сантехнику, — улыбнулся Макс, — решил, что пользоваться махрой с вышивкой «I love you» несолидно, выкинуть их пожадничал, запихнул поглубже в комод, где ты их и обнаружила. Что касаемо постельного бельишка в незабудках, то оно прилагалось в качестве комплимента к новым матрасам. Сама понимаешь, фирмы клиентам дорогих подношений не делают. Простыня, пододеяльник и наволочки из ситца, качество гадкое, орнамент не для мужчин, я опять-таки спрятал белье подальше и забыл.

— Остался коврик, — прошептала я.

Макс постучал себе в грудь:

— Я сам приобрел половичок и замечательно шмыгал по нему подошвами, но, когда в доме возник Отелло, я обратил внимание, что в самом верху ковра идет надпись «Мария». То ли имя производителя, то ли название товара, но на всякий случай я решил удалить из холла ни в чем не виноватый паласик, выбросил его в дождь, лишил крыши над головой, поступил как свин по отношению к вещице, которая разрешала чистить о себя ботинки! Я так переживал за судьбу обитателя прихожей! Плакал! Мучился совестью! Страдал! Спрашивал себя: «Имею ли я право наплевать в душу невинного домашнего атрибута?» Но боялся реакции мавра по имени Лампа. О! Коврик! Прости! Я гад. Променял тебя на жену!

Глава 12

— Ты все выдумал, — попыталась оправдаться я, — я ни о чем тебе не говорила!

С лица Макса смело дурашливое выражение:

— Это-то и плохо! Зачем человеку семья? Чтобы открыто обсуждать с родным человеком разные проблемы. Извини, я хочу жить с другом, а не с домработницей, прислугу можно нанять.

— Сам-то не очень откровенен, — ринулась я в атаку, — я ничего не знаю ни о твоем детстве, ни о юности! О том, что у спутника жизни есть мать, услышала недавно!

— Полагала, что меня принес аист? — хмыкнул Макс.

На этой фразе разговор был прерван стуком в дверь.

— Войдите, — разрешила я.

Появилась Капа с ноутбуком.

— Вы хотели посмотреть запись с камеры? — спросила она.

— Да, — оживился Макс. — А ты разве не уехала?

Капитолина, проигнорировав вопрос сына, поставила на стол компьютер.

— С вами погляжу, — заявила она.

На пленке не обнаружилось ничего интересного. Конкурсантки поодиночке не покидали здания, боясь, что их за непослушание отстранят от участия в шоу, а внутрь дома входили лишь те, кого приглашали организаторы. Михаил Матвеевич и Анна редко выбирались наружу, а вот Антон постоянно носился туда-сюда. То он рулил в магазин, то вытаскивал мешки с мусором, то приносил какие-то пакеты, ящики, подметал крыльцо, двор. Короче говоря, исполнял функции дворника, разнорабочего и доставщика еды.

— Интересно, Михаил ему платит? — вздохнула Капа. — Зять пашет на тестя, как раб на плантации.

Я вспомнила, как Наташа упрекала мужа за маленький оклад, и ответила:

— Да. Странная, однако, у них семья.

— Бизнес лучше делать с посторонними, — пробормотал Макс. — Свои сочтут, что имеют право на капризы, родственнику трудно отдавать приказы и ругать его постесняешься.

— Тем не менее полно фирм, в которых родители начальники, а дети подчиненные, — не согласилась Капа.

— Случается и наоборот, — возразил Макс, — папа-мама на окладе у дочки. Кто это? Смотрите, время час ночи, а на крыльце стоит...

— Наташа! — подпрыгнула я. — Узнаю ее отвратительное пальто и уродливую шапку! И сумка тоже принадлежит ей, такую ни с чем не спутаешь, очень уж она страшная. Бедненькая Ната, невеселая у нее жизнь. Отец скряга, мать ему поперек словечка не вымолвит, муж не пришей кобыле хвост.

— В любой момент можно поменять судьбу, — рез-

ко возразил Макс. — Главное понять: ты сам хозяин
своей жизни. Ни родители, ни начальник, ни друзья —
никто над тобой не властен. Если Наташа остается
здесь, значит, такое существование ее устраивает.

Капа поморщилась:

— Ты не прав, подчас обстоятельства сильнее нас.

— Нет, — отрезал Максим, — никогда. Не надо рас-
пускать нюни! Не плачь! Не бойся! Рассчитывай исключительно на себя, и вылезешь из любого дерьма. Из
любой ситуации есть выход, правда, не факт, что он тебе понравится. Отчего-то, говоря об этом, наши люди
подразумевают дверной проем, украшенный розами, и
последующую посадку в белый лимузин для отбытия в
замок. Но ведь можно выползти и через сточную трубу,
стать свободной, а потом отмыться.

— Давайте лучше займемся делом, — приказала Капа. — Наташа каждую ночь выходит из дома около часа
и в районе трех возвращается. Думайте, что это значит,
а я пошла.

Капа умчалась, не забыв прихватить ноутбук. Через
секунду в комнату просочилась Рита.

— Надо вести себя как обычно, — напомнила
она. — Никто из девчонок не должен забеспокоиться.
А тебе, Лампа, тоже нужно присутствовать в зале, иначе скосячишь финал. Сядь около Зямы и все запоминай.

— Лучше бы мне сразу напортачить, — улыбнулась
я. — Не дай бог присудят первое место!

Маргарита окинула меня оценивающим взглядом:

— Это навряд ли.

— Спасибо, — вырвалось у меня.

— Брэк, девушки, — сказал Макс, — не надо нервничать, до финала еще есть время. Авось найдем Катю.
Думаю, через пару часов она притопает к Зяме с по-
винной головой.

Маргарита скривила рот:

— На чем основана твоя уверенность?

Макс спокойно сказал:

— Простая логика. Катерина не покидала дом, она где-то тут.

— Где? Я пролезла по всем спальням, шкафам, — спросила я.

— Ты знала о чердаке до того, как Антон показал тебе его? — поинтересовался Макс.

— Нет. Не один раз заходила в туалет, но даже не предполагала, что над ним имеется помещение, — вздохнула я.

— Высока вероятность наличия здесь подвала, — протянул Макс, — или...

— Рита! — закричал из коридора Зяма. — Ушла, как утонула! Иди немедленно к Тамаре! Привезли мантии.

Маргарита бросилась к двери, говоря на ходу:

— Вы потеребите хозяев! Катерина в сговоре с кем-то из них! Скорей всего, с Михаилом! Пообещала скряге поделиться с ним денежным призом! Груздев за обгорелые спички удавится, он их в жестянку складывает, не выкидывает, потом в лампе использует.

— В какой лампе? — не поняла я.

Рита замерла на пороге.

— В лампе? Ты о чем?

— Не поняла, о чем ты говорила, что значит «не выкидывает, а в лампе использует»?

Маргарита махнула рукой.

— Это моей мамы поговорка. Она, если речь о жадных людях заходила, всегда произносила: «Горелые спички не выкидывает, в жестянку складывает, потом в лампе использует». Ну, совсем, значит, сквалыга!

— Рита! — завопил Зяма. — Рита!

Она исчезла, Макс почесал затылок.

— Предлагаю план действий.

Резкий звонок мобильного заставил меня вздрогнуть. Муж вынул трубку.

— Да! Понял. Хорошо.

Беседа длилась менее пятнадцати секунд.

— Это Герасим, — пояснил Макс, кладя трубку в карман. — Лена убита.

— Да он просто ураган, — удивилась я. — Сумел определить за считаные мгновенья, что смерть насильственная.

— Долго ему сомневаться не пришлось, — объяснил муж. — Елена задушена, похоже, проволокой. В наличии странгуляционная борозда. Учитывая, что чердак был заперт и девушка не повесилась, можно предположить, что ее убили. Вскрытие, естественно, пока не делали, но Герасим уверен: Елена не сопротивлялась, просто лежала и не пыталась обороняться.

— Час от часу не легче, — вздохнула я. — В доме убийца. Может, это Катя?

— Скорей она убила бы Алису, — протянул Макс, — свою сообщницу, или Сандру. Зачем ей смерть Лены? У меня родился план.

Я не дала мужу договорить:

— Ты будешь изучать биографии всех, кто сейчас находится в доме, а я расследую ситуацию на месте, начиная с Наташи. Если в здании имеются тайные помещения, дочери хозяина о них определенно известно. Она мне все расскажет.

— Надеюсь на твое умение брать интервью, — хмыкнул Макс.

— Я использую грубый шантаж, — пообещала я, — спрошу у нее: «Куда шастает по ночам добропорядочная супруга? Зачем ты около часа смывалась из дома? Знает ли муж, где проводит время его любимая? Какое снотворное ты добавляешь в чай Антону, чтобы тот храпел без просыпу, пока ты гуляешь?»

— Действуй осторожно, — предупредил Макс, — преступник сильно нервничает. Он надеялся, что Лену не найдут.

— Интересно, почему убийца решил, что девушку не станут искать? Он совсем тупой? — с запозданием удивилась я. — Не обнаружив Елену в репетиционном зале, Рита должна была отправиться в ее комнату и, не найдя Лену, поднять шум! И труп начнет разлагаться, пойдет запах.

Макс щелкнул пальцами.

— Времени мало. Ты копаешь изнутри, я снаружи. Главное понять, каков мотив убийства. Не слишком удачная ситуация для Капы. Одна участница конкурса пропала, другая убита. Плохая реклама для фирмы «Комареро».

Глава 13

Наташа нашлась в прихожей, она растерянно топталась у вешалки.

— За продуктами собралась? — полюбопытствовала я, глядя на сумку, которую она сжимала в руке.

— Картошка закончилась, — кивнула дочь хозяина, переступая грубыми ботинками, — отец приказал купить.

— Странно, что он отправил тебя тяжести таскать, — сказала я, глядя на грязные следы на полу, — мог зятя послать.

— Антон стул чинит, — вздохнул Наташа, — наверное, на него кто-то сел, вот и развалились. Отец очень разозлился!

— Михаил Матвеевич не предполагал, что люди не всегда стоят? — хихикнула я.

Наташа нахохлилась:

— Есть мебель для использования, а есть для красоты. Отец не разрешает нам протирать бархатную обивку. Вчера он вошел в комнату, а один из парадных стульев на боку лежит! Он нам допрос устроил! Но никто его не ломал.

Наташа махнула рукой. Я схватила куртку.

— Давай, помогу.

Она шарахнулась:

— Мне?

— Ну конечно, — кивнула я, — кому же еще? Кто собрался за картофелем? Вдвоем легче!

— А что ты для себя попросишь? — предусмотрительно осведомилась Наташа.

— А что можно? — улыбнулась я.

— Ничего, — спустя короткое время ответила Наташа.

— Вот и хорошо, — кивнула я, — потопали, супермаркет неподалеку.

— Там дорого, — вздохнула дочь хозяина, — я всегда езжу на оптушку. Жаль, она далеко, надо на маршрутку садиться, за билет туда-обратно платить.

— Не проще ли отовариться за углом? — засмеялась я. — Неужели в магазине за картофель тысячи за кило просят, а на рынке за десятку отдают?

— Нет, — серьезно ответила Наташа. — Но разница есть.

— Приплюсуй к рыночной цене оплату за проезд на маршрутке и получишь ту же сумму, что и в ближайшем ларьке, — не успокаивалась я.

Наташа натянула капюшон на голову и снова не согласилась:

— Папа считал, выходит все равно дешевле на целых двадцать рублей.

Я взяла сапог.

— Из-за двух десяток терять уйму времени? Ждать маршрутку, затем нести тяжеленную торбу к остановке, потом домой? С ума сойти!

— Время бесплатное, а деньги считаные, — заученно повторила Наташа.

Меня охватила жалость. Похоже, Наташа никогда не посещает парикмахерскую. На что угодно готова спорить, ее стрижет мать. А ведь у женщины красивые волосы, если они побывают в руках умелого мастера, Наташа станет намного симпатичнее. Чуть-чуть косметики, педикюр, маникюр, новая одежда, улыбка на лице — и получится красавица. Ну на какой помойке Наташа отрыла жуткую ветровку из темно-синей болоньи? У моего отца была похожая, он в ней катался на рыбалку. И ботинки! Сейчас у Наты на ногах помесь гриндерсов с танком. Замечательная обувь — купил один раз и таскаешь всю жизнь. И, уж конечно, дочь Груздева не пользуется духами.

— На двадцать рублей можно много спичек купить, — произнесла Наташа и открыла дверь.

Мы вышли на улицу, и я поёжилась. Ледяной ветер мел в лицо поземкой, пробирался под куртку. Вроде на градуснике ноль, а такое ощущение, что все минус двадцать. С неба сыплется снег, под ногами каша, одна мысль о поездке на оптовый рынок вызывает ужас. Хотя, конечно, мы можем отправиться туда на моей машине. Я щёлкнула брелком, «букашка» приветливо моргнула фарами.

— Садись, — велела я, распахивая дверцу.

— В автомобиль? — обрадовалась Наташа. — О! У тебя нету чехлов?

— Залезай, — скомандовала я.

— Прямо так? — сомневалась она. — Могу сиденье испачкать.

— Хватит спорить, — вздохнула я, — почистить салон нетрудно.

Наташа устроилась на пассажирском месте.

— Здорово иметь колеса! Но папа считает их роскошью!

— Никогда не пыталась уйти от родителей? — бесцеремонно спросила я.

— Нет. Куда мне? — с тоской ответила Наташа.

Я поехала в сторону большого супермаркета.

— Можно пожить у свекрови. Навряд ли там будет хуже, чем дома.

Наташа подперла щеку кулаком.

— Антон сирота!

— А его мать где? — удивилась я.

Ната вздрогнула и прошептала:

— Лидия Алексеевна умерла. Давно-давно нету Лидии Алексеевны! И Славы нет! Никого!

Лицо собеседницы, и без того худое, резко осунулось, глаза словно замерзли.

— Слава, — прошептала она, — Славы нет. Моя свекровь, Лидия Алексеевна, ушла навсегда, Слава... ох... Слава...

Я испугалась. Наташа выглядела очень странно. До сих пор я сталкивалась с ней пару раз в коридоре, но пространных бесед мы не заводили. Ната была безукоризненно вежлива со мной, но предпочитала отделываться короткими репликами: «здравствуйте», «да», «нет», «пожалуйста». А вот глаза у нее были живыми, а не мертвыми, как сейчас. Потом вдруг Наташа при мне устроила Антону сцену, в тот момент на ее лице явственно читалось раздражение, даже злоба. Помнится, я подумала, что под маской тихони скрывается эмоциональная личность, которая вынуждена подлаживаться к авторитарному отцу и к супругу. Но сегодня в машине сидела совсем не резкая агрессивная женщина. Знаете, взгляд очень трудно подделать. У Наты были глаза старой усталой собаки. Она еще физически живет, но душой давно умерла. И собеседница постоянно, не стесняясь меня, зевала. И кто такой Слава? Неужели Лидия Алексеевна, мать Антона, умерла? Но я отлично помню, как он говорил, что его родительница наконец-то собралась продать автомобиль, оставшийся после покойного мужа. В голове роились разные мысли, а я тем временем продолжала разговор:

— Можно снять комнату.

— Денег нет, — уныло сказала Наташа, — папа нам мало платит.

Я вспомнила слова Макса про выход из любой ситуации и заявила:

— Стоит захотеть, и все уладится. Антон сбудет с рук «покойника», выручит кое-какую сумму, на нее...

— Что? — не поняла Наташа.

— «Мерседес», — улыбнулась я, — ту тачку, которую в вашей семье зовут «покойником»?

На лице Наташи появилось удивление:

— «Мерседес»? Покойник? Ты о чем? Не понимаю.

В этот момент я въехала на парковочную стоянку.

— Это не рынок, — прошептала Наташа.

— Нет, — сказала я, — пошли выпьем кофе.

— Куда? — почти с ужасом спросила она.

— В пиццерию, — ответила я, — вон вывеска.

— Там очень дорого, — сказала спутница, — денег нет... картошка...

— За мой счет! — предупредила я.

Наташа начала канючить:

— Ну... нет... не хочу... в долг... потом... попросишь вернуть...

— Выпитый кофе? — уточнила я. — Хорошая идея. Через месяц непременно попрошу тебя его выплюнуть.

Ната слабо улыбнулась:

— Не получится.

— Хорошо, что ты это понимаешь, — обрадовалась я.

В пиццерии Наташа растерялась. Наблюдая за тем, как она читает меню, я удивлялась все больше и больше. Совсем недавно на кухне она громогласно отчитывала Антона, обзывала его по-всякому и выглядела откровенной хабалкой. После просмотра записи с камеры видеонаблюдения у меня сложилось вполне четкое мнение о дочери Михаила Матвеевича: личная жизнь у молодой женщины не удалась. Супруг ее раздражает до крайности, поэтому она его поносит, развестись Наташа по каким-то неизвестным мне причинам не может. Она завела любовника, к которому бегает тайком по ночам.

Я предполагала жестко побеседовать с Наташей, зажать ее в угол, пообещать рассказать Антону о ее ночных делишках и вынудить дочку Михаила Матвеевича провести для меня ознакомительную экскурсию по всем тайным местам безумного дома. Но сейчас передо мной сидит замученная, совсем не скандальная, жалкая женщина. О каких любовных связях может идти речь? И неужели Антон мне соврал? Его мать умерла, а жена, похоже, ничего не слышала про автомобиль.

— Кофе дорогой, — шептала Наташа.

— Ерунда, тебе за него не надо платить, — успокоила я спутницу.

— Твоих денег жалко, — вздохнула Ната.

Я позвала официантку:

— Нам два латте и пирожные.

— О! Нет, — испугалась Ната.

— Ты сидишь на диете? — улыбнулась я.

— Зачем? — вскинула она брови.

— Тогда ешь спокойно. Принесите нам еще ягодный десерт! — велела я.

— Безумство! — всплеснула руками моя спутница.

Официантка опустила глаза:

— Если счет более пятисот рублей, мы даем десятипроцентную скидку.

Наташа вздохнула:

— Полтыщи? Полтыщи?! Выкинуть просто так? Да на них неделю жить можно!

Официантка с изумлением глянула на меня.

— Несите, — распорядилась я. — Послушай, тебе платят деньги?

— За что? — тихо спросила она.

— За работу! — уточнила я.

— Дочь обязана помогать родителям, — вздохнула Наташа.

— Но не всю же жизнь, — не выдержала я. — Неужели ты сама не хочешь реализоваться? Сделать карьеру? Уйти от мрачного отца?

— Мне и так нормально. Папа хороший, просто он малоразговорчивый!

— Не дай бог язык протрется, придется новый покупать, деньги тратить, — выпалила я.

Наташа вздохнула:

— Что?

— Извини, — смутилась я, — глупая шутка. Ты служишь у родителей кем-то вроде домоработницы?

Наташа, испуганно смотревшая на блюдо с пирожными, которое поставила в центр стола официантка, еле слышно возразила:

— Мы все трудимся. Папа на диване не лежит, он за всем следит, готовит. Мама чистоту наводит, Антон работает... ну и я... Тоже...

— Хорошо идет бизнес? — осведомилась я.

Собеседница сгорбилась.

— По-разному. Летом много свадеб, в сентябре тоже. В конце декабря у людей Новый год. Это очень весело, ставят елку!

На лице Наташи появилось выражение детской радости. Она снова уперлась взглядом в пирожные, но взять не решилась.

Я, наплевав на манеры, схватила эклер и положила его на маленькую тарелку.

— Ешь! И пей кофе. Скажи, сколько денег тебе дает отец?

Наташа решилась отхлебнуть из стакана и ахнула:

— Это молоко! Взбитое, словно сливки. А под ним не цикорий!

Неужели в Москве осталась молодая женщина, которая ни разу не пробовала напиток из молочной пены и эспрессо? А слово «цикорий» сразу пояснило, что в доме Груздевых не употребляют ни кофе, ни его растворимый вариант. Правда, сейчас большинство докторов пишет о вреде обжаренных зерен и предлагают хлебать по утрам отвар из сушеных желудей. Я как-то раз, решив стать адепткой здорового питания, купила банку с надписью «Биопродукт из стопроцентного растительного сырья», но насладиться содержимым не смогла. Поверьте, цикорий походит на настоящий кофе, как самокат на «Феррари».

— Сколько тебе платят за работу? — повторила я вопрос.

Наташа опустила взор:

— Ну... папа тратит эти средства на мое содержание.

В первую секунду я не поняла, что имеет в виду бедняжка, потом до меня дошел смысл сказанного.

— Михаил начисляет тебе зарплату, но не дает на руки, а забирает себе? Может, тебе устроиться на службу? Там никто не отнимет заработанного!

Наташа вздохнула:

— Я ничего не умею! Только убирать, гладить, стирать.

Я решила подбодрить беднягу:

— Сейчас большой спрос на прислугу. Можно устроиться к богатым людям, хорошие домработницы нарасхват!

— Лучше убирать у мамы с папой, — прошептала Наташа. — К чужим ездить надо, деньги на транспорт тратить!

— Тебе будут платить, — я попыталась вразумить мямлю, — да, родителям следует помогать, но дети не рабы.

— Меня не возьмут чужие, — убежденно произнесла Ната. — Я плохая! Очень плохая! Спасибо папе, что он меня терпит. Я ем, пью, сплю, пользуюсь водой, электричеством, зимой отопление работает... на мое содержание много уходит.

— А воздух он считает? — зло поинтересовалась я. — Между прочим, ты еще и дышишь! Нехорошо получать кислород бесплатно!

Реакцию Наташи я оценить не успела. Лавировавшая между столиками официантка споткнулась, пошатнулась и, чтобы не упасть, ухватилась за мое плечо и опрокинула стакан с водой. Жидкость потекла мне за воротник. Я вскрикнула.

— О-о-о! — испугалась Наташа. Она стиснула пальцы, прижала их к груди и прошептала: — Нет, нет, не хочу! Пожалуйста, не делайте так!

— Мамочка, — запричитала неловкая подавальщица. — Простите, простите, пойдемте в подсобку. Дам вам чистое полотенце! Сухое! Пожалуйста, не жалуйтесь управляющему! Меня уволят! Вода чистая! Сейчас вытру вам спину! Живенько кофточку в сушилке приведу в порядок!

Тараторя, словно испуганная сойка, официантка буквально сдернула меня со стула и потащила в сторону двери с надписью «Служебный вход». Мне оставалось лишь радоваться, что в крохотном кафе не было, кроме нас с Наташей, ни одного посетителя. То ли людей напугала промозглая погода, то ли время было неподходящее, завтрак уже закончился, а обед пока не наступил. Под безудержные извинения косорукой девицы я была доставлена в крохотный кабинетик, где мне с поклоном вручили рулон бумажного полотенца.

— Снимайте кофточку, — сказала женщина, сидевшая в закутке.

Я покорно стянула мокрую одежду. На пол посыпались полурастаявшие кубики льда. Официантка схватила кофточку и унеслась. Тетка покачала головой:

— Уж простите Иру, с ней такое впервые.

— С каждым может случиться, — пробормотала я, — Ирина, наверное, зацепилась каблуком или поскользнулась.

— Вообще-то она в балетках, — удивилась служащая, — пожалуйста, не пишите жалобу. Хозяин Ирку выгонит, а у нее маленький ребенок и мужа нет. Вы, наверное, очень разозлились?

— Скорей испугалась, — поежилась я. — Вода очень холодная. Не волнуйтесь, я не буду затевать скандал.

— Ну кто мог заказать в такую погоду воду со льдом, — покачала головой женщина, — вот народ! Сейчас надо горячий напиток внутрь заливать...

— Уже высушила! — заголосила Ира, вбегая в комнатушку. — Держите, кофта как новенькая! Водичка следов не оставляет. Простите, простите, простите!

— Обслуживание за наш счет! — быстро сказала женщина. — Можете все меню заказать, ни копейки не заплатите.

— Давайте забудем об инциденте, — предложила я.

— Повезло тебе, Ирка, — вздохнула тетка. — Облила ты нескандальную даму, интеллигентную.

— Красавица! — льстиво воскликнула Ира. — Пусть вам жених отличный попадется! Не женатый, холостой! С семейным лучше не связываться.

Я решила не поддерживать беседу, вышла в зал и села за стол. Тарелка Наташи была пустой, она съела пирожное. Я обрадовалась. Процесс пошел: Ната вроде оттаивает. Я спросила:

— Вкусный десерт?

— Крема мало, — ответила Груздева. — Вот кофе замечательный!

Я поразилась метаморфозе, происшедшей в мое отсутствие. Ната выглядела бодрой, не зевала, глаза блестели.

Я решила, что наступил подходящий момент, и спросила:

— У вас большой дом?

— Огромный, — кивнула Наташа.

— Много уборки?

— Ага, — согласилась она. — С утра начнешь и до вечера возишься!

— Наверное, тяжело, — гнула я свое, — спину не разогнуть!

— Точно, — не стала спорить собеседница. После сладкого она стала более разговорчивой.

— Хочешь еще безе? — произнесла я.

— Да! — обрадовалась Наташа.

Меня охватило беспокойство. Что случилось? Дочь Груздева соглашается на сладкое, не вспоминая об экономии.

Словно подслушав мои мысли, Ната сгорбилась.

— А можно безе-то? Наверное, дорого!

Я тут же ее успокоила:

— Нас угощают бесплатно, это за пролитую мне за шиворот воду.

Глаза собеседницы заблестели еще ярче:

— Здорово! Тогда пускай принесут два, нет, лучше три куска шоколадного торта!

— У тебя будет паралич печени, — предостерегла я, — нельзя столько сладкого есть за один раз.

— Можно, можно, — возразила Наташа, — девушка, нам пирожных! В наборе!

Мне стало еще больше жаль бедняжку, которой совсем не часто удается побаловать себя чем-то, кроме перловки.

Глава 14

Наташа начала методично уничтожать бисквит, обильно украшенный шоколадным кремом, а я задала ей главный вопрос:

— А подвал просторный?

Рука собеседницы на секунду замерла в воздухе.

— Подвал?

— Ну да, — закивала я, — под домом. Большой?

— Ах, подвал! — пробормотала Наташа. — Типа подпол?

— Точно, — улыбнулась я.

— Там всякие банки хранят, — с набитым ртом уточнила Наташа.

— Абсолютно верно, — подтвердила я.

— Он... о... не помню, — забубнила она, — я вроде... забыла!

Наташа бросила недоеденный кусок и схватила салфетку.

— Ой, тошнит! Сейчас меня вырвет!

Зажав рукой рот, Наташа со скоростью испуганной ящерицы вскочила и ринулась вон из пиццерии. Я не ожидала от нее подобной прыти и поэтому слегка замешкалась. До сего момента Наташа передвигалась медленно, говорила вяло и вела себя, словно затюканный авторитарными родителями ребенок. Но сейчас улетела со скоростью торнадо.

Когда я выбежала из кафе, Груздевой и след простыл. Кричать на весь магазин «Наташа!» показалось мне глупым. Торговый центр большой, посреди первого этажа четыре эскалатора, от них в разные стороны ветвились коридоры.

— Сумку забыли, — сказала официантка, выходя следом за мной, — держите!

Я машинально взяла жуткую, грязную торбу Груздевой. Внутри что-то лежало.

Затем спросила:

— Где здесь туалет?

Официантка дружески улыбнулась и кивнула:

— Везде! Внизу, наверное, их штук шесть или семь.

Я огляделась вокруг и пошла к выходу. Бесполезно разыскивать Наташу. Что случилось? Ее напугал мой вопрос про подвал? Отчего несчастной стало плохо? От большого количества поглощенного сладкого или от внезапно накатившего ужаса?

В полнейшем недоумении я добрела до машины, села за руль и заглянула в ее сумку. Издали она казалась пустой, а если вспомнить, что Ната собиралась за картошкой, то и должна быть таковой. Но внутри бесформенной, сильно потертой торбы из гобеленовой ткани обнаружился сверток из газеты.

Я, поколебавшись секунду, развернула ее и увидела пластиковые тапочки — наиболее дешевый вариант из представленных в продаже. Кстати, почти совсем новые, похоже, их надевали раза два-три. Пару секунд я обозревала находку, потом вынула мобильный и набрала номер Катюши.

Лучшая подруга выслушала мой рассказ и спокойно сказала:

— Мало что помню из курса психиатрии, а психологию, когда я училась, врачам не преподавали. Запиши телефон Якова Антонова, он тебе с удовольствием даст консультацию.

Я вбила цифры в телефон и тут же воспользовалась им. Антонов выслушал мой рассказ и сказал:

— Поставить диагноз заочно невозможно. Лучше привести женщин в клинику.

— Просто намекните, о чем может свидетельствовать ее поведение, — взмолилась я. — Почему Наташа то подавленна, то истерически взвинченна?

— При всем уважении к вам, не могу понять на расстоянии, что с этим человеком, — уперся Антонов, — биполярное расстройство, истерия, депрессия...

— Почему она испугалась, когда разговор зашел о подвале? — не успокаивалась я.

Яков начал сердиться:

— У психотерапевтов уходят месяцы на выяснение причин проблемы, а вы хотите мгновенного диагноза!

Я решила подкатиться к доктору с другой стороны:

— По какой причине человек может избегать обсуждения какой-то темы?

Антонов издал тяжелый вздох:

— Ее запирали в подвале в качестве наказания. Или насиловали там! В детстве с девочкой произошла трагедия, на нее напали крысы. Она увидела фильм, где женщины живут в подземелье. В подростковом возрасте занималась мастурбацией среди припасов и была поймана мамой. Хватит или продолжить? У каждого свои причины и свои истории.

— А что вы скажете про женщину, которая идет за картошкой, прихватив с собой домашние тапочки?

— Не могу ставить диагноз по телефону! — ответил Яков. — Это непрофессионально.

— А если просто по-человечески? — заныла я. — Не как врач. Наташа нормальная?

— Давайте сначала определим, какой смысл вы вкладываете в термин «нормальная», — уточнил Антонов. — Стопроцентно психически здоровых людей нет. Ваша Наташа, вероятно, жертва насилия.

— Сексуального? — испугалась я.

— Насилие бывает разным, — спокойно ответил врач, — часто его совершают из благих намерений. Мать, которая лупит ремнем сына за двойки, демонстрирует откровенное издевательство над личностью ребенка. Да, она хочет как лучше, но никто не может предвидеть последствий ее поведения. Малыш может вырасти полноценным членом общества или преступником со склонностью к садизму. Но и в том и в другом случае он всегда будет зависим от чужого мнения. Физическое наказание в детстве формирует множество комплексов. Нормальный мужчина будет доказывать миру, какой он хороший, и ждать извне похвалы за свое поведение. А криминальный тип станет, наоборот, давить в себе примерного мальчика, вырываться из навязанной матерью линии поведения, назло ей совершать гадости. Но, принимая или отталкивая общественное мнение, он все равно будет от него зависеть, никогда не станет свободным, не сможет правильно развиваться. Думаю, у вашей Наталии излишне авторитарные отец, мать и старшие братья-сестры. Женщина сломана, она подчиняется силе. Не хотела идти в кафе, но вы настояли, и спутница покорилась. А вспышка истерики, которую она закатила ранее, похоже, свидетельствует о том, что Наташа недовольна собой, но не осознает этого. С ней надо работать, она может быть опасна.

— Опасна? — поразилась я. — Наташа мухи не обидит, она боится эклер съесть!

— Однако в какой-то момент накинулась на сладкое, — возразил Антонов, — и, забыв о робости, потребовала торт. Наташу втоптали в грязь, но у нее задатки сильной личности, и рано или поздно она проснется. Последствия могут стать непредсказуемыми. Тапочки в пакете плохой симптом.

— Почему? — заинтересовалась я.

— Когда мы берем с собой эти вещи? — спросил Яков и сам же ответил: — В момент отъезда из дома. Значит, Наташа подспудно мечтает уйти оттуда, но не может. Нет денег. Работы. Ей страшно. Разум шепчет: «Не рыпайся. Сиди там, где дают кусок хлеба и крышу над головой». А подсознание бунтует, у него свой резон: «Убегай, тут жизни нет». Знаете, что бывает, если сталкиваются два атмосферных циклона? Один с очень высоким, а другой с аномально низким давлением?

— Начинается ураган, — ответила я.

— Вот поэтому я сказал, что Наташа представляет потенциальную опасность, — подхватил Яков.

— В тихом омуте черти водятся, — вздохнула я.

— Порой в стоячей воде обитает Годзилла, — продолжал Яков, но тут же осекся, помолчал и добавил: — Сейчас я не даю консультацию. Диагноз по телефону не ставят, ссылаться на мое заключение нельзя, оно обывательское, не профессиональное.

— Я вообще вам не звонила, — успокоила я врача и положила трубку на сиденье.

Вернувшись на базу, я по громким звукам музыки, доносившимся из пристройки, поняла, что очередная репетиция в разгаре, и пошла на кухню. Там около плиты неожиданно обнаружился Антон, который мне несказанно обрадовался:

— Лампа, вы сейчас заняты?

— Хотите опять попытаться продать «покойника»? — пошутила я.

Но Антон отреагировал серьезно:

— Да. Хороший покупатель нашелся.

С одной стороны, мне очень не хотелось выбираться на холод и топать, борясь с пронизывающим ветром, по улице. С другой, Антон не хуже Наташи мог знать тайны дома. Я справилась с нежеланием мокнуть под дождем и сказала:

— Ладно. Но жду ответной услуги.

— Денег нет, — быстро ответил зять Груздева, — я мало получаю, не хватает даже на пиво. А ту сумму, что выручу за «Мерседес», надо отдать маме.

— Она жива? — поинтересовалась я.

Антон заморгал:

— Кто? Моя мать? Естественно! Иначе как ей выручку за авто отдать? Нина Егоровна, правда, не особенно хорошо себя чувствует, но вполне бодра.

— Нина Егоровна? — переспросила я. — Вот странно.

— Обычное имя, — удивился Антон, — не заковыристое. Что вас изумило?

— Я разговорилась случайно с Наташей, — промурлыкала я, — она уверяла, что ее свекровь звали Лидия Алексеевна и что она умерла.

Антон вытаращил глаза:

— Ната так сказала? Чудеса! Нина Егоровна не очень общительна. Она не дружит с невесткой! Жена высказалась аллегорически, ну понимаете, будто она только для нее умерла.

— Случается подобное, — дипломатично подтвердила я, — не всегда старшее поколение готово принять младшее, а младшее готово любить старшее.

— Мама не нашла общего языка с Михаилом Матвеевичем, — пригорюнился Антон, — тесть хороший человек, но он... как бы поточнее выразиться... э... э...

— Экономный, — пришла я ему на помощь.

Антон обрадовался:

— Верно. Михаил Матвеевич железной рукой рулит домом. Он очень справедливый, никогда не будет тратиться без причин, планирует расходы, старается не транжирить средства. А как готовит! Вы пробовали его борщ?

Я кивнула.

— Замечательный суп, — восхищенно продолжал Антон, — свекла, морковь, картошка. Мяса не надо, от него организму тяжело.

На моем лице застыла натянутая улыбка. Каким образом люди становятся семьей? Где забитая, задавленная авторитарным папочкой-скрягой Наташа нашла Антона? По всем параметрам Нате следовало остаться старой девой, но доброе провидение послало ей супруга, который мог бы быть родным сыном Михаила Матвеевича. Похоже, молодой мужчина обожает тестя. Я ела суп, состряпанный стариком Груздевым, — самое обычное первое, на воде, без капли жира. Моя мамочка называла это «похлебка монаха». У нас дома борщ готовили из большого количества говядины и овощей, ложка в нем стояла. У Груздева же в кастрюле находились в свободном плавании редкие кусочки накромсанных корнеплодов. Никакого аромата и вкуса варево не имело, и если оно Антону кажется замечательным, можно только пожалеть парня. Хотя со времени моего детства понятия о хорошей еде здорово изменились. Теперь мясо объявлено врагом номер один, и стряпня сквалыги подпадает под термин «полезная еда».

Антон продолжал петь осанну кулинарным шедеврам тестя, а меня мучил вопрос: почему вполне здоровый с виду парень живет в рабстве у Груздева? Ладно, Наташа, ее с пеленок воспитывали в системе строжайшей экономии, думаю, девочку часто наказывали, лишили ее воли, сломали. Но Антон? Он-то что забыл в семье Михаила Матвеевича? Предположим, Антоша безумно влюблен в Нату, ну прямо-таки Ромео, не способный провести день вдали от Джульетты. В таком случае ему следовало увезти жену как можно дальше. Но вместо того, чтобы освободить Нату из тюрьмы, Антон сам сел за решетку и начал преклоняться перед стариком. Может, зять рассчитывает получить после кончины тестя большое наследство? Подобное лепится к подобному? Антошу по жадности можно приравнять к Михаилу Матвеевичу?

На смену одним подозрениям пришли другие. Капа в Москве недавно. Идея устроить конкурс красоты «Мисс «Комареро» посетила мою свекровь внезапно. Кто ей подсказал связаться с Груздевым? Отчего Капа решила, что безумный дом — самое подходящее место для базы? На последний вопрос имеется, конечно, ответ: Капитолина не любит разбрасываться деньгами. Я знаю, как оборудован офис для сотрудников пафосного бутика на Тверской: у них нет ни холодильника, ни кофе-машины, ни кондиционера.

— Лидия Алексеевна! — вдруг засмеялся Антон. — Все понятно!

Глава 15

Я зябко поежилась. На кухне было прохладно, на что угодно готова спорить, старик перекрыл тут батарею.

— Лидия Алексеевна! — радовался Антон. — И про ее смерть ясно, Наташка всегда говорит то, что думает. Не ладит с моей мамой и считает ее для себя умершей.

— Мне Наташа не показалась слишком говорливой, — пробормотала я.

— Она чужих стесняется, — охотно пояснил Антон, — со своими другая. Давайте объясню. Нина Егоровна не чувствует свой возраст, одевается, как подросток, красится ярко и выглядит не очень прилично. Мини-юбка хороша на юной девушке, а моя мать уже вышла из этого возраста.

— М-да, — протянула я.

Антон пожал плечами.

— Я не собираюсь делать ей замечания, но когда решил познакомить ее с Наташей, попросил: «Мать, очень прошу, давай обойдемся сегодня без боевой раскраски и кофты с вырезом до колен». Ну и представляете! Привожу невесту! Наташа из приличной семьи, Михаил и Анна одеваются скромно, но со вкусом, дочь тоже приучили к элегантности, и кого видит девушка? А? Особу с вытравленными добела волосами, свекольным румянцем, ресницами, с которых сыплется гуталин, губами, напоминающими по цвету сырое мясо, загнутыми, как у ястреба, когтями, и в платье! — Антон закатил глаза. — Лучше не стану описывать наряд, под который моя мать надела чулки в крупную сетку! Туфли! Браслеты! Лаковый пояс шириной в ладонь! Серьги в виде черепов! Наташа растерялась, да и кто бы на ее месте не потерял дар речи? Нина Егоровна ей говорит: «Заваливайся, шалава! Ты, что ли, моего мальчика охомутать решила? Чего стоишь недоеной коровой?» В придачу к экстремальным нарядам мать не стеснялась в выражениях. Наташа попятилась, а будущая свекровь заорала:

— Антон! Привел хрен знает кого! Одета в дерьмо! Она немая? «Здрасти» сказать не может? Чё, я не подхожу фифе в качестве родственницы? Эй, тля, может, у тебя папаша генерал? Мамаша космонавт?

— Н-нет, — с трудом выдавила из себя Наташа, — отец повар, а мать домохозяйка.

— Вали вон! — завопила Нина Егоровна. — И не показывайся тут. Я умерла. Поняла? Я для тебя мертва.

Антон замолчал. Я, слегка удивленная его откровенностью, промямлила:

— Вам, думаю, было не очень комфортно.

Он кивнул.

— Не то слово. Но Наташа человек деликатный, мы никогда не вспоминаем Нину Егоровну, она словно действительно скончалась. Моя мать, к слову, тоже не рвется общаться с ней. Иногда случается, что родители и дети становятся посторонними.

— Однако сейчас вы озадачены продажей «покойника», — вырвалось у меня.

— Не передать удивления, которое я испытал, когда Лидия Алексеевна позвонила и вежливо попросила заняться проблемой, — вздохнул Антон.

Я изумилась:

— Ваша мама как будто носит имя Нина Егоровна?

— Ну да, — кивнул муж Наташи.

Я совсем перестала ориентироваться в ситуации:

— Почему вы сейчас сказали «Лидия Алексеевна»?

Антон прислонился спиной к мойке.

— Фамилия матери Лидия Алексеевская, она очень редкая.

— Мне никогда не встречалась подобная, — кивнула я.

— Я произнес фамилию, а вам послышалось «Лидия Алексеевна», — пояснил Антон. — Наташа никогда не называет свекровь по имени. Теперь понятно, почему жена произнесла слова: «мать супруга умерла». То, что Нина Егоровна функционирует как анатомический организм, ничего не значит. Она для Наты умерла. Я хорошо объяснил?

— Более чем, — вякнула я.

— Надо поторопиться, — спохватился Антон. — Вы мне поможете?

— Да, — пообещала я, — но, как я уже говорила, в обмен на одну услугу.

— Денег нет, — стандартно отреагировал Антон.

Разговор явно пошел по кругу.

— Речь идет об экскурсии по дому, — сладко заулыбалась я.

— Простите? — чуть нахмурился Антон.

Я набрала в легкие побольше воздуху и начала вдохновенно врать:

— Я пишу книгу, она посвящена архитектуре.

— Думал, вы директор конкурса красоты, — перебил Антон.

— Одно другому не помеха, — продолжала я, — особых прибылей литературная работа мне пока не приносит, но доставляет истинное наслаждение. И я не теряю надежды выбиться в топ-авторы. Хотя мне скорее следует представляться исследователем, чем просто писателем. На данном этапе я работаю над рукописью «Оригинальные здания Москвы». В Сокольниках есть дом в виде кота, слышали о нем?

Антон развел руками.

— Нет.

Я обрадовалась и продолжила громоздить ложь:

— А в Матвеевском есть здание, которое падает, словно Пизанская башня.

— Ну и ну! — удивился Антон.

Я ощутила прилив вдохновения:

— Я заинтересовалась этим особняком. Хочется его исследовать, заглянуть в подвал, залезть на чердак. Вероятно, тут множество потайных кладовок, чуланов. Я согласна сидеть в «покойнике» в качестве балласта, но вы за это проведете меня по особняку.

Антон не стал спорить:

— Хорошо. Но лучше устроить прогулку вечером, когда Михаил Матвеевич, Анна и Наташа лягут спать.

— По рукам! — обрадовалась я. — Наташа успокоилась?

— Ей нет причин нервничать, — ответил Антон.

— Ваша жена плохо почувствовала себя в кафе, — пояснила я, — и она не купила картошки. Боюсь, Михаил Матвеевич отругает дочь.

— Картошку? — засопел Антон. — В конце месяца?

Картофель мы берем по третьим числам, тогда на рынок машина из Рязани приезжает. Ах да! Совсем забыл! Тесть велел дочери сегодня за ней сбегать. Давайте поступим так. Я погляжу, что поделывает супруга, и мы поспешим к гаражу.

Около «ракушки» мы встретились примерно через полчаса. Антон выглядел бледным, под глазами у него внезапно залегли синяки.

— Наташа заболела? — осторожно поинтересовалась я.

— Торт был несвежий, — пояснил муж, — сейчас легко можно нарваться на некачественные продукты. Ее тошнит, знобит.

— Вдруг у нее грипп? — предположила я.

— Температуры нет, — ответил Антон, — грипп начинается с сорока градусов.

— Может, супруга беременна? — улыбнулась я. — Токсикоз легко объясняет дурноту и перемену настроения.

— Беременна? — без тени радости воскликнул Антон. — Конечно, нет.

— Почему «конечно»? — удивилась я. — Супругам полагается думать о наследнике.

— Нет, нет, — затряс головой мой спутник, — это невозможно! У Наты проблемы со здоровьем, она отравилась! Именно отравилась! Мы пока не готовы стать родителями, хотим пожить для себя! Так, вы помните, что не надо вставать, пока покупатель совершает тест-драйв?

Последние слова Антон произнес, понизив голос, я закивала в ответ.

— Тогда садитесь, — кивнул мне Антон, — покупатель идет!

Я вспорхнула на сиденье и застыла на куске железа. Желающие приобрести авто оказались семейной парой, толстяк лет сорока пяти и стройная брюнеточка неопределенного возраста.

— Странный автомобильчик, — расстроилась женщина.

— Много ты понимаешь, — с превосходством сказал мужчина. — «Мерседес» всегда хорош!

— Жуткий он с виду, — закапризничала тетка.

— Юля, у тебя сколько денег? — немедленно спросил жиртрест.

— Тысяча в кошельке, — честно ответила жена.

— Вот и молчи, — фыркнул Анатолий. — Сколько километражу лошадь набегала?

— Отвечу честно, — рубанул Антон, — некоторые врут, но я не умею. Десять тысяч!

Я раскашлялась. По самым скромным подсчетам, «покойнику» лет эдак пятьдесят! Сейчас Анатолий сообразит, что его дурят, развернется и уйдет.

— Десять тысяч для «мерса» тьфу, — продолжал Антон, — они миллионники!

— Не читай лекций профессионалу, — высокомерно прервал его Толя, — я про машину в курсе.

— Уродка, — со слезами на глазах произнесла Юля. — Толик, ну давай не будем ее покупать!

Муж медленно наливался краской:

— Уж ты определись! То купи ей тачку! То не надо! Устроила дома дискотеку! Ныла, стонала, рыдала. Хорошо, я согласен! Едем за колесами. И чего! Не надо?

Юля молитвенно сложила ладошки:

— Надо!

— Во! Бабская логика! — вздохнул Анатолий. — Черное белое, а еще и красное.

— Я хочу машину, — пролепетала Юля.

— Вот она! — Муж ткнул пальцем в капот.

— Эту не хочу! — заявила жена. — То есть хочу, но не хочу! Подруги обсмеют. У Лены «Ниссан», у Оли «Форд», а у меня?

— «Мерседес»! — ответил Анатолий. — Ты всех сделаешь! Круче только «Ройс-Ройс»!

— «Роллс-Ройс», — неизвестно зачем поправила я.

Анатолий перевел на меня взгляд:

— Думаешь, не знаю? Есть «Роль-Ройс», а еще имеется и «Рой-Ройс», он-то дороже всего. Столько стоит тачка?

— Пять тысяч! — ответил Антон.

— Долларов? — снисходительно спросил Толя.

Антон хотел кивнуть, но я неожиданно ощутила азарт и воскликнула:

— Евро, конечно!

Антон издал звук, похожий на кваканье, а меня понесло:

— За коврики отдельная цена, радио уникальное, за него тоже доплата, короче, сойдемся на шести! С половиной!

Антон привалился спиной к крылу «покойника», Анатолий кивнул:

— Ниче! Нормалек! А как резина?

— Американская! — брякнула я. — Родная!

— «Мерин» собирают в Германии, — пропищала Юля.

— Когда это было! — отмахнулась я. — Теперь родина железных коней Вашингтон.

— Хорошие шины, — одобрил Анатолий. — Надо нам покататься!

Глава 16

— Не хочу, — завизжала Юля, — она страшная! Не новая!

— Ты ездить не умеешь, — попытался вразумить жену толстяк. — Права неделю назад получила и хочешь джип?

— Да! — откровенно призналась Юля. — Как у Веры! Чтобы красненький, а на торпеде собачка!

— Дура! — скривился Толя.

— Сам идиот! — ответила Юля и стукнула носком сапожка по переднему колесу. — Не желаю развалюху! Жадина! Себе взял хорошую, прямо с завода, а мне секонд-хенд? Вот доказательство твоей любви.

— Не истери, — сурово велел Анатолий, — а то вообще без ничего останешься.

Юля гордо вскинула голову:

— Пусть! Я не собираюсь на барахолке отовариваться.

Ножка в черном ботильоне снова ткнула по колесу. «Покойник» вздрогнул, заскрипел, затрещал, закачался. Я испугалась, вцепилась пальцами в кресло. Последнее, что помню, это быстро падающую на мою голову крышу. Она отвалилась столь стремительно, что я не успела пошевелиться...

— Лампа, — сказал голос из темноты, — эй, ответь!

— Ку-ку, — совершенно по-идиотски отозвалась я, — ку-ку. Не волнуйтесь, я жива, здорова.

— А что от брезента случится? — спокойно сказал Антон. — Сейчас уберу.

Самообладание вернулось, и я поняла: на меня рухнуло вовсе не железо, а какая-то плотная, воняющая то ли пылью, то ли грязью тряпка.

В кромешной темноте появился лучик света, раздался противный скрип, материя стала медленно сползать. На всякий случай я сидела не шевелясь и очень скоро увидела Антона и Толю с Юлей.

— Чего это с ней? — завопила женщина, тыча в меня пальцем.

Антон, натягивающий невесть к чему прикрепленную ткань на непонятно откуда возникший кусок деревяшки, мирно пояснил:

— «Мерс» кабриолет, зимой в закрытом катаетесь, летом можно крышу поднять, изнутри на ней обивка есть. Вы по колесам лупасили, и случайно механизм открывашки включился, крыша не сдвинулась, а подкладка упала. Ерунда.

— Что с ней? — занудно повторила Юля.

Антон сказал:

— Брезентуха отстегнулась, сейчас зацеплю ее за держалки, и порядок.

— Что с ней? — указывая на меня, талдычила Юля. —

Почему она не моргает? Сидит молча с перекошенной рожей?

— Кто, моя жена? — поинтересовался муж Наташи.

Я постаралась не показать возмущения, вообще-то мы договаривались, что я просто посижу на железке, об исполнении роли супруги Антона речи не было!

— Нормальная она, — гудел зять Груздева, — всегда такая. Лампа, улыбнись!

Я покорно оскалила зубы, Анатолий потер руки.

— Садись, Юль, катанем по округе!

— Если ты эту... купишь, то я уйду! — гордо ответила жена.

— Пешком? — уточнил муж. — К маме?

— Да! — выпрямила спину Юлия. — Ты угадал!

— Далековато до Челябинска топать, — хмыкнул Анатолий, — каблуки отвалятся, заблудишься, там вроде тайга. Хотя если попрешь вдоль рельсов, то года через два приплюхаешь. Читал недавно в газете про одного кота, тот ваще из Нью-Йорка в Париж поперся! Переплыл этот их пролив... забыл название.

— Ла Манш? — предположила я. — Но он отделяет Францию от Англии.

— Твоя баба в библиотеке работает? — недовольно пробурчал Толя. — Больно умная.

— Кроссворды любит, — нашелся Антон.

— Я что, дура, пешком к мамане шкандыбать? — возмутилась Юля. — На поезде поеду. И буду жить у мамки до тех пор, пока ты мне джип не пригонишь, новый!

Анатолий заулыбался:

— Договорились. Теща обрадуется. Вернулась к ней доченька. Будете вместе на даче летом огород копать, зимой огурчики свои, соленые, с картошкой сметете. Останешься у старухи до две тысячи сотого года. Раньше джип не получишь. И на своих двоих попрешь, потому как денег только тысячу имеешь! На нее, наверное, можно до Тулы докатить, а дальше, битте-дритте, становись пехотой. Ушла так ушла! А мои бабки со мной остались. По-другому не получится. Живем вместе, я тебя одеваю, обуваю, колеса покупаю, не живем вместе, отползаешь в Челябинск и художественно укладываешь навоз по грядкам. Очень справедливо.

— Хочу сидеть спереди! — сказала Юля, которую перспектива вернуться на малую родину уже не манила. — Пусть его баба назад перелезает!

— Давай за руль! — приказал Анатолий. — Охота полюбоваться на твой водительский талант.

Антон кашлянул:

— В «Мерсе» нет автоматической коробки передач. У всех машин эксклюзивной сборки механика, она надежнее. Любой «Бентли», «Феррари» или «Майбах» всегда с ручным переключателем!

Я решила молчать, несмотря на все глупости, которые несет продавец. Но сейчас необходимо вмешаться. Отлично понимаю, что продавцы обязаны самозабвенно расхваливать свой товар и беззастенчиво привирать по поводу его исключительности, но песня про «Майбах», у которого надо во время движения дергать рычаг, это уже слишком. Ври, да не завирайся!

— Да знаю я, — с досадой отмахнулся Анатолий, — не читай лекций! Юлька училась на «Москвиче».

Я перевела дух. Толя разбирается в машинах, как Лампа в электричестве. Извините за невольный каламбур, но хоть убейте, я не знаю, зачем в батарейках плюс и минус!

Юля села за баранку и повернула ключ зажигания. Мотор даже не чихнул. Я подпрыгнула на железном диске и тут же услышала урчание двигателя. Отлично! Я поняла, каким образом следует договариваться с «покойником». У гибрида «Мерседеса» с верблюдом, похоже, неплохой характер, он не вредничает.

Одновременно с мотором ожило и радио:

— Спонсор погоды сеть магазинов «Брут»! Сегодня в Москве ночью ноль градусов. Завтра будет в два раза холоднее. А сейчас в нашем эфире песня.

На секунду я удивилась. Ночью ноль градусов, а завтра в два раза холоднее? Это сколько? Вроде ноль не делится! Или, наоборот, на ноль делить нельзя? Зеро это пустота, ничего, чистый лист. Ну и как можно разбить наполовину то, чего нет? Радио пообещало какую-то странную погоду.

Юля положила руки на баранку и забормотала:

— Ладони в положении без пятнадцати три. Нажимаем на сцепление...

Послышался скрежет. Женщина перевела дух и продолжила:

— Утопленную педаль держим, рычаг переводим на первую скорость.

Раздался скрип. Юля продолжала:

— Теперь осторожно отпускаем сцепление, одновременно поддавая газу!

Я с сочувствием покосилась на водительницу. Отлично помню, как сама училась рулить![1] Каждый раз возвращалась домой с трясущимися руками-ногами и нервным тиком.

— Плавно, без рывков, — бубнила Юля, — вот так.

«Покойник» резко прыгнул вперед, меня стукнуло о торпеду.

Юля завизжала и по глупости нажала на газ. «Мерседес» подскочил, словно заяц, и полетел по дороге, стремительно приближаясь к тому месту, где змеился хвост из автомобилей, мечтающих въехать на МКАД.

— Мама! Он катится! — голосила Юля. — Едет! Несется! Стой! Тпру! Туда нельзя!

Я вцепилась в сиденье и закричала:

— Тормоз! В полу есть педаль, жми на нее.

— Там три штуки, — вопила Юля, — откуда я знаю, на какую жать!

— На левую! — посоветовала я, и в ту же секунду «покойник» развил бешеную скорость.

— На правую! — спешно поправила я. — На правую.

---

[1]О том, как Евлампия освоила мастерство вождения, рассказано в книге Дарьи Донцовой «Созвездие жадных псов», издательство «Эксмо».

— Их три! — зарыдала водительница. — Та, что посередине, считается?

Анатолий сзади подался вперед и просунул между сиденьями голову, Юля закрыла лицо руками и завизжала, я перехватила руль и сумела повернуть в узкий переулок. Стало чуть спокойнее, на этой улице не было движения. Сейчас как-нибудь остановимся.

— Вытяни руки. Держи руль, — велела я Анатолию, — я спущусь вниз и руками нащупаю тормоз.

— Мама, мама, мама, — визжала Юля.

— ...мать, ...мать, ...мать, — вторил Толя.

Я кое-как сползла с кресла, изогнулась, но не успела дотянуться до педали, где сучили ноги Юли. «Покойник» неожиданно резко прекратил движение.

Меня мотнуло вперед, Юля заорала сиреной, сверху упала подкладка крыши, наступила тишина. На этот раз я не испугалась, быстро выпуталась из брезентовой тряпки, скинула ее с Юли и спросила:

— Ты жива?

— Нет, — прошептала она.

— Хорошо, — ответила я и обернулась: — Толя, вы как?

Тот сидел, запрокинув голову. Меня царапнуло беспокойство.

— Анатолий?

Ответа не последовало.

— Что с ним? — прошептала Юлия и сжала кулачки.

На секунду я растерялась. «Мерседес» отъехал не очень далеко от «ракушки», наверное, мы сейчас находимся за пару кварталов от гаража. Но местность мне незнакома, Антона рядом нет, у Юли через секунду начнется истерика, и, кажется, Анатолий сильно травмирован, у него изо рта течет струйка крови. Моя сумочка вместе с сотовым осталась дома. Я пошла с Антоном, забыв прихватить мобильный. Так, Лампа, успокойся. У людей не всегда была сотовая связь. Каким образом решались ранее проблемы? Ну, допустим, Амундсен! Он шел к Северному полюсу, ехал на собаках и не надеялся на вызов МЧС. Шойгу тогда еще не родился, о службе спасения никто и не думал. Похоже, исследователю пришлось туго, но он же справился! Чем я хуже? Сейчас соображу, как надо действовать.

— Он умер? — тихо спросила Юля.

— Конечно, нет, — неуверенно ответила я, — все будет хорошо.

— Толик, мне деньги нужны, — вдруг сказала Юлия.

Я вцепилась руками в сиденье. Вот здорово! Баба сошла с ума, со мной в машине тяжело раненный мужчина и его психически неадекватная жена.

— Толик, дай денег, — велела Юля, — на новую сумку.

Супруг не произнес ни звука.

— Пожалуйста, не волнуйся, — сказала я.

— Он помер, — констатировала Юля, — на проверочные слова не реагирует. У меня есть тест. Надо у Тольки бабок попросить. Он, когда про деньги слышит, всегда бесится. Раз молчит — значит, умер. Иначе никак. И кровь идет. Вау!

— Дай мне свой мобильный, — прошептала я. — Все будет хорошо!

Юля чуть сдвинула брови.

— Зачем тебе телефон?

— «Скорую» вызвать, — прошептала я.

— Мобила у Толика в куртке, — неожиданно весело пояснила Юля, — щас найду. Небось в городе пробки!

Я знаю, что люди по-разному реагируют на стресс, одни моментально теряют голову, принимаются рыдать, бьются в истерике. Другие, наоборот, становятся деловитыми, не разрешают своим чувствам взять верх над разумом, зато спустя несколько недель, а то и месяцев впадают в так называемое посттравматическое состояние. Юля, кажется, принадлежит ко второй категории. Поэтому она изо всех сил пытается вести ничего не значащий разговор.

— Машин лом, — тараторила Юлия, — МКАД как

муравейник, а на вертолете врачи не полетят. Нам их часов пять ждать, да?

— Ну что ты, — с фальшивой бодростью воскликнула я, — давай добывай сотовый, реанимация тут же прилетит.

Юля расстегнула ремень безопасности, ее руки действовали, словно в замедленном кино. Ей понадобилось почти десять минут, чтобы перелезть на заднее сиденье.

— Он умер! — крикнула она. — Труп! Не дышит, кровь идет! О! О! О! Я куплю себе черное платье! Видела позавчера в витрине, шикарное, до колен. Шелковое, в обтяг, тут бретели. Лампа! Я не ошиблась, тебя так зовут, эй, слышишь меня?

Я кивнула, а она продолжала:

— Лямки тонкие, надо сверху пиджак накинуть. Самые лучшие у Армани! Приталенный, на одной пуговице, лацканы и шлицы. Неужели он помер? Господи! Вот радость-то! Я теперь вдова! А к платью необходимо пальто!

Я в изумлении уставилась на Юлю, которая, обшаривая карманы Анатолия, трещала, как молодая сорока:

— Или лучше полушубок! Теперь я могу сама деньги тратить! Куплю джип! Шубку! Поеду на Карибы! У нас осень, там весна с кокосами! Обожаю океан! Ну куда он бумажник подевал? Я с двенадцати лет мечтала: вот распишусь с мужиком, а он быстренько помрет и оставит мне денежки. Уж как я горевать буду! Все глаза на Мальдивах выплачу! Буду только темные сарафаны носить и...

Юля оперлась на живот погибшего, Толик резко выдохнул.

— Мама! — взвизгнула вдова. — Он сопит!

Анатолий дернул пару раз руками, поднял голову, посмотрел на оторопевшую жену и спросил:

— Какого хрена ты меня душишь? Уселась сверху, небось не Дюймовочка!

— Ты жив? — пролепетала Юля и зарыдала.

Анатолий ласково похлопал супругу по спине:

— Ну ладно, не плачь. Че со мной случится? Встал рано, в полшестого, вот и заснул. Машина остановилась, меня и вырубило. Перестань, ишь, расстроилась! Да я еще двести лет проживу!

— Двести лет! — с ужасом повторила супруга и заплакала еще отчаянней.

— У вас кровь бежит, — прошептала я, — изо рта.

Толя потер пальцами подбородок.

— Не! Я конфеты люблю, швейцарские. В них начинка прикольная, вишневая. Сверху прозрачный леденец, внутри фрукты. Это она вытекла.

Я резко выдохнула. Жив, здоров и невредим мальчик Вася Бородин! Никаких внутренних повреждений нет, Толя просто не доел карамельку. Юля сейчас рыдает от горя, перспектива провести с супругом двести лет ее отнюдь не обрадовала. И в конечном итоге во всем виновата я. Ведь знала, что мотор «покойника» работает исключительно тогда, когда на переднем пассажирском сиденье находится человек. Мне не следовало сползать с кресла!

* * *

— Такая сделка сорвалась, — грустно повторял Антон, пока мы с ним шли домой, — почти договорились, и нате! Мимо! Но я не сдамся! Буду подавать объявления до тех пор, пока не избавлюсь от машины.

— Ты обещал провести меня по дому, — напомнила я, входя в холл, — можем начать прямо сейчас. Уже поздно, народ спит.

— Ну и как ты тогда собралась по спальням ходить? — справедливо спросил Анатолий.

— А мне там делать нечего, — парировала я, — покажи нежилые помещения! Подвал, например!

— Его нет, — пожал плечами Антон, — Михаил сам дом строил, не готовый покупал. Тесть умный человек, он знает, что в Подмосковье сыро, намучаешься воду из подпола откачивать. Под особняком бетонная подушка. Зато есть чердак.

— Уже видела, — протянула я.

— А старую прачечную? — спросил Антон. — Она возле кладовки, ну, той, что на первом этаже.

— Показывай, — приказала я.

Муж Наташи пошел вперед по коридору до крошечной дверки, толкнул ее и сказал:

— Тут кладовка! Во! Много хорошего лежит.

— Заглядывала сюда, — подтвердила я, — и удивилась: похоже, Михаил Матвеевич ничего не выбрасывает. И он невероятно аккуратен!

— Положительный во всех смыслах человек, — согласился Антон, — правильный. С него пример нужно брать. Полки сделал и сохранил свое добро. Никогда не знаешь, что в нашей стране случится. Вот, к примеру, мыло. Видишь ящик?

Я прищурилась. Антон перешел со мной на «ты», несколько попыток сбагрить «покойника» сделали нас почти друзьями.

— Не замечаешь? — удивился спутник. — Вот же!

Он сделал пару шагов и открыл картонный короб. Из него повеяло знакомым ароматом.

— Земляничное? — неуверенно спросила я. — Моя мама его любила.

Антон вытащил серо-розовый брусок.

— Советское качество. Лежит почти тридцать лет, и ничего!

— Почему вы им не пользуетесь? — удивилась я.

Зять скряги засопел:

— Это же стратегический запас! На черный день! Вдруг голод настанет.

Я хихикнула. Здорово поможет в этом случае мыло! Из него отличный суп получится! Хотя его можно поменять на крупу. Но не стоит думать о глупостях. Надо задать Антону вопрос:

— Кладовку я уже видела, а где старая прачечная?

Глава 17

— Тут, — ответил Антон и дернул за круглую ручку, торчавшую из стены.

В нос пахнуло сыростью, я втиснулась в узкое пространство. Перед глазами предстало оцинкованное серое корыто, поставленное на сколоченный из неоструганных досок стол, пара ведер и кран в стене.

— До того, как стали в прачечную вещи сдавать, белье здесь стирали, — пояснил Антон, — на всякий случай оставили все в рабочем состоянии, мало ли чего! Михаил Матвеевич очень умный. Он подсчитал: если дома стиральную машину иметь, то одна постирушка будет стоить пятьдесят рублей. Порошок, вода, электричество, отбеливатель — все дорого. А если в прачку ходить, то жетон дают за сорок рэ! Червонец экономии. Поэтому Ната ходит в торговый центр. Но вдруг электричество закончится! Война случится! Народ без барабанов-автоклавов останется, а мы с корытцем. Научно-технический прогресс, это здорово, но если ядерный взрыв? Че делать? Как стирать?

Я медленно осматривала крохотное пространство. Если произойдет конфликт с применением современного арсенала вооружений, вопрос о чистоте одежды будет не актуален. Антон странный человек, временами он говорит феерические глупости, а порой похож на нормального мужчину. Необычная смесь инфантильности и зрелости.

Да, Кате тут негде спрятаться, разве что притаиться на дне старого корыта, заползти под ребристую доску. Надо же, никогда не встречала в реальной жизни такое приспособление, видела его только на картинках да в кино.

— Идем дальше, — приказала я, — открывай все потайные местечки.

Больше полутора часов Антон демонстрировал мне все секреты нелепого дома. Мне оставалось лишь удивляться количеству крошечных кладовочек, набитых всевозможным хламом. В здании была комнатенка, где стояла допотопная швейная, еще не электрическая, а ручная машинка, небольшой отсек, по размерам смахивающий на шкаф, в котором хранились чугунные утюги и самодельная гладильная доска, обшитая старыми детскими пеленками, каморка, где лежали пачки газет и журналов еще советских времен. Но ни один из укромных уголков не мог служить убежищем для девушки.

— Все! — сказал в конце концов Антон. — Полный обыск сделали.

Но что-то в его голосе заставило меня насторожиться.

— Больше никаких помещений нет?

— Честное слово, ей-богу! — заявил Антон. — Все целиком показал! Во!

Он начал истово осенять себя крестным знамением. Я нахмурилась.

— Одна маленькая пташка мне нашептала, что здесь есть потайная комната, просторная, с кроватью.

Антон вздрогнул, его глаза забегали из стороны в сторону. Я поняла, что иду верным путем, и решила прибегнуть к банальному шантажу:

— Я знакома с человеком, который собирает необычные автомобили. Он придет в неописуемый восторг при виде твоего «покойника» и непременно его купит.

— Правда? — возликовал Антон. — Позвони ему!

Я возразила:

— Уже поздно. Он спит.

— Тогда завтра, — заглотил крючок милейший Антоша, — прямо с утречка? Он богатый?

— Мегабанкир, — вкрадчиво сказала я, — денег не считает. Ты можешь выручить за «покойника» двадцать тысяч евро.

Над губой Антона заблестела цепочка мелких капель. Он еще не достиг уровня жадности Михаила, но через пару лет станет вровень со стариком Груздевым.

Не зря зять восхищается тестем, оба вылеплены из одного теста.

— Два десятка кусков, — с придыханием протянул муж Наташи, — два! Десятка! Ух ты!

— Но я обращусь к приятелю только после того, как увижу дом целиком! — ответила я. — Все жилые помещения!

Антон покраснел, надул щеки, потом вздохнул и наконец решился:

— Ладно. Есть здесь квартира.

— В здании? — поразилась я.

Спутник кивнул.

— Комнаты хорошие, удобные. Там и спальня, и кабинет, и все-все!

— Пошли, — велела я.

Антон помотал головой.

— Невозможно.

Я пожала плечами.

— Ладно, тогда простись с надеждой сбагрить «покойника» за хорошую сумму. Не хочешь показывать апартаменты? Твое право. А я не желаю сводить продавца колымаги с выгодным клиентом. Это мое право.

Лицо Антона приняло страдальческое выражение:

— Очень хочу, но не могу!

— Аналогично, — кивнула я, — очень хочу позвонить богатому собирателю самых тухлых машин, но не могу!

Антон схватил меня за руки. Я вздрогнула: пальцы его оказались ледяными и влажными.

— Там живет Михаил Матвеевич, — с опаской воскликнул Антон, — сейчас тесть спит. Сон у него чуткий, очнется и увидит нас! Беда будет!

Я сжала кисть Антона, оттащила его в свою спальню, усадила в кресло, сама устроилась на кровати и приказала:

— Рассказывай.

Антон поежился.

— Двадцать тысяч! — напомнила я. — Евро! Наличными! Сразу!

Через секунду я уже слушала его сбивчивый рассказ.

Михаил Матвеевич очень экономный, он считает не только копейки, а даже шкурки от съеденных бананов. В свое время тесть Антона работал поваром в детском саду, его жена Анна служила там же, заведовала хозяйственной частью. Навряд ли супруги имели огромные заработки, но Груздев сумел построить большой дом, что в советские времена было практически невозможно. Каким образом тестю удалось возвести особняк, Антон не знал. Когда он женился на Наташе, Михаил Матвеевич давным-давно завершил строительные работы. Груздев немногословен, его супруга настоящая молчунья, Наташа предпочитает о родителях не рассказывать. Первый год брака Антон не замечал никаких странностей. Хозяйская половина не очень просторная, там три комнаты. В одной, десятиметровой, живут молодожены, другая, куда Антон никогда не заглядывает, принадлежит старшим Груздевым. Третья — гостиная, но в нее тесть заходить не разрешает, чтобы не портить мебель. Нельзя сказать, что в пристройке комфортные условия. Новобрачные мылись в общем душе и бегали в туалет на третий этаж. Антон наивно полагал, что старшее поколение делает то же самое, но потом его охватили сомнения.

Теща иногда попадалась зятю около душевой. Анна шла по коридору с полотенцем, и было понятно, что она собирается привести себя в порядок. Пару раз Антоша плясал перед туалетом, в котором заседала мать Наташи. А вот Михаил Матвеевич ни разу не был замечен ни у сортира, ни у душа.

— Похоже, твой отец вообще не подходит к унитазу, — заметил как-то раз молодой муж.

Наташа втянула голову в плечи.

— Нет. Он пользуется санузлом.

— По ночам? — веселился супруг. — Тайком?

Наташа прижала палец к губам:

— Тсс! У папы есть квартира.

— Где? — изумился Антон.

Жена замялась.

— В нашем доме.

— Очуметь! — воскликнул Антон. — Зачем она ему? И как туда попасть?

Наташа испуганно залепетала:

— Нам туда нельзя. Отец с мамой давно не живет, ну, ты понимаешь, о чем я! Мать в спальне спит, а папа к себе уходит. У него там полный набор, нет нужды на общий стульчак садиться. Отцу требуется уединение. Ну и вообще!

Несмотря на все расспросы Антона, Наташа больше не произнесла ни слова. Было понятно: она боится строгого отца и без его разрешения не станет сообщать подробностей.

Антона разобрало любопытство, он решил понаблюдать за Михаилом Матвеевичем и очень скоро увидел, как тесть открывает ключом дверь, находящуюся на первом этаже. Она была весьма удачно замаскирована за большим тусклым зеркалом. Груздев нажимал на какие-то выступы, посеребренное стекло поворачивалось, тесть входил, внутри открывалось помещение. Ко входу в загадочные апартаменты вел узкий коридорчик, там находится кладовка. Антон и раньше видел, как Михаил шагает в малопосещаемую часть особняка, но всегда считал, что тесть спешит за постельным принадлежностями и полотенцами.

Антону удалось понять, каким образом приводится в действие механизм. И один раз, когда тесть и теща отправились за покупками, он рискнул проникнуть на секретную территорию.

Интерьер поражал своим великолепием. В помещении было три комнаты, и обстановку для них приобрели не в дешевом сетевом магазине. Под полотком блестели не простенькие пластиковые светильники с двадцатипятиваттными лампочками, а хрустальные люстры, полы застилали ковры. Имелась тут и просторная ванная с пушистыми полотенцами, и кухня с холодильником, на полках которого лежали деликатесы. В апартаментах стояло ровное тепло. В остальном доме из-за постоянно отключаемых батарей зимой и осенью царила сырость, а на половине хозяина обогреватели трудились во всю мощь даже в отсутствие старика.

Но больше всего поразил Антона роскошный домашний халат и расшитые золотой нитью тапочки. Днем Михаил Матвеевич носил весьма потрепанные брюки и простые рубашки. Тесть был аккуратен, Анна хорошо следит за супругом, она тщательно стирает и гладит его одежду, но вещи старика были неновыми, свитера поношенными, куртка откровенно старой. В толпе Михаил Матвеевич ничем не выделялся, обычный российский пенсионер, не имеющий возможности приобретать каждый сезон обновки.

Но вечером Груздев преображался, как Золушка. Хотя сравнение с трудолюбивой замарашкой неверно. Девушка в полночь потеряла карету, кучера, платье, а Груздев, наоборот, перевоплощался в барина, пил элитный чай, ел вкусные бутерброды и расслаблялся в шикарном шлафроке.

— Представляю, как вам обидно! — воскликнула я. — Вы попали в рабство к скупердяю! Михаил Матвеевич эксплуатирует вас, заставляет поддерживать порядок в доме, дает за службу копейки, тут же забирает их в качестве платы за проживание и постоянно требует соблюдать режим строжайшей экономии. Неприятно, но не так обидно, если тесть предъявляет те же требования к себе, любимому. Но он, оказывается, жуткий лицемер!

— Что ты! — возразил Антон. — Я им восхищаюсь! Давай спросим, кто зарабатывает деньги? Однозначно Михаил Матвеевич. Тесть имеет полное право тратить их на себя. Ни Анна, ни Наташа ничего в дом не приносят!

— Извини, — ввязалась я в спор. — Анна работала

вместе с мужем в детском саду. Да, сейчас она на пенсии, но не сидит сложа руки, на ее плечах огромное хозяйство! И Наташа трудится вместе с ней. Они убирают, стирают, служат горничными. Михаил Матвеевич не нанимает посторонних, семейный бизнес базируется на трудолюбии и честности его женщин, супруги и дочери. Вы давно женаты?

— Не помню, — буркнул Антон.

Меня ответ не удивил, многие парни с ходу не назовут, сколько лет они состоят в браке. И дату, когда в паспорте появился штамп, мужчины забывают.

— Дела тут вертятся исключительно благодаря Михаилу Матвеевичу, — кинулся защищать любимого тестя зять. — Наташа и Анна только руки! Ну кто главнее? Директор завода или дворник, подметающий территорию? Груздев пример всем! Я надеюсь стать немного на него похожим.

Мне стало искренне жаль Наташу. Вот уж не повезло бедняжке. Родилась в семье жмота, а затем получила в мужья клон отца.

— И тебе не тоскливо тут жить? — вырвалось у меня. — Я бы схватила жену в охапку и удрала!

— Куда? — удивился Антон. — Нам жить негде, образование у меня среднее. Электрику знаю, сантехнику, паркет перестелю, плитку положу.

— Хорошо иметь ремесло в руках, — ободрила я его. — Никогда с голода не умрешь. Строители нынче нарасхват, тем более москвичи. Можно сколотить бригаду, делать ремонт, у тебя появятся собственные средства, снимешь квартиру!

У Антона опустились уголки рта.

— И отдавать свои деньги чужому дяде? Платить доллары за комнату в бараке? Ну уж нет! Мне здесь отлично. После смерти Михаила Матвеевича дом нам с Наташей достанется. Я стану во главе дела! Буду хозяином! Как Груздев! Всех за пояс заткну! Всем покажу! Тесть меня ценит. И кому еще имущество отписать? Дочери и зятю!

— В личных покоях батюшки три комнаты? — сменила я направление беседы.

Антон растопырил пальцы на правой руке.

— Да! Спальня, гостиная и кабинет.

— Надеюсь, в ближайшее время отыщется возможность заглянуть в гости к хозяину, — вздохнула я.

— А когда ты позвонишь банкиру? — алчно поинтересовался Антон.

— Сразу после того, как побываю в квартире Михаила Матвеевича, — пообещала я.

— Ну ладно, — без особой радости согласился зять Груздева, — завтра тесть с тещей поедут за туалетной бумагой.

— Вот и хорошо, — улыбнулась я, — полагаю, они будут долго выбирать рулоны и измерять длину пипифакса при помощи линейки.

Утром меня разбудил звонок Макса.

— Как делишки? — спросил он.

— Надеюсь, Капа больше не станет устраивать конкурс красоты, — пробормотала я, трясясь от холода, — или в следующий раз затеет его летом, на Лазурном Берегу. Хозяин базы опять выключал на ночь отопление.

— Катя нашлась? — понизил голос Макс.

— Нет, — ответила я, — но есть большой шанс, что девушка сейчас мирно дрыхнет в царских условиях.

Макс выслушал мой рассказ про личные апартаменты скряги и засмеялся:

— Думаешь, Катерина очаровала старика, и тот предоставил ей приют?

— Нет, — не согласилась я, — в сердце Груздева есть место лишь для одной страсти, имя ей — деньги. Полагаю, Катя поняла: ей временно отведена роль фаворитки, вот и решила отомстить. Она пообещала старику заплатить за постой.

— Натурой? — фыркнул Макс.

— Случается такое, — вздохнула я, — но Михаилу милее рубли, Катерина здесь, камера наблюдения не запечатлела ее выходящей из особняка. Подвала в доме нет, ей негде укрыться, кроме как у хозяина. Скорей всего, я сегодня попаду в секретные апартаменты и увижу проходимку.

— Лену не задушили, — сказал Макс.

— Погоди, а странгуляционная борозда? — напомнила я.

— Она есть, — мрачно подтвердил Макс, — но умерла Елена от отравления.

— Ей дали яд? — удивилась я.

— В теле обнаружено небольшое количество разных лекарств, — продолжил Макс, — ничего особенного: пенталгин и успокаивающий сбор, валериана, пустырник, ромашка, василек.

— Хороша отрава, — усмехнулась я, — ты перечислил компоненты так называемого ночного чая, его многие перед сном употребляют. Поройся у нас на кухне, и обнаружишь в шкафчике упаковки с надписью «night tea».

— Верно говоришь, — остановил меня Макс, — но мать Лены сказала, что у дочери сильнейшая аллергия на пустырник.

— Бывает такое? — удивилась я.

— Аллергия бывает на любую еду-питье, — ответил Макс. — Одна моя знакомая покрывалась пятнами при виде мужа! Как только ее слепоглухонемой капитан приплывал из дальнего рейса, бедняжка начинала чесаться, задыхаться, обсыпалась прыщами. Еле-еле два дня держалась, пока мужик дома кантовался. Сейчас он в космосе, уже девятисотые сутки на орбите. Представляешь, когда жена в центре управления полетами супруга на экране видит, у нее астма открывается. Вот она, сила любви!

Глава 18

Я поняла, что Макс, как обычно, шутит, и переспросила:

— На пустырник бывает аллергия?

И услышала в ответ:

— Да. Лена никогда не стала бы пить ничего, содержащего эту траву. Она отлично знала об особенностях своего организма.

Я накинула на плечи тонкое одеяло и, клацая зубами от холода, стала размышлять вслух:

— Лена сама поднялась на чердак. Втащить тело под крышу по веревочной лестнице под силу разве что Гераклу. Участницы конкурса хрупкие девушки, организаторы тоже в основном женщины, а Зяма похож на стручок молодого горошка, он с трудом поднимает стул. Наташа и ее мать отпадают, Михаил Матвеевич тоже, Антон рыхлый, у него не мускулы, а жир. Следовательно, Елена сама вскарабкалась по веревочной лестнице. Откуда она узнала про чердак?

— Понятия не имею, — ответил Макс.

— Зачем ей понадобилось лезть под крышу? — недоумевала я. — Там только какие-то сундуки стоят! Коробки! Она напилась чаю, отправилась на чердак, легла на раскладушку и умерла. А потом ее задушили! Глупость!

— Герасим предположил, что напитком жертва побаловалась уже на месте смерти, — возразил Макс. — Лене сразу стало плохо, она прилегла на кровать, и все!

— Но зачем душить уже мертвую девушку? — возмутилась я.

— Вероятно, преступник думал, что она жива, — протянул Макс, — просто спит.

— На чердаке? Среди хлама? Решила отдохнуть? — перебила я мужа. — Нет, они поднялись вместе. Там киллер угостил Лену чаем, а затем, для верности, задушил ее и ушел, никем не замеченный.

— В комнате красавицы открывается дверь, появляется некая личность, — замогильным голосом произнес Макс, — говорит: «Елена, пошли на чердак! У меня есть чаек! Насладимся им!» И Лена с готовностью скачет по веревочной лестнице!

— Идиотизм, — пробормотала я, — похоже на сериал с названием «Смерть на конкурсе красоты»!

— Точно! — воскликнул Макс. — Ну как я сам не догадался! Погоди, я тебе перезвоню! Ты молодец!

В ухо полетели частые гудки. Я нашарила тапочки, клацая зубами от холода, влезла в свитер и пошла в туалет.

Он оказался пустым. Я еще раз подивилась архитектуре дома. Кем надо быть, чтобы запланировать один сортир на три этажа? Да еще устроить его в мансарде? Хотя в свете полученной информации об апартаментах Михаила Матвеевича все начинает выглядеть по-иному. Может, архитектор не был идиотом? Вероятно, Груздеву нравится третировать членов семьи, он издевается над женой, дочерью и зятем? Интересно, уйма комнат-клетушек на втором этаже существует со дня постройки дома или хозяин возвел перегородки и сделал из нескольких просторных комнат массу нор, когда решил сдавать коттедж под свадьбы и юбилеи?

Я опустила крышку унитаза, села и набрала номер Макса. Муж не спешил откликнуться. Так и не поговорив с супругом, я залезла на унитаз, осторожно убрала с потолка пару деревяшек, увернулась от выпавшей веревочной лестницы, вскарабкалась наверх и очутилась на чердаке.

После того, как мертвую Лену под видом больной увезли на «Скорой помощи», на чердаке остались ассистенты Герасима, которые самым тщательным образом изучили место преступления. Наивно полагать, что мне удастся найти некие улики, не замеченные профессионалами. С другой стороны, случается всякое. Мне хотелось понять, что могло заманить сюда Лену? Вдруг я увижу некий предмет и пойму: «Вот зачем несчастная поднялась наверх!»

— Хватит дрыхнуть! — заорал вдалеке голос Риты. — Подъем.

Я быстро втянула веревочную лестницу на чердак, потом свесилась, схватила длинные доски и уложила их на законное место. Сейчас финалистки конкурса и организаторы начнут бегать в туалет. Не надо, чтобы кто-нибудь меня здесь застал. Ко мне в спальню Рита не полезет. Директора конкурса не осмелятся стаскивать с кровати, как простую участницу. Репетиция начнется в десять, но мне присутствовать в зале не надо. Если опять придется изображать на сцене Катю, Зяма быстренько введет меня в курс дела.

Есть еще одна причина, по которой мне не следует сейчас маячить в зале и внимательно заучивать указания постановщика. «Катя» должна проиграть, ее победа никому не нужна. Кстати, всем девушкам объявили, что у Катерины грипп, поэтому ее временно увезли в клинику. Но в финале Катя выступит во что бы то ни стало. Даже с температурой. Иначе пропадет весь смысл действа. У нас остались Алиса, Оля и Сандра. Зрителям будет неинтересно следить за борьбой, понятно, что троица получит призовые места, интрига лишь в том, кто наденет корону на голову! Поэтому присутствие Катерины жизненно необходимо. Я очень надеюсь, что противная девчонка, заставившая перенервничать всех организаторов, отыщется в секретных апартаментах. Мне не хочется вновь скакать по сцене в шароварах и чадре. Хотя во второй раз один и тот же прием использовать нельзя. Зяме придется выдумать новую феньку, надеюсь, на меня не натянут костюмчик Микки-Мауса или Женщины-кошки.

Я внимательно осмотрела помещение. Сундуки, коробки, чемоданы. На первый взгляд ничего интересного. Я подошла к одному коробу и подергала крышку, та легко поддалась. Внутри оказались шапки, самые разные, из ткани, фетра, холста, кожи, украшенные бантами, помпонами, бисером. Они были старыми, но вполне пригодными к носке. В другом сундуке находились платья, которые носили модницы шестидесятых годов прошлого века, в основном из крепдешина и шелка. Я начала открывать чемоданы и поняла: на чердаке хранится исключительно одежда. Кто-то заботливо сложил ее, переслоил старыми газетами и засыпал высушенными апельсиновыми корками. Кое-где в оранжевых шкурках виднелись темно-коричневые палочки. Память услужливо развернула картину.

Вот моя мамочка очень аккуратно очищает апельсин, а семилетняя дочь, зачарованно наблюдающая за этим процессом, восклицает:

— Мама, зачем ты сначала надрезаешь шкурку, а потом снимаешь ее ломтиками? Лучше пальцами отковырять, быстрее получится.

Мамочка откладывает в сторону продолговатые шкурки, достает из шкафа над разделочным столиком железную баночку с надписью «гвоздика» и, вытряхивая из нее ароматные сушеные палочки, произносит:

— Женщина обязана все делать красиво, даже чистить фрукты. А теперь смотри, втыкаем в каждую корочку по гвоздичке, высушим ее в темном месте, не на батарее, и положим в одежный шкаф, а его полки непременно застелим газетой.

— Зачем, мамуля? — удивляюсь я.

— Иначе противная моль съест и твою шубку, и шерстяное платье, и шарфик, — терпеливо объясняет она, — запомни, нет лучшего средства от этой напасти, чем корки от цитрусов с гвоздикой и газета.

Я тряхнула головой, видение исчезло. В распоряжении современных хозяев много других способов борьбы с молью. На чердаке либо поработала пожилая женщина, либо вещи складывали очень давно.

Я медленно пробиралась дальше и в конце концов наткнулась на множество плетеных сундучков с детскими штанишками, сарафанчиками и прочим гардеробом, здесь хранились наряды детсадовцев, младших школьников и подростков. Количество вещей меня удивило. У Груздева всего один ребенок, Наташа, а Михаил Матвеевич не тот человек, чтобы покупать малышке тонны нарядов, и в корзинах много брючек для мальчика.

В тишине чердака послышались скрип, кряхтение,

тяжелое дыхание: кто-то влез под крышу. Я осторожно
присела на корточки, выглянула из-за скопища чемо-
данов и увидела Антона, склонившегося над одним
баулом.

Он порылся в куче тряпья, вытащил наружу темно-
синее платье с широкой кружевной оборкой и удовле-
творенно крякнул.

— Нравится? — спросила я.

Антон подпрыгнул, стукнулся башкой о скат крыши, сел на пол и, прижимая к груди наряд, простонал:

— Напугала! Я чуть не умер! Что ты здесь делаешь?

— Вопрос переадресован тебе, — ухмыльнулась
я, — только не говори, что решил озаботиться поисками прикида для новогодней вечеринки. До праздника
еще далеко, и женское платье плохо сядет на твою фигуру.

Антон смутился.

— Ну... в общем... э... э...

— Наши отношения стали настолько доверитель-
ными, что ты можешь честно рассказать о своих планах, — подбодрила я его.

Антон понизил голос:

— Ваш стилист... Тамара... — Он замялся.

— Сделай одолжение, продолжай, — попросила я.

Начинающий скряга принялся комкать платье.

— У Тамары страсть, она коллекционирует винтаж-
ную одежду.

Я кивнула:

— Отлично. Она собирает старье. А при чем тут ты?

Антон глянул на сундуки.

— Я сказал ей, что на чердаке тьма хороших вещей,
состояние отличное, она может кое-что приобрести!
Недорого!

— Молодец! — восхитилась я. — Твоей оборотисто-
сти позавидует сам Михаил Матвеевич. Его зять вы-
числил человека, который хорошо заплатит за никому
не нужные лохмотья.

— Неправда! — возмутился зять Груздева. — Здесь

ценные экземпляры! Тамара нашла одно, хорошо заплатила, торговаться не стала. Я удивился, как она быстро с деньгами рассталась!

Ну еще бы! Сам Антон просто так и разорванной бумажной салфетки не отдаст!

— Я пожалел даже, что продешевил, — бубнил он. — Следовало подороже просить.

— Зачем ты сейчас сюда залез? — прервала я поток горьких сожалений скупца.

Антон потряс синим платьем.

— Вот это она тогда забраковала, посчитала скучным. А рано утром мы в коридоре столкнулись, и Тамара попросила: «Помнишь то темно-синее платье, с юбкой солнце-клеш? Хочу его тоже взять! Принеси!»

Антон обрадовался новой возможности подзаработать и пообещал:

— Приволоку около полуночи.

Тамара не согласилась:

— Нет, прямо сейчас! Срочно. Сию минуту.

Антон стал отнекиваться:

— Михаил Матвеевич утром по дому шастает, лучше провернуть дельце, когда он заснет!

Но Тамара стояла на своем:

— Неси немедленно, до завтрака.

— К чему такая спешка? — надулся Антоша. — Опасаешься, что наряд попадет в руки другого человека? Зря. Я порядочный! Если пообещал отдать платье тебе, то оно твое! Ну заполучишь ты его не в первую половину дня, а ближе к ночи! Не вижу проблем!

Тамара протяжно вздохнула:

— Юбку перешить надо. Дело это непростое, по подолу длину не убрать, придется распарывать и по талии отрезать, складки заглаживать. И рукав потребуется повыше посадить. Времени остается мало, а работать мне придется урывками. Давай беги, я заплачу за риск!

Фраза про дополнительную оплату подействовала на начинающего скрягу вдохновляюще. Антон понадеялся, что его поход на чердак останется незамеченным, взобрался по лестнице, не забыл закрыть за собой люк и наткнулся на меня.

— Сама ты что здесь ищешь? — запоздало удивился он.

— Проверяю кое-что, — задумчиво ответила я и выхватила у Антона платье. — Ты ведь уже получил сумму за эту вещь? Я уверена, что Тамара расплатилась с тобой сполна!

— Да, — подтвердил Антон, — а как ты догадалась?

Люблю такие вопросы. Даже ежу ясно, Антон не тот человек, что будет действовать, не получив предварительно хрустящие банкноты.

— Элементарно, Ватсон, — буркнула я, — у тебя на лбу надпись горит: «Рублишки в кармане».

Антон пощупал лицо, посмотрел на руки и с облегчением произнес:

— Шутишь?

— Твоему уму и сообразительности можно позавидовать, — не удержалась я, — спускайся в туалет. Я сама отнесу платьишко Тамаре.

— Не нравится мне твое предложение, — загудел Антон, — это наше с ней дело.

— Думай о сумме, которую тебе вручила Тамара, и о евро, что может отстегнуть мой приятель-банкир, — сказала я.

Антон ткнул пальцем в самый большой сундук.

— Надо закрыть его аккуратно, — укоризненно произнес он, — опустить плотно крышку. Ты же женщина, значит, должна тщательно вести хозяйство.

Я почему-то начала оправдываться:

— Крышка нормально опущена.

Антон приблизился к рундуку:

— Тут пазики, надо в них всунуть штырьки, иначе останется щель, через нее внутрь налетит пыль.

Продолжая наставлять меня на путь истинный, Антон чуть наклонился над коробом и не смог скрыть негодования:

— Наружу торчит часть содержимого! Безобразие!

— Сейчас поправлю, — пообещала я и тоже переместилась к сундуку, но Антон быстро поднял крышку и разозлился:

— Разве можно переворошить все и бросить? Запомни, аккуратность — залог долговечности вещей.

Он нахмурился и вытащил из сундука серый плащ, встряхнул его и продолжил:

— Материал портится от стирки, но еще больше он стареет от глажки. Возьмем два платья, совершенно одинаковых: одно будем утюжить каждый день, другое раз в месяц. И через год...

Антон тщательно сложил плащ и вытащил шерстяной пиджак.

— И через год, — повторил он, — первый наряд превратится в ничто, зато второй покажется ненадеванным!

— Никому не понравится разгуливать в мятой одежде, — возразила я, — она будет как новая, но изжеванная!

— Кто сказал? — удивился Антон.

— Ты, — улыбнулась я, — произнес: «платье будем гладить раз в месяц».

— Это если горячим утюгом! — голосом умудренного опытом старца напомнил Антон. — Вещи надо распрямлять без высокой температуры, тогда срок их годности растянется на десятилетия.

Есть ли на свете женщина, которую обрадует перспектива носить в течение даже трех лет одну и ту же кофточку?

— Эдак придется часто тряпки покупать, — зудел Антон, наводя порядок в сундуке.

— Как можно привести в приличный вид ткань без утюга? — пробормотала я. — Положить на ночь под матрац? Отец рассказывал мне, что, будучи студентом, он таким образом пытался сделать стрелку на брюках.

— Глупости, — отмахнулся Антон, — женщина обязана знать разные хитрости! Если она к тридцати годам ничему по хозяйству не научилась, ей застрелиться надо! Идешь в ванную принимать душ, прихватываешь платье, устраиваешь вешалку на крючке. От горячей воды идет пар, пока моешься, под воздействием влаги ткань расправляется. Очень просто!

Антон внезапно замер, на его лице появилось странное выражение, он вытащил светло-голубую рубашку с рисунком из ярко-красных попугаев, желтых бабочек и цветочков, смахивающих на маргаритки. Сорочка разительно отличалась от остальных вещей. Она была веселой, даже слишком. Я не докопалась до дна сундука и не видела ее.

— Какая прикольная! — вырвалось у меня. — Наряд для отпуска.

Антон вздрогнул и зло воскликнул:

— На мой взгляд она ужасная! Ее надо выбросить!

Странно слышать такие слова от человека, который считает бережливость одной из главных добродетелей.

— Чем провинилась эта рубашка? — удивилась я.

— Отвратительная расцветка, — сказал Антон, — желудок судорогой сводит.

Меня почему-то охватило веселье:

— Не надо употреблять рубашку в пищу, тогда живот не заболит. Откуда на чердаке столько одежды?

Антон положил сорочку в сундук, тщательно закрыл его и сказал:

— Есть наряды, которые по размеру никому больше не подходят. Анна раздобрела, Михаил Матвеевич тоже потерял стройность. Клиенты часто им свои шмотки дарят. Так ты сама отдашь платье Тамаре?

Я кивнула и направилась к веревочной лестнице.

Глава 19

Тамара находилась в своей спальне, которая стихийно превратилась в филиал костюмерной, здесь повсюду висела одежда и маячили стойки с нарядами.

— Эй, кто там возится? — закричала она, услышав резкий скрип открываемой мною двери. — Нечего топтаться. И сразу предупреждаю: одежда завизирована режиссером, никакой смены. Аксессуары и обувь вам подобрали, нечего сюда шастать и...

Тамара выглянула из-за вешалок и воскликнула:

— Лампа? Извини, я думала, кто-нибудь из девчонок притопал. Хитрые крыски! Они не знают о том, какие платья у кого на конкурсе будут, но полагают, что лично им самое плохое предложили. И ну сюда носиться и клянчить: «Тамарочка, хочу розовое! В зеленом я плохо смотрюсь! Дай длинные серьги и браслетиков побольше!» Очень уж им победить хочется!

— Красивое платье хорошо, но ведь главное, кто его надел, — поддержала я беседу.

Тамара села на стул у стола, заваленного швейными принадлежностями.

— Ну, ты не совсем права. Конечно, все конкурсы — это экзамен. Девочки демонстрируют свои таланты, поют, танцуют, рисуют, отвечают на вопросы. Вроде как жюри выбирает спортсменку, комсомолку, умницу и уж в последнюю очередь просто красавицу. Вот только чем больше девки в любви к Пушкину распинаются, сообщают про чтение романов Достоевского и прослушивание фуг Баха, тем смешнее. На первом месте с короной на голове всегда окажутся самые крутые сиськи, а их надо в выигрышном декольте представить. От платья многое зависит!

— Фуги Баха — это камень в мой огород? — улыбнулась я.

Тамара покраснела:

— Нет. Но знаешь, почему ты победила?

— Из-за умения играть на арфе, — не задумываясь, ответила я.

— На десять процентов, да, — согласилась Тамара, — а на девяносто из-за костюма. Остальные в платьях дефилировали, жюри на пятой участнице задремало: вырезы, шлейфы, воланы. Вроде модели разные, но похожи. И вдруг!.. Шаровары! Чадра! Все проснулись и отметили эту конкурсантку. Основной принцип жизни:

выделись в толпе. Знаешь, чем все конкурсы красоты хороши?

Я прикинулась глупышкой:

— Подарками от спонсоров!

Тома взяла сантиметр и начала наматывать на палец.

— Конечно, нет! Только полная идиотка может визжать от восторга, заполучив набор дешевой косметики и полупердон из крашеной мыши. В зале непременно присутствуют представители крупных модельных агентств. Жюри ерунда, там сидят непрофессионалы, мужики, которые пускают слюни при виде смазливых девушек, и какая-нибудь скукоженная баба, завидующая молоденьким куколкам. Агенты другое дело. Порой девчонка сразу сходит с дистанции, на первом этапе испытаний вылетает. А потом глядишь, через полгода лузерша по подиуму в Нью-Йорке или Париже вышагивает. Ее выделил из массы агент с отличным чутьем. Супермодели Водянова, Пивоварова и многие другие считались неперспективными, с неправильной внешностью, у всех у них непростая судьба, и всех открыли именно так. Знаешь, кто к нам на полуфинал заглянул? Том Клампенски.

— Клампенски? — повторила я. — Никогда о нем не слышала.

Тамара кивнула.

— Верно, ты не работаешь в области моды, в фэшн-мире Том человек из первой десятки. Американец. Аккредитовывается под видом журналиста и на самом деле пишет для прессы. Но основной род его деятельности — звездозажигатель. Если Том тебя заметит, пляши джигу, беги в церковь, скупай все свечи и засыпай ими алтарь, тебе повезло невероятно, ты очутишься в США и станешь лучшей!

Я посмотрела на раскрасневшуюся Тамару. Чего она так нервничает?

— Той девушке, которая станет королевой, «Комареро» обещало контракт в Америке, она и без твоего

Клампенски попадает на лучшие подиумы, — возразила я.

Стилист дернула плечом.

— Не говори о том, чего не знаешь! Думаешь, все в Нью-Йорке супермодели? Да там полно никому не известных вешалок, как и у нас! Бегают по показам, получают копейки, никому не интересны. Ну подпишет дурочка договор, покантуется год в США и вернется назад без славы и денег. А Клампенски делает звезд! И ему плевать на звание супер-пупер мисс. Главное, чтобы модель выделялась. Но, правда, не все от него зависит. Клампенски дает шанс, а девчонка должна работать. Начнет бухать, нюхать волшебный порошок, таскаться по мужикам — конец карьере.

Тома швырнула сантиметр на стол.

— Я уверена, что он придет на финал и предложит одной из наших участниц контракт.

Я потрясла синим платьем.

— И ты решила представить кого-то в исключительном виде? Чтобы получилось как на полуфинале. Все в платьях, а я одна в шароварах? И кто же та счастливица, которую патронирует стилист? Это стойка с платьями, приготовленными на финал?

Тамара кивнула.

Я принялась перебирать вешалки.

— Нежно-розовое в блестках! Персиковое в пайетках! Бежевое с бисером! Дорогие наряды, модные... Одна беда!

Тамара насупилась:

— Какая?

Я опять передвинула вешалки.

— Выйдут финалистки на сцену, встанут в линию, и что? Сольются в единое целое. Все блестит, переливается и примерно одного тона: цвета пудры, созревшего персика, жемчуга. Нет ярких пятен. Красного! Зеленого! Оранжевого! Даже черное в этом соседстве заиграет. И еще. Финалисток четыре, а вещей три! Кому-то не хватило тряпочки? Или?..

Я вернулась к стулу и взяла темно-синее старинное платье.

— Или вот оно? То самое яркое пятно, выделяющееся не только цветом, но и фасоном. Три девочки будут словно клоны, четвертая притянет взоры. Кто эта счастливица? И каким образом ты убила Лену?

Тамара ахнула и схватилась за горло.

— Спокойно, — быстро добавила я, — думаю, это ты угостила дурочку, придумавшую себе супержениха Шота Руставели, напитком, который содержал пустырник. Понимаю, зачем ты устранила Лену, она могла претендовать на победу. Но кто рассказал тебе об аллергии девушки на распространенное успокоительное? Как тебе удалось заманить ее на чердак и влить в несчастную отвар? Сколько ты заплатила Михаилу Матвеевичу?

Тамара разлепила побелевшие губы:

— Я не общаюсь с хозяином. Зачем мне давать ему деньги?

— За то, что он держит Катерину в своих апартаментах! — желчно пояснила я. — Катя в группе лидеров. А ты ведешь свою линию, в обход Зямы и Риты договорилась с букмекерами.

Губы Тамары из белых стали синими.

— Катя отвлекающий фаворит. Мне нет смысла от нее избавляться! Я отлично знаю, что на финале выстрелит темная лошадка!

Я подмигнула стилистке:

— Сандра?

— Да, да, да, — излишне быстро подтвердила Тамара, — Сандра. Какой смысл мне наряжать Катю? Конечно, наивная девчонка считала себя лидером и соответственно капризничала, но недолго она ликовала.

Меня вдруг осенило, я встала, вернулась к стойке и вгляделась в бумажки, приклеенные к верхней части вешалок.

— Ой, как забавно! Сандре предназначено «пудровое» платьишко! Алисе персиковое, Кате жемчужное!

Ты, выходит, знала, что Катерина примет участие в финале, иначе зачем ей наряд утюжить?

Тамара опять схватилась за шею.

— Если Катю не найдут, ее роль исполнишь ты! Нельзя же написать на ярлычке «Лампа», вдруг кто увидит?

— Отличная попытка, — похвалила я. — Засчитано. Но вот новый вопрос. Сандре по решению Зямы и Риты предстоит получить корону от фирмы «Комареро», но ты выбрала другую девушку — Олю. Самую тихую, неприметную, она при мне ни словечка не проронила, на репетициях скользит молча, но на конкурсах выделяется. Всегда метко отвечает, словно заранее знает, что у нее спросят, и ей постоянно достаются оригинальные наряды. Только в последнем испытании облом случился, я в шароварах плясала, играла на арфе и обошла всех на повороте! Я сейчас вспомнила, как держится Ольга, и запоздало сообразила: ею кто-то руководит, слишком уж правильное поведение у красавицы. В лидеры она вроде не рвется, но без срывов дошла до финала, не порет глупости, не капризничает, на фоне остальных смотрится очень достойно. Она спокойно стояла, когда в конкурсах побеждала Катя, не злилась, не канючила, как другие, создавалось впечатление, что Олечка замечательно воспитана, умеет делать хорошую мину при плохой игре. Но, может, дело не в интеллигентности, а в ее уверенности, что она непременно победит? Синее платье ты решила приготовить для Оли!

Дверь в костюмерную приоткрылась, в комнатушку, как по заказу, вошла Оля.

— Ну, принес? — не замечая меня, стоящую за стойкой с платьями, зашептала она. — Давай скорей мерить!

— Ольга! Выйди вон! — каменным голосом произнесла Тамара. — Вон! Повторяла сто раз! Никто сюда не лезет! Я сама приглашаю на примерку. Немедленно убирайся!

Но Олечка оказалась на редкость непонятливой:

— Тетя Тамара, ты чего? Мы же ночью договори-

лись! Ты сказала про старинное платье, просила меня
до завтрака забежать.

— Дура! — выпалила стилист.

Я вышла из-за ряда вешалок.

— Тетя Тамара? Вы родственницы?

Оля взвизгнула и хотела удрать, но я успела схватить девушку за капюшон курточки.

— Погоди, у меня к тебе есть вопросы.

— Я ничего не знаю, — захныкала Оля. — Тамара
Владимировна, простите, я не хотела вам помешать.

Стилист отвернулась к окну.

— Наоборот, ты очень кстати, — заверила я девицу. —
Тома, она вам кто?

— Племянница, — сквозь зубы процедила Тамара, — дочь сестры.

— Ай-ай-ай, — укоризненно покачала я головой. —
Правила запрещают организаторам использовать служебное положение и протежировать ближайшим родственникам. Узнай кто о вас, будет скандал.

Оля неожиданно повела себя агрессивно:

— И что, мне теперь из дома не высовываться, раз
тетка стилист? Тамара Владимировна много где работает!

— Оставим в стороне морально-этические проблемы, займемся уголовными, — решительно сказала я. —
Как здорово, что все мы здесь сегодня собрались. Знаете эту песню? Впрочем, неважно. Тома, расскажите,
как вы убили Лену? Пусть племянница послушает!

Тамара вскочила.

— Никого я не трогала! Лена нам не конкурент! Сколько она ни пыжилась, было понятно, ничего у нее не
получится. И меня волнует не корона! Кому она нужна? В зале Том Кламбенски! Вот кто должен взглядом
за Олю зацепиться. Плевать на Ленок, Кать, Алисок и
Сандр!

— У Ленки любовник богатый, — вдруг произнесла
Оля, — он ей все-все покупает! Кламбенски всегда только одну девушку отмечает! Двух, трех никогда! Шота

Руставели может со всеми договориться, он футболист! Звезда! У них власти больше, чем у президентов. Ленке свезло!

Тетка уничтожила племянницу взглядом. Если бы взором можно было поджечь человека, от Оли сейчас осталась бы кучка пепла.

— Говорила, приказывала, молчи, сойдешь за умную. Так нет, разинула пасть не вовремя, а оттуда лягушки выскакивают! Идиотка! Я же тебе объясняла! Лена придумала мужика! Не существует никакого Шота Руставели.

— Тетенька, — захныкала Оля, — но она же не могла так уверенно лгать! Сколько всего рассказывала! Про поездки за океан! Подарки! Часы с бриллиантами! Шота летает и в Америку, и в Париж, и в Нью-Йорк!

— И что с этой дурой делать? — удрученно спросила у меня Тамара. — Внешне интересная, с изюминкой. Имеет хорошие шансы на мировой подиум, попадает в последнюю тенденцию, сейчас нужны девочки-славянки, лоб с тарелку, глаза чуть проваленные, губы не пухлые. Лет пять эта внешность продержится, надо зацепиться, пока горячо. Но едва Ольга рот откроет!..

— Че не так? — спросила девушка. — Вечно только по-твоему надо?

В моем кармане заработал сотовый, я вытащила телефон и услышала голос Макса:

— Можешь говорить?

— Как раз в данную минуту обсуждаю нашу проблему, — ответила я.

— Тогда послушай, — велел муж, — это срочно.

В тоне Макса, всегда веселом, не было и намека на шутливость, и я насторожилась. Похоже, сейчас я узнаю нечто крайне важное, раз муж решил прервать мою беседу с другими людьми. Мы давно с ним договорились: если находимся в компании посторонних, не следует обсуждать ничего серьезного. Но сегодня Макс нарыл информацию, которую необходимо сообщить как можно скорее.

— В процессе нашей утренней беседы, когда ты произнесла фразу: «Похоже на сериал с названием «Смерть на конкурсе красоты», мне в голову запала одна мысль, и я ее проверил, — заговорил Макс. — Лет пять-шесть назад случилось несколько убийств во время таких конкурсов. Сразу стало ясно: действует серийный маньяк. Пресса окрестила его «Киллер красоты». Народ кинулся на шоу, полагаю, устроители озолотились, они не ожидали такого наплыва зрителей. Публика и журналисты, затаив дыхание, ждали новых жертв. Предвижу твой вопрос, отвечу на него сразу: преступника интересовали только участницы, никто из тех, кто сидел в зале, не входил в зону риска. Стилисты, администраторы и прочие не волновали убийцу. Исключительно красавицы. Думаешь, девушки разбежались?

— Нет, — коротко ответила я.

— Правильно, молодец, тебе конфетка, — похвалил он меня, — или, учитывая твою временную принадлежность к фэшн-миру, огурец. Сладости для красоток под запретом. Кто же упустит шанс попиариться? Газеты, журналы, радио, телевидение, все прибежали в залы, где разыгрывались разные короны, и капали слюной в ожидании новостей об очередной смерти. Не стану тянуть, в конце концов маньяка задержали, им оказался один из фотографов, имел пропуск за кулисы, мог свободно общаться с девушками. И тут начинается самое интересное. Родители парня оказались ну очень известными людьми. Не просто богатыми и знаменитыми, а народными любимцами, культовыми фигурами. Мать актриса, отец писатель. Дня не проходило, чтобы они не мелькали на экране телевизора. Предки маньяка активно работают. Мать занята в спектаклях, снимается в кино, делает кассу любой ленте, поэтому ее рвут на части. Папаша строчит романы, по ним снимают телесериалы. Абсолютно порядочные люди, не замеченные ни в каких шалостях, совесть нации, гости на дачах у президентов, создатели благотворительных фондов.

Особую пикантность ситуации придавала маленькая деталь. Папа и мама отморозка никогда не состояли в браке. Более того, отец отметил тридцатилетие семейной жизни с другой женщиной, мать столько же лет идет рука об руку со своим супругом. Ни в одной интрижке актриса и писатель не замечены, они образцы морали, с таких людей только иконы писать. Но случился с ними в юности зигзаг. Литератор, на тот момент никому не известный, работал редактором на съемках картины, где в крохотном эпизоде снималась начинающая актриса. Ну не справилась молодежь с соблазном. Актриса по ряду причин не могла сделать аборт и призналась мужу в прелюбодеянии. А тот простил супругу, объявил себя «автором» ее беременности, принял новорожденного мальчика, как родного, и воспитывал, не подавая ребенку плохого примера. Но он поставил в известность писателя о наличии у того сына. Прозаик тоже повел себя благородно, а его жена оказалась выше всяких похвал. Две семьи подружились и стали совместно пестовать малыша. Он у них оказался один на всех, в законных браках наследников у них не получилось. Как этим достойным во всех отношениях людям удалось сохранить секрет и почему у них, давших чаду разумную любовь вкупе с безукоризненным воспитанием, вырос маньяк, неведомо. Тайну появления мальчика на свет актриса открыла лишь в кабинете у следователя.

Не знаю, на какие дачи помчались отчим и родной отец убийцы, но известно, что фотографа задержали вечером, а к полуночи он уже был посажен в самолет и отправлен в Швейцарию.

— Жесть, — сказала я, — хорошо быть отпрыском богатых и знаменитых.

Глава 20

— Лучше слушай молча, — предостерег меня Макс. — Можно долго рассуждать на тему, стоило ли разрушать имидж народных кумиров, лишать их зрителей и читателей иллюзий, разбивать веру простых людей в существование счастливых браков и порядочных женщин, но для нас важно другое. Парень очутился в закрытой психиатрической лечебнице, он там содержится по сию пору, палаты не покидал, в Россию не возвращался. Убийства конкурсанток прекратились, но все считают преступника ненайденным. На следующий день после задержания юноши газеты напечатали сообщение:

«Вчера для допроса был вызван как свидетель один из журналистов, работающих в глянцевых изданиях. Милиция надеялась, что он сообщит много интересных сведений, которые помогут задержать «Киллера красоты», пока неуловимого. Увы, ожидания не оправдались».

Поскольку сын знаменитостей служил фрилансером, фиксированый оклад нигде не получал, о его отсутствии не забеспокоились. Не приносит работы, ну и не надо.

Убивал маньяк своих жертв при помощи обычной лески, такую можно купить в любом магазине для рыболовов. Чтобы не поранить ладони, убийца обматывал их салфетками, но не простыми, а такими, которыми пользуются модные стилисты: длинными трехлойслойными полосками, сверху и снизу бумага, внутри нечто типа ватной подушки. Ими удобно снимать макияж. Следователь сначала даже заподозрил кое-кого из гримеров, у них имеется в кофрах леска, на нее всегда можно нанизать разорванные бусы-браслеты или использовать вместо шнуров в корсетах. Но потом стало ясно: фотограф, постоянно сновавший за кулисами, мог спокойно отмотать от рулона бумажную ленту необходимой длины и оторвать леску. После убийства юноша оставлял на месте преступления и салфетку, и нить. Он скручивал их вместе и засовывал в трусики жертв. Газеты об этом не писали. То, что парень использовал леску, знали лишь сотрудники милиции и люди, которые обнаруживали трупы. Последних, в интересах дела, просили не рассказывать подробности. Угадай, чья фамилия есть среди тех, кто был допрошен в качестве свидетеля? Федоркина Тамара Владимировна. Она работала стилистом на одном конкурсе и нашла убитую модель. Герасим позвонил мне и сказал, что в трусики Лены засунуты скрученная бумага и леска. Но то, что кто-то пытается сделать из Лены жертву «Киллера красоты», я понял лишь после твоего замечания про телесериал. Почему не раньше? Ступил! Повторяю, об отъезде настоящего преступника за границу известно единицам, широкие массы считают его непойманным, и они не знают о вещдоках в белье несчастных. Зато о них знает Федоркина Тамара, потому что нашла труп одной девочки в бикини и видела все в подробностях. Дальше просто. Тамара там — Тамара у нас. Думаю, у нее есть и леска, и салфетки.

Я посмотрела в сторону широкого подоконника, заставленного баночками с тональным кремом, коробочками с тенями, тубами губной помады. Вот он, рулон трехслойной бумаги для снятия макияжа, а рядом бобина с нитью, которой пользуются рыболовы.

Макс не переставал говорить:

— Елена умерла от анафилактического шока, вызванного приемом пустырника. Душили ее спустя час после кончины. Поняла?

— Да, — ответила я, — теперь все, как на ладони.

— Будь осторожна, — немедленно предупредил Макс.

Я засунула сотовый в карман, потом медленно приблизилась к окну, взяла рулон и леску, посмотрела на тетку с племянницей.

Тамара и Оля сидели на кровати, прижавшись друг к другу. Я опустилась на стул и сказала:

— Послушайте меня внимательно. Любой преступник непременно совершает ошибки, и тогда его ловят. Есть такая вещь, как криминалистическая экспертиза. Вы можете с пеной у рта отрицать свое пребывание на чердаке, твердить, что ничего о нем не слышали, узнали только тогда, когда с Леной случилось несчастье. Но! Эксперт возьмет подброшенные вами улики и сравнит куски бумаги с рулоном, а леску вот с этой бобиной. Понимаете, есть приметы, которые позволяют специалистам с уверенностью заявить: «Да! Салфетки оторвали именно от этого мотка, а ленту от этой бобины». Дальше — больше. Про анализ ДНК знаете?

— Слюну изо рта берут ватной палочкой, — прошептала Оля, — я видела в телике.

— Молчи, — одними губами приказала тетка.

— Сериалы нельзя считать школой жизни, они не дают полной информации, — сказала я. — ДНК можно получить из волос, пота, кожных частиц. Лестница, ведущая на чердак, сделана из грубых веревок. Тот, кто ею пользовался, непременно оставил на канате те самые пресловутые кожные частицы. Они микроскопические, не видимы человеческим глазом, но приборы во много раз мощнее. Криминалисты найдут чешуйки. Моток салфеток, бобина, леска, ДНК на лестнице. Судья, конечно, поверит экспертизе, а не словам Тамары Владимировны Федоркиной, которая, вот уж интересная деталь, пару лет назад проходила в качестве основного свидетеля по делу «Киллера красоты».

— Тетя! — пискнула Оля. — Ой, тетя! Откуда она узнала?

Я перевела дух:

— Думаю, случился форс-мажор. Вы не хотели убивать Лену.

— Нет, нет, нет, — замотала головой Оля, — я никомушечки не сделала плохо! Я ваще перепугалась! Чуть сама не умерла!

— Молчи! — рявкнула Тамара. — Захлопни рот. Говори меньше, целее будешь!

Я не согласилась:

— Ваша позиция чревата неприятностями. Антон, озабоченный получением денег, узнал о вашей любви к винтажным нарядам и предложил продать кое-что из сундуков. Отрицать это глупо, зять Михаила Матвеевича мне все рассказал. Вы, Тамара, слазили на чердак и увидели одежду. Синее платье забраковали, но потом неожиданно велели Антону добыть его. Почему? Думаю, Оля тоже видела наряд, полагаю, вы вместе, уже без Антона забрались под крышу и там пошуровали. Оля пришла в восторг от синего платья, вы нет, но молодость победила зрелость. Вы решили пойти на поводу у Олечки, которой захотелось покрасоваться в финале именно в данном наряде. Для профессионального стилиста перешить платье — как мне банан почистить.

— Тетенька, она чего, нас подслушивала? — захлопала нереально длинными ресницами Оля. — Мы же тихохонько туда пролезли, словно мышки!

Тамара закрыла лицо руками, а я усмехнулась:

— На каждую жирную мышку найдется проворная кошка. Как вы заманили на чердак Лену?

Оля вытянула вперед розовые ладошки.

— Дело в колдунье! Это никому не навредило! Ну вялые они стали, танцевали невпопад и...

Тамара шлепнула племянницу по затылку.

— Заткнись. Сама расскажу! Больше ни мур-мур, иначе в рот полотенце засуну!

Олечка отползла в дальний угол кровати, сжалась в комок и затряслась. Тамара выпрямилась и начала каяться.

Личная жизнь Федоркиной одна сплошная неудача. Замуж ей выйти не удалось, да еще старшая сестра рано скончалась и оставила Тамаре на попечение пятилетнюю дочь. С двадцати лет Тамара тащит на плечах племянницу, из-за нее не смотрит на мужчин и все заработанные средства вкладывает в Олечку. Вот на работе у Федоркиной все хорошо, она востребованный специалист, участвовала во многих проектах, имеет в фэшн-бизнесе безупречную репутацию. Олечка тоже радует тетю, делается с каждым годом все краше и краше. Когда девочке исполнилось пятнадцать, Тамара поняла: умом Господь племянницу не наградил, зато дал ей рост больше метра восьмидесяти, нежную кожу, роскошные волосы и завидную способность поглощать пирожные с конфетами, оставаясь в весе сорока семи килограммов.

Ни к какой профессии Оля не пристроилась, у нее обе руки левые, пришиты сикось-накось. Ни стилиста, ни модельера, ни путевой закройщицы из нее не получится. Слово «корова» она пишет через два «а», искренне считает, что Мексика находится около Японии, складывая шесть и восемь, всегда получает разный результат. Об институте в Олечкином случае даже думать нечего. Остается одно: используя внешние данные девушки, пристроить ее в модели. Побегает по «языку» и выйдет удачно замуж. Может, ей даже повезет, встретится богатый иностранец, отправит Тома девушку за рубеж, и душа ее успокоится! Приняв решение, Тамара начала пристраивать Ольгу в разные конкурсы, на которых работала сама.

Да, по условиям соревнований никто из организаторов и техперсонала не имеет права состоять в родстве с конкурсантками, но фамилия Тамары Федоркина, а у Оли Николаева. Родная мать записала Олю на своего любовника, который даже не пожелал взглянуть на новорожденную. По бумагам девушка Ольга Петровна Николаева, правда, с Петром Николаевым она никогда не встречалась и юридически не удочерена. Тамара Федоркина и Оля Николаева, ну какая между ними связь?

Тамара, как могла, пропихивала Олю, но, увы, никто не обращал внимания на красавицу. Федоркиной оставалось только злиться на тупых иностранцев, которые отбирали откровенных уродин, а по хорошенькой, словно ангел, Олечке равнодушно скользили взглядом.

Время шло, племянница отметила восемнадцатилетие, стала на год старше и, наконец, плавно съехала в третий десяток.

Тамару охватило отчаяние. Вскоре замаячит призрак модельной старости. Одному богу известно, какое количество прелестных мордашек, фигурок с тонкой талией и стройными ножками пропало с небосклона фэшн-бизнеса, так и не получив ни денег, ни славы. Тамара решила не сдаваться. Когда она окольными путями выяснила, что Том Клампенски дружит с Капитолиной, владеющей фирмой «Комареро», и прибудет в Москву, чтобы привлечь к конкурсу интерес и придать ему статус, Тамара вывернулась наизнанку, но устроилась в шоу стилистом. Ольге тетка велела молчать и слушаться. Тамара участвовала во всех репетициях, постаралась подружиться с Зямой и Ритой, проштудировала сценарий и тщательно готовила Олю к конкурсам. В ход пошли все уловки. Ольге всегда доставалось наиболее выигрышное платье, ей делали самый эффектный макияж.

Пока в конкурсе участвовало много девушек, на шоу работала не одна Тамара. Но когда в полуфинале осталась десятка сильнейших, экономная Капа уволила всех, кроме Федоркиной. Отчего оставили именно Тому? Та согласилась работать одна, не потребовала ни увеличения оклада, ни сменного коллегу. Том Клампенски был последним шансом для Олечки, и любящая тетушка боялась его упустить. Она бы согласилась и бесплатно работать на конкурсе. И представляете, у Тамары иногда болела рука, поэтому тени на веках у красоток были растушеваны не слишком тщательно, губная помада растекалась, а румяна накладывались чересчур близко к носу. У всех, кроме Олечки. Та выглядела безупречно.

Как назло, претендентки на корону подобрались сильные, с опытом, жаждущие славы, денег и готовые ради исполнения мечты на все. Олечка не смотрелась лидером, Тамару потряхивало от нервного напряжения, и она вдруг вспомнила про одну свою подругу, которая бегала к бабке с жалобами на мужа-потаскуна. Знахарка дала женщине пузырек и велела вылить содержимое в еду Казановы. Через неделю в семье воцарились мир и покой. Снадобье сработало наилучшим образом.

Тамарочка сказала, что поедет в город пополнить запасы косметики, а сама рванула к ведьме и получила заветную бутылочку. В день полуфинала Тамара твердой рукой наплескала отвар в кувшин с вишневым соком. Она была уверена, что все конкурсантки угостятся нектаром. Но Алиса и Лена не тронули питье. У Алиски расстроился на нервной почве желудок, и она не притронулась к соку, а Лена зажгла звезду. Она закапризничала:

— Где тархун? Я употребляю только его! Почему на столе один сок? Всегда тархун стоял!

— Был тархун, — произнесла хозяйка Анна, — куда подевался, не знаю!

— Пей, что дают, — попыталась приструнить строптивую девицу Тамара, которая тайком убрала со стола все напитки, кроме сока.

Оле было велено не пробовать нектар, а остальные захотят пить и наглотаются.

Но Лена уперлась:

— Хочу тархун!

Анна принесла бутылку из кладовой, и «невеста Шота Руставели» выхлебала ее почти до дна.

Колдунья не подвела, зелье подействовало на девочек. Кое-кого оно почти усыпило, красавицы еле-еле передвигали ноги, другие двигались нормально, зато путались с ответами. В финал попали Оля с Леной, не пившие отвар, Сандра с Алисой, на которых пойло не оказало ни малейшего действия, и эрзац-Катя, поразившая жюри и зрителей игрой на арфе.

После объявления итогов Федоркина впала в бешенство. Первое место присудили Евлампии, но, понятно, она не претендует на Гран-при. В финале задача Лампы быстро проиграть и уйти, но на втором месте оказалась Лена! Оля спустилась на четвертую позицию, замыкала турнирную таблицу Сандра.

Зяма упорно изображал, что нацелен на победу Сандры, поэтому пока придерживает девушку. Чем дальше от первого места отстоит будущая «Мисс «Комареро», тем круче интрига. Но Тамара заподозрила неладное. Зиновий ведет свою игру, он, похоже, лоббирует интересы Лены. Наглую девчонку необходимо убрать! Прямо сейчас! Не дожидаясь финала! Пусть уматывает с позором! Заснет на репетиции!

Тамара сбегала в кладовую, взяла тархун, влила в него раствор знахарки и обрадовалась. Лимонад выглядел обычно. Осталось лишь угостить им главную соперницу Оли.

На Тамаре из-за холода в тот день была просторная толстовка с глубокими карманами. Федоркина положила в один из них небольшую емкость со сладкой бурдой и отправилась на поиски Лены. Был поздний вечер, вернее, ночь, но девушка словно сквозь землю провалилась. Ее не было ни на первом, ни на втором этаже, ни в кухне. Оставался туалет. Тамара толкнула дверь сортира, та распахнулась. Стилист увидела унитаз, открытый люк в потолке, свисающую веревочную лестницу, услышала шум наверху, живо вскарабкалась на чердак и спросила у Лены:

— Эй, чем ты тут занимаешься?

— Смотри, прикольное платье! — ответила девушка. — Синее, с большой юбкой. Можно мне его на финал надеть? Фасон «стиляга»!

— Кто тебя надоумил сюда пойти? — стараясь не измениться в лице, поинтересовалась Тамара. — Ты знала про чердак?

— Не-а, — зачастила главная соперница Олечки, — я хотела перед сном пописать, села на унитаз. Гляжу, веревочка у стены качается. Ну и дернула за нее! Вау! С потолка деревяшки посыпались, хорошо, что мне по башке не попали, толчок не разбили и сами не треснули!

Тамара с огромным трудом удержала рвущееся с языка ругательство. Веревочка! Откуда она взялась? Выбилась из щели? Не иначе сам черт отправил Лену в сортир и помахал перед ее носом бечевкой! Никаких веревок ранее в туалете не наблюдалось!

— Тут прикольные шлепки! — радовалась Лена. — Вау! Шапочки! Фу! Они старые. А там юбки, кофты. Ну зачем этот хлам хранят? Хотя есть кой-чего симпотное! Синее платье крутое. Тут душно!

— Воздуха под крышей нет, — пробормотала Тамара.

— Воняет, — скривилась Лена.

— Старые вещи всегда неприятно пахнут, — заметила стилист и, вынув из кармана толстовки бутылочку тархуна, протянула Елене со словами:

— Хочешь пить?

— Спасибки, — обрадовалась та, живо отвернула пробку и одним махом выпила содержимое, — вкусно! Обожаю этот лимонад! Буду его пить всегда и везде... а... а...

Девушка села на раскладушку, стоящую у стены, ее лицо стало сереть.

— Эй, тебе плохо? — всерьез забеспокоилась Тамара.

— Душно, — с трудом выдавила Лена, — воздух... исчез!

Федоркина посмотрела на меня.

— Она умерла очень быстро, я даже не успела понять, что произошло! Раз, и все!

Я кивнула.

— Елена страдала сильнейшей аллергией на пустырник, а эта полезная трава входила в состав зелья, которое вам продала бабка.

— Я не хотела ее убивать, — перекрестилась Тамара, — даже в мыслях такого не было.

— Верно, — кивнула я, — никто не лишает жизни людей посредством небольшой дозы успокаивающей микстуры. И Лена ни одной душе не рассказывала об аллергии. Ее мать сказала, что дочка мечтала пробиться за границу, а туда приглашают только абсолютно здоровых девочек. Лена боялась рисковать, аллергия была ее тайной. Наверное, девушке казалось, что ничего страшного не произойдет, ей просто не следует употреблять некоторые лекарства. То, что на пути встретится бутылочка с тархуном, в котором растворена хорошая доза пустырника, ей и в голову не могло прийти.

— Правильно, — шепнула Тамара, — это трагическая случайность.

— Увидев труп, вы запаниковали, — вкрадчиво продолжала я, — и решили представить случившееся как новое преступление «Киллера красоты». Леска, салфетки были под рукой, одну из жертв маньяка вы видели. Знали, что он засунул в трусики несчастной орудие убийства, ну и разыграли все как по нотам! Не знаю, как квалифицируют ваши действия юристы, но в кодексе предусмотрено наказание для тех, кто глумится над трупом.

Глава 21

— О! Нет! Я не хотела издеваться! — зачастила Тамара. — Неужели вы не поняли, почему я затянула у бедняжки на шее леску? Ну кто бы поверил, что я не собиралась ее травить? Я испугалась! До ужаса! Лена только что разговаривала, смеялась — и упс! Конец. Тут любой голову потеряет. У меня случилось временное помешательство!

Я кивнула:

— Пусть так. Вы не похожи на женщину, которая действует без четкого плана. Столько сил положили на то, чтобы вымостить племяннице дорогу к победе, и вдруг даете Лене зелье на чердаке! Охотно верю, что вы не собирались лишать соперницу Оли жизни, наверное, хотели усыпить ее. Зяма весьма суров с девушками и злопамятен. Пропусти Елена репетицию, режиссер разозлится на нахалку и постарается запланировать для нее поменьше сольных выступлений, не позволит продемонстрировать себя во всей красе. Если же Лена сошлется на плохое самочувствие, скажет: «Голова закружилась, упала в постель и не могла пошевелиться», — то будет еще лучше. Слух о том, что одна из финалисток не выдержала физических нагрузок, мгновенно разнесется среди участниц, администрации, журналистов. А как уже упоминалось, никто не имеет дела с моделями, у которых проблемы со здоровьем. До Клампенски непременно донесут информацию о физическом состоянии Лены, и перед излишне амбициозной девочкой опустится шлагбаум. У самой же Лены должна была возникнуть уверенность: она приболела, отсюда сонливость и слабость. Но чтобы все узнали о состоянии Лены, ей следовало лежать в своей комнате, а не на чердаке под крышей. Потчевать успокоительным соперницу Ольги на чердаке до такой степени глупо, что даже слов нет!

И еще! Тамара, поход к знахарке за снадобьем абсолютно не в вашей стилистике. Вы мало похожи на женщину, которая читает заклинания, ворожит при помощи сушеных лягушачьих лап, поджигает локон соперницы и высыпает пепел на кладбище. И вы отлично знали, что на победу метит Сандра, а не Лена. Полагаю, вы немного слукавили, а если выражаться совсем конкретно, соврали.

Тамара перекрестилась:

— Нет, нет! Все именно так и было. Не слишком-то умно было идти к ведьме, но, понимаете, иногда совершаешь оплошности, в особенности в ситуации, когда никто не может помочь.

Я подняла руку.

— Понимаю, Тамара, отлично понимаю, что не вы бегали к знахарке, а Оля. Вы рассказали правду, но изменили главных действующих лиц. Это Оля увидела на чердаке Елену, это она предложила ей выпить тархун.

— Нет, нет, — замотала головой Тамара, — Ольгушка ни при чем, она ничегошеньки не знала! Правда?

Тетка повернулась к племяннице, последняя сидела, чуть приоткрыв рот и выпучив глаза.

— Ну говори, — велела ей Тамара.

— Че? — протянула Оля.

— Я ничего не знала, — подсказала стилист.

— Я ничего не знала, — эхом повторила девушка.

— Поклянись, — приказала Тамара.

— Поклянись, — прошептала Оля.

Мне, несмотря на ужасную ситуацию, стало смешно:

— Тамара, вы умная женщина. Ответьте на один вопрос. Эксперт установил, что между смертью Лены от анафилактического шока и, так сказать, удушением прошел примерно час. Почему вы ждали столь длительное время?

Тамара заморгала, но ответ нашла быстро:

— Не каждый день такая штука приключается. Растерялась я, испугалась.

— У меня другая версия, — сурово сказала я. — Оля напоила Лену тархуном, а когда той стало плохо, запаниковала. Наверное, она пыталась растолкать заклятую подружку, а потом, как всегда в трудную минуту, кинулась к тете. Вы, Тамара, не потеряли головы, вспомнили про «Киллера красоты» и решили, что это вполне может прокатить.

— Тетя, что теперь будет? — зарыдала Оля. — Меня арестуют? Я не победю в конкурсе?

Тамара ткнула пальцем в дверь:

— Немедленно отправляйся на репетицию! Зиновий терпеть не может опозданий! Не нервничай, я все улажу!

— Правда, тетечка? — обрадовалась дурочка. — Честное слово?

Тамара поманила ее пальцем:

— Давай, вставай с кровати и ступай в зал.

Когда Ольга убежала, стилист посмотрела мне прямо в глаза и сказала:

— К старухе ездила я. На чердаке была я. Тархун Лене подала я. Готова нести ответственность за случившееся. Не трогайте Олю, она здесь ни при чем. Моя племянница, к сожалению, не способна на хитроумные поступки. Ольга излишне прямая, говорит, что думает, сначала выпаливает фразу и лишь потом соображает, следовало ли ее озвучивать. Поверьте, я не хотела убивать Лену и в мыслях не держала лишить ее жизни. Вот столкнуть с финальной прямой — да.

— Вас посадят, — вздохнула я, — но сначала будет долгое разбирательство. Следователь и оперативники тщательно проверят ваши слова, непременно побеседуют с бабкой-знахаркой, покажут ей фотографии, вашу и Ольги, спросят у нее: «Кого вы узнаете?»

Старуха ткнет пальцем в снимок. Как полагаете, чей он будет?

На лице Тамары появился неприкрытый испуг. Именно в эту неподходящую секунду затрезвонил мой мобильный. Я быстро сбросила вызов и повторила:

— И на кого укажет бабуля? А?

Тамара попыталась улыбнуться:

— Конечно, на меня. Вот только навряд ли милиционерам удастся пообщаться с травницей. Она сама приезжает к клиенткам.

— Интересно, — сказала я.

Тамара приободрилась:

— Вот такая у нее практика! Отправляете ей СМС и в оговоренный срок встречаетесь в том месте, которое назовет старуха.

— Да она настоящий Штирлиц! — восхитилась я. — Что-то мне подсказывает: фамилию ее вы не знаете, зовут знакомую Анна Ивановна, а номер ее телефона вы нашли в газете бесплатных объявлений?

Мой мобильный опять занервничал, на этот раз я вытащила его из кармана, глянула на дисплей, увидела надпись «Кира» и вновь сбросила. Кирка — наша соседка по старой московской квартире, владелица трех собак, мы с ней познакомились, выгуливая питомцев, и вот уже несколько лет поддерживаем самые тесные, дружеские отношения. Кира отличный парикмахер, она способна сделать даже из моих, скажем прямо, не особенно густых волос красивую прическу. Кроме умелых рук, Кира обладает чудным характером, всегда пребывает в хорошем расположении духа и часто повторяет:

— Удар, который судьба наносит тебе кулаком в спину, заставляет сделать большой шаг вперед чисто по инерции, чтобы не упасть мордой в грязь, и ты неожиданно оказываешься в месте, где тебя ждет удача. Да здравствуют пинки, без них нет прогресса.

А еще Кирка владеет тату-салоном, она сама мастерски набивает рисунки и наняла отличных татуировщиков.

Тамара встала.

— Лампа, умоляю, до завершения конкурса осталось всего чуть-чуть. Клампенски уже наводит справки об Оле! Я это знаю абсолютно точно. Племянница произвела на него впечатление. Пожалуйста, не поднимай шума. Теперь я понимаю, кто ты. Сообразила, ты работаешь на Зинку. Я заплачу тебе за молчание, найду деньги, в конце концов продам дачу, у меня есть домик в Подмосковье. Халабуда маленькая, по правде говоря, дощатый сарай, но участок большой, недалеко от столицы. Я не прошу вообще забыть про эту историю, просто отсрочь свое обращение к ментам. Пусть Оля уедет с Клампенски, после этого делай со мной, что хочешь.

— Кто такая Зинка? — искренне удивилась я.

Тамара скривилась.

— Ну не надо! Мы вроде разговариваем начистоту. Я заплачу тебе, получится двойная прибыль. От Зинки и от меня!

— Честное слово, я не знаю никакой Зинаиды, — пробормотала я.

Тамара сказала:

— За неделю до того, как мы въехали в этот жуткий, отвратительный, не приспособленный для жизни дом с одним туалетом на третьем этаже, я совершенно случайно столкнулась с тобой в кафе «Рисо». Помнишь?

— Конечно, нет, — ответила я, — впервые увидела тебя здесь в тот день, когда мы разместились на базе.

Тома погрозила мне пальцем:

— Все тайное непременно становится явным. Я люблю «Рисо», там лучшие в городе яблочные пончики.

— Ты не оригинальна, — кивнула я, — за этим десертом в кафе народ и ходит.

Тамара втянула ноги на кровать.

— Я обратила внимание на ярко-рыжую девушку, она звенела браслетами, брелоками, имела кучу татуировок на руках и, несмотря на холодную осень, сидела в майке. Помнится, я еще подумала: «Вот идиотка. Наделала себе картинок и теперь хвастается». По тебе просто скользнула взглядом, присмотрелась лишь тогда, когда ты поцеловалась с Зинкой, она к вам подошла.

Я напрягла память.

— Молодая женщина с волосами цвета морковки — моя подруга Кира. Она парикмахер и владелица тату-салона, сама отличный мастер. Наколки у нее не для понта, это состояние души, сюртучок она скинула, потому что выпила горячий какао. А Зину я напрочь не помню, в «Рисо» много народа, наверно, я столкнулась с кем-то из своих не очень близких знакомых. Ничего удивительного.

Тамара подпрыгнула на матрасе.

— Хитрюга! Зинаида — владелица магазина «Леона», бутик расположен через десять метров от «Комареро», он тоже на Тверской. До того, как Капитолина начала бизнес в Москве, Зинка одна держала на центральной столичной улице точку с дешевым товаром. Сама знаешь, какие там цены. Когда Зинаида стала продавать шмотки за копейки, ей предрекали полный крах. Говорили, молодежь на Тверскую за футболками не сунется, она думает, что около Кремля за простенькую шмотку триста евро попросят, поэтому пойдет в большой мегамолл за МКАД. А человек с толстым кошельком не переступит порога лавки, где в центре зала стоят корзинки с объявлениями: «Все по пятьдесят рублей». Москвичи большие снобы, им надо ехать в метро с фирменным пакетом, торжественно поставить его себе на колени и поглядывать на окружающих с превосходством: «Видите, где я отовариваюсь? В Гуччи-Пуччи-Легуччи-Дуруччи!» Но оказалось, что обладатели золотых кредиток охотно разбирают свитерочки «три за одну цену». Зинка учла российский менталитет. Пакетов с рекламой заведения не напечатала, на кассе тебе все положат в бумажную сумку без опознавательных знаков. Она много сил положила на отвоевывание своего куска пирога, и тут, бабах, приперлась Капа! Открыла почти вплотную магазин той же ценовой категории, можно сказать, пользуется сливками из Зинкиного кувшинчика, даже идею с безымянными пакетами стырила. А теперь еще и конкурс. Бабло к Капе льется, Зина теряет прибыль. Вот она и решила повесить камень на шею наглой захватчицы. Если конкурс «Комареро» накроется медным тазом, будет облом, Капа не вернет деньги, вложенные в шоу. Зина наняла тебя для грязной работы. Невестку Капитолина в нечестной игре не заподозрит. И ты начала! Нашла под базу отвратительное место! Думала, если участниц и устроителей в параше поселить, то непременно скандалы начнутся!

— Никакого отношения к съему особняка я не имею, — стала оправдываться я, — это здание вроде приглядела Рита.

Тамара хлопнула ладонью по кровати.

— Не ври-ка, Зяма очень возмущался ужасными условиями, он мне сказал: «Чертова Евлампия! Из-за нее тут очутились! Небось ей Михаил за рекомендацию денег дал».

Я на секунду потеряла дар речи:

— Да быть такого не может! Я ничего не слышала о Груздевых, пока в дом не вошла. Сама была в шоке. С Зиной я незнакома!

— Я видела, как ты целовалась с конкуренткой Капитолины, — уперлась Тамара.

Я попыталась найти логическое объяснение увиденному ею:

— Мой муж Макс знаком с огромным количеством народа, Кира делает татуировки почти всей Москве, у меня масса шапочных друзей. Охотно верю, что кто-то подошел ко мне в «Рисо» со словами: «Давно не виделись, ты чудесно выглядишь», — и чмокнул меня в щечку.

Тамара встала с кровати.

— Предлагаю сделку. Я молчу и не рассказываю Капитолине о том, что невестка ведет двойную игру, не говорю ей: «Капа, поинтересуйся, куда подевалась Катя? Зачем Евлампия ее спрятала? Не потому ли, что ей приказала так поступить Зина, а? Если из десяти финалисток одна внезапно исчезает, это не очень хорошо для конкурса». Ты думала, что отвратительные условия, предоставленные Михаилом Матвеевичем, вызовут бунт у участниц и администрации конкурса, никому не захочется здесь жить. Только откровенно недоброжелательный к хозяйке «Комареро» человек мог снять эту базу. Но твой расчет не оправдался, и тогда в ход пошли совсем грязные технологии.

Я онемела, а Тамара не замолкала:

— Не встречалось мне невестки, которая не мечтала бы съесть свекровь. Мать мужа способна здорово влиять на него. Прочувствуй перспективу, я растолковываю Капитолине суть твоих махинаций, и та считает делом своей жизни развести вас. Мне вообще-то наплевать на конкурс. Когда ты дела куда-то Катьку, я только обрадовалась, у Ольги появилось больше шансов. Но сейчас, когда ты решила поиграть в Шерлока Холмса, предупреждаю: не лезь не в свое дело. Лена умерла случайно, про ее аллергию никто не знал! Ты молчишь, и я молчу. Ты болтаешь языком? Извини, и мой на привязи не удержится!

— После этой беседы я совершенно уверена: глупость с зельем и чердаком устроила Оля, — произнесла я. — Ты на короткое время потеряла самоконтроль, но уже через пять минут в твоей голове возник план, как выбраться из капкана. Оля ринулась к тете, а та схватила леску, салфетки и понеслась на чердак. Думаю, через какое-то время ты собиралась сказать про наличие чердака. А после обнаружения трупа ты бы напомнила народу про «Киллера красоты». Но я залезла туда до того, как поднялась суматоха. Ты подумала, что следователи обязаны сами вспомнить про маньяка. А если нет, то ты им через некоторое время подскажешь. А? Тамара!

— Значит, договорились, — словно не услышав моих слов, заявила стилист, — мы друг от друга зависим.

— Я не прятала Катю! — взвилась я.

— Ой ли! — ухмыльнулась Тамара. — Я видела, как она через окно спальни вылезла, а ты стеклопакет захлопнула. Ладно, я выразилась неверно, ты Катьку не прятала, ты ей удрать помогла.

Я вновь растерялась, но быстро взяла себя в руки:

— Чушь! Здесь все забрано решетками, и как можно что-либо увидеть ночью, осенью, в кромешной тьме?

Тамара указала на занавески:

— МКАД в двух шагах, там стоит большой рекламный щит, он подсвечен мощными прожекторами. Занавески дерьмовые, в моей комнате, даже когда лампу гасишь, светло. Решила я от бессонницы покурить, приоткрыла раму, прислонилась к решетке, гляжу, из самого последнего окошка две девушки вываливаются, одна в куртке, шапке, лицо не разобрать, не понять, кто ночью погулять решил. Вторая без верхней одежды, в толстовке от «Комареро», брючках, на башке капюшон. Они секунду постояли, обнялись, первая к МКАД поспешила, вторая назад, в Катеринину спальню влезла, она последняя по коридору.

— Ну, и при чем тут я? — Мне стало даже интересно.

Тамара выпрямила спину.

— Если хочешь оставаться незамеченной, не носи ярко-синие лаковые ботинки! Они в свете прожектора прямо засветились. У тебя же есть такая обувь?

Я машинально глянула на свои ступни, Тамара радостно заржала:

— Вот-вот, ты в них и сейчас. Моднючие баретки, могу сказать, кто их выпустил, где ими торгуют и сколько они стоят. Недешевые и, уж прямо скажем, не элегантные. Такие тапки больше подходят молодым, для тебя не годятся.

Я проглотила хамство по поводу своего возраста, но молчать не стала:

— Ты сейчас на ходу придумала про двух девушек!

Обратила внимание на мои ботиночки и нафантазировала. Каким образом мы с Катериной протиснулись сквозь прутья? А?

— Не знаю! — воскликнула Тамара. — Но вы проделали этот фокус! Я сразу сообразила, кто Катьке помогал.

Я стала отбиваться:

— Нелогично выходит. Сначала я увожу Катерину, а затем пытаюсь помочь спасти шоу? Пляшу на сцене в шароварах, нащипываю арфу?

— Очень уж ты хитрая, — довольно заулыбалась Тамара, — отводила от себя подозрения, Зяме с Ритой сделала подлянку и свекрови гадишь.

— Знаешь, что я думаю, — вконец разозлилась я, — Оля тебе не племянница!

Тома щелкнула языком.

— Да ну? Наше родство легко проверить!

— О дочери сестры так переживать не станут, — зашипела я, — ты в двадцать лет фактически превратилась для нее в мать. Думаю, Олю на самом деле ты родила в подростковом возрасте, лет в пятнадцать. А старшая сестра прикрыла твой грех, записала девочку на себя, чтобы дать возможность тебе спокойно доучиться. Не оригинальный шаг.

Глава 22

Тамара вздрогнула, потом возмутилась:

— Придет же в голову такая глупость! Ничего подобного! У меня своих детей нет! И никогда не было! Родить в пятнадцать лет позор! Придумать можно что угодно! У меня есть документы! Нужно ориентироваться на них!

В эту секунду вновь затрезвонил мой мобильный, на дисплее возникло слово «Кира». Меня царапнуло беспокойство. Подруга отлично знает, если я не реагирую на вызов, значит, занята. Кирка в курсе, что при первой же возможности я соединюсь с ней, и никогда не станет проявлять настойчивость, если только у нее не случилось нечто из ряда вон, и скорей плохое, чем хорошее. Люди редко столь упорно хотят поделиться своей радостью.

Я прислонила трубку к уху и осторожно спросила:

— Все в порядке?

— Ты когда приедешь? — громче, чем обычно, спросила Кира. — Мы тебя ждем! До начала не так много времени осталось, правда, и ехать нам недалеко, но если мы опоздаем, то... Эй, надеюсь, ты не забыла? Сегодня стартует «Спани-шоу».

У меня затряслись коленки. «Спани-шоу» — это выставка собак, а Кирка — страстная любительница спаниелей. Дома у нее живут трое вислоухих друзей: Мартин, Данди и Вася. Отчего двое носят элегантные иноземные клички, а третьего назвали Васькой, я понятия не имею. Но самым удивительным образом имена повлияли на характер животных. Мартин аккуратен, даже брезглив, лужу он непременно перепрыгнет или попытается обойти. Он не капризен, но абы что есть не станет. Мартину не придет в голову охотиться на мышей, он слушается Киру, купание в ванне переносит стоически. Видно, что спаниелю не нравится мыльная пена, но он молча подает Кире лапы. Мартин весьма разборчив в знакомствах. Если посторонний человек попытается его погладить, пес не выкажет агрессии, он просто ловко увернется от чужой руки, ни за какие пряники не станет дружески махать незнакомому хвостом и не побежит на его зов. Услышав крики «Мартин, Мартин, сюда», спаниель сначала внимательно посмотрит в сторону, откуда идет звук, а потом решит, следует ли подчиниться. Кроме Киры, Мартин любит только меня, со мной он послушно ходит на поводке и, когда я вхожу в квартиру подруги, первым несется облизать гостью с головы до ног.

Данди капризен, словно поздний, единственный ребенок пожилой и богатой пары. Ест он исключительно корм класса «премиум» американского производства, от одной фирмы. Другого можно не предлагать. Владельцы всех знакомых мне спаниелей жалуются на бескрайнее обжорство своих питомцев. К слову сказать, мопсы тоже не дураки подкрепиться, дай им волю, они будут лопать сутки напролет. Но Данди демонстративно отворачивается от миски, если, по его мнению, в ней лежит не тот продукт. Когда консервы его излюбленной фирмы задержали на таможне, у Кирки наступили тяжелые времена. Она приобрела для собак другой харч, на мой взгляд, он ничем не отличался от американского, выглядел и пах так же. Мартин с Васей укладывали «сочные кусочки во вкусном желе» в свои желудки, а Данди застыл над миской с видом глубоко оскорбленной добродетели. Он стоял, словно памятник, не пошевелившись даже тогда, когда Вася, нарушив все неписаные собачьи законы, стал нагло жрать его порцию. Когда пошли вторые сутки добровольной голодовки Данди, Кира принялась ругать пса, затем упрашивала, умоляла, подносила еду на чайной ложечке. Ан нет. Данди лишь горестно вздыхал. Кира стала угощать капризника «человеческой едой», до которой все животные большие охотники, гречкой, геркулесом, творогом, сыром, курицей.

Вы не можете себе представить выражение морды Данди, когда он увидел куски телячьей вырезки. Я не способна его описать. Когда корм баловника наконец-то снова возник на полках магазина, Кира на радостях распила бутылку шампанского и с той поры держит в доме годовой запас банок для Данди. Из-за жестянок с мясом у Киры не осталось места, где хранить разные необходимые в быту вещи, рулоны туалетной бумаги, стиральный порошок. За каждой ерундой она теперь несется в магазин. Если раньше она приобретала пять тюбиков зубной пасты и не думала о ней месяцами, то сейчас ей приходится часто забегать в лавку. Но главное, Данди обеспечен едой. А теперь представьте, каково это, запихнуть в подобного безобразника лекарство! Есть лишь один человек на свете, способный заставить упрямого спаниеля проглотить таблетку. Это я.

Вася — полная противоположность приятелям, он их антипод. Если у Киры собираются гости, то первое, что они слышат, переступив порог квартиры, это заявление:

— Пожалуйста, не опускайте руки вниз, если держите пирожок.

Кирка отлично печет, ее кулебяки из дрожжевого или слоеного теста буквально тают во рту. Народ мигом расхватывает выпечку, а поскольку квартира Киры не велика и она частенько устраивает фуршет, люди рассеиваются по столовой, соединенной с кухней, и начинают беседовать. Кое-кто, заболтавшись, опускает руки, а в них зажат вкусный кусочек! И тут наступает час Васи. Спаниель с самым невинным видом прошмыгивает мимо, на ходу выхватывает у вас еду, немедля глотает ее и рулит дальше. Если вы возмутитесь и воскликнете: «Василий! Что ты себе позволяешь!» — озорник оборачивается и с непонимающим видом смотрит на вас. Кажется, еще мгновение, и он спросит: «Что случилось? Съели ваш пирожок? Ну и хамы встречаются на свете. Но при чем здесь я? Просто шел мимо».

У Васи менталитет джипа «Патриот», ему безразлично, какая погода на улице, снег, дождь, жара, град, цунами. Невзирая на природные катаклизмы, Василий выскочит из подъезда и будет носиться по лужам. Он может в секунду окунуться, ловко вывернуться из ошейника и удрать за привлекательной четырехлапой девушкой. Один раз ушлый Вася исчез в январе, Кира пришла в ужас, мы с ней около часа обшаривали окрестные дворы и в конце концов обнаружили спаниеля около рынка, на горке, где он катался с детьми. Шлепался на живот, со счастливым визгом съезжал вниз, потом торопился наверх и так до той поры, пока Кира не схватила его.

В быту Вася до изумления неприхотлив и не капризен. Может разве что полаять. И еще он страстный охотник: ловит мух, комаров, на даче выискивает лягушек, мышей, может схватить на лету стрекозу или жука. Короче, за Василием нужен глаз да глаз, никогда не знаешь, что он отчебучит.

Есть лишь один человек, способный заставить Васю спокойно вышагивать рядом на поводке. Это я. Почему собаки Киры прониклись ко мне любовью и уважением? Понятия не имею, но это случилось, и я всегда помогаю Кирке вывезти псов на выставку. «Спанишоу» — обязательное ежегодное мероприятие. Если ваш пес получил медаль, то большое количество собаковладельцев захочет щенка. Хозяину кобелька потом достанется симпатичный малыш, которого можно выгодно продать. Чем более титулован папа, тем дороже его дети.

Воспитанники Киры регулярно уезжают с выставки с дипломами, и, как это ни странно, чемпионом из чемпионов является не интеллигентный Мартин, не избалованный Данди, а отвязный Василий. Судьи, как правило, приходят от него в восторг. Первые два пса спокойно получают свои награды, а на Васю вместе с Кирой кроме бумажек, призов и бранзулеток выливается еще и море судейского обожания. И есть один пикантный момент. Собаки, они, знаете ли, как люди, если кобельку не нравится предложенная дама, то хоть умри, он не станет проявлять к ней сексуальный интерес. Мартин слишком разборчив, из десяти «девушек» ему может приглянуться лишь одна. Данди капризен без меры, на выезде он «не работает», невест к нему приводят на дом, и наш Ромео на пару дней погружается в любовь. Сразу накидываться на Джульетту Данди не станет, начнет длительный период ухаживания, который не всегда завершается интимными отношениями.

А вот Вася! Тот готов к сексу всегда, ему безразличен рост, вес и внешний вид партнерши. Пару раз Василий по ошибке приставал к кошкам, за что был нещадно бит когтистыми лапами. А когда Кира купила себе сумочку из меха, Василий принял ее за особо податливую даму и решил осчастливить ее своим мужским вниманием.

На выставках за Васей нужен глаз да глаз. В позапрошлом году Кире дали место неподалеку от женщин, которые вместе со спаниелем приволокли еще и свою шарпеиху, так сказать, за компанию. Мы с Кирой замотались, и на короткий срок Васенька остался без присмотра. Вроде он мирно лежал на матрасике, никуда не отбегал, не покидал отведенного вольера, получил свои очередные чемпионские звания и отбыл в родные пенаты. Но спустя пять месяцев на очередную экспозицию наша бывшая соседка прихватила десять очаровательных шарпейчиков и стала бесплатно раздавать их в хорошие руки. Чем объяснить этот аттракцион неслыханной щедрости? Шарпеи дорогие псы, на продаже щенят можно отлично заработать. Однако назвать малышей стопроцентно породистыми было нельзя: у них оказались серо-черные висячие уши и пройдошисто веселое выражение морд.

— Поймать бы «папочку», он точно из спаниелей, — ругалась хозяйка, — да вручить его хозяйке половину «внуков». Десять штук! У моей Линды сроду больше одного не бывало!

Надеюсь, после всего вышесказанного вам стало понятно, что в одиночестве Кирке на выставку нельзя поехать. К тому же у нее нет машины: старая развалилась, на новую она пока не заработала. Три месяца назад я пообещала подруге свою помощь, и вот сейчас она, полностью готовая, поджидает меня, а я начисто забыла про «Спани-шоу».

Мне крайне неудобно покидать дом Груздева даже на короткое время, необходимо заглянуть в апартаменты старика, но подвести Киру невозможно. Если ее псы не покажутся на ринге, чемпионские титулы незамедлительно перейдут к другим спаниелям, а моя подруга лишится солидного заработка от продажи алиментных малышей. Как я уже объясняла, количество собачьих свадеб зависит от статусности жениха.

— Еду уже, — воскликнула я, — тут пробка, но скоро примчусь!

Кира встретила меня в состоянии почти истерического оживления.

— Голова, — стонала она, — о, голова! Катастрофа! Голова!

— Выпей цитрамон, — посоветовала я, собирая кучу вещей, сваленных у вешалки.

Человеку, который не имеет пса или не выставляет свою собаку, трудно представить, сколько всего надо прихватить с собой на соревнования. Поводки. Одни простые для того, чтобы спокойно добраться до отведенного устроителями места, и другие, из кожи, со стразами, вышивкой, аппликациями, они нужны для показа на ринге. Появление участника в первом, втором, третьем туре в одной и той же шлейке неприемлемо. Это все равно что целый год ходить в гости в дешевом платьишке из ситца.

Миска для корма, под воду и соответственно пара бутылок. На выставке лучше пользоваться исключительно тем, что привез сам, бывали случаи, когда фаворитов травили. Матрас и зонтик. Вполне вероятно, что вам достанется местечко на солнцепеке или, наоборот, пойдет дождь. Если шоу устроено под крышей, зонтик тоже не помешает. Зачем он нужен в здании? Ну так, на всякий случай. Любимая игрушка, корм, излюбленное лакомство, лекарства, расческа, щетка, гель, пудра, пара полотенец, фен, духи. Да, да, я не оговорилась, давным-давно придумали парфюм для собак, а заодно выпускается и лак для когтей.

— Голова! — причитает Кира. — Ох! Голова!

— Цитрамон, — повторила я, подхватывая сумки, — проглоти и перестань жаловаться.

— Не моя башка, а его! — со слезами в голосе пробормотала Кира и указала на Васю.

Я прищурилась, но ничего не увидела, Василий выглядел как обычно.

— Голова! — бубнила Кира.

— И что с ней? — не поняла я.

— Неужели ты не заметила кудрявости? — всплеснула руками Кира.

— Вроде торчит небольшой хохол, — признала я.

— Это не хохол, — возмутилась Кира, — а катастрофа! У спаниеля должно быть на макушке ровно. Он не пудель! Ваське не видать медалей! И откуда кучеряшки? Вчера ничего не было! Сегодня я посмотрела! Мама родная!

— Не впадай в панику, — велела я, — всего-то надо побрызгать Василия лаком.

— Уже, — захныкала Кира, — но не берет.

— Замазать гелем! — предложила я.

— Пыталась, шерсть дыбится, — зашмыгала носом Кирюша, — лучше вообще не ездить! Судьи такие сволочи! Если Васька сейчас проиграет, они ему в дальнейшем никакой медали не дадут, решат, что чемпион с горы съехал. Лучше пропустить шоу! Хотя это очень-очень плохо!

— Без истерики, — приказала я. — Воск пробовала?

Кира махнула рукой.

— Желе для жесткой фиксации? — продолжила я.

Подруга начала загибать пальцы.

— Клейкую ленту, холодец для волос, жидкий пластырь — все мазала, прыскала, напшикивала, сначала вихор укладывается, но спустя минут десять задирается вновь. Ужас!

— Остается одно, постричь шерсть, — посоветовала я, — покороче!

Кира поджала губы.

— Издеваешься? Щетина вздыбится! У спаниеля по стандарту гладкая голова с прямой шерсткой. Разрешен легкий завиток по краям ушей и внизу по туловищу. Но на макушке и спине шерсть должна быть идеально прямой! Ужас, ужас!

— Побрить наголо? — посоветовала я.

— Круто, — кивнула Кирка, — и вместо собачьей

выставки принять участие в шоу «Лучший бильярдный шар»? Беда! Катастрофа!

— Спокойствие! — отчеканила я. — Есть один способ!

— Только не предлагай налить Васе между ушей жидкий гипс, — простонала Кируся.

— Никогда не была сторонницей экстремальных методов, — улыбнулась я, — и после конкурса будет трудно снять с пса гипсовую «шапочку». Есть замечательное средство. Моя мама перед выходом на сцену всегда щедро обрызгивала волосы лаком «Цукерман». Поверь, даже кирпич, рухнув на укрепленную этим раствором укладку, отскочит, не повредив ее.

— Лак «Цукерман»? — в полнейшем недоумении произнесла Кира. — Где его купить? У нас времени в обрез.

Я побежала на кухню, приговаривая на ходу:

— Через пять минут лак будет в нашем распоряжении.

Глава 23

Советские женщины были на зависть креативны. Проявлять чудеса смекалки их заставлял полнейший дефицит хорошей косметики и разных средств по уходу за собой. Ни о каких муссах для укладки волос модницы годов этак семидесятых не слышали, но отлично знали, что, если смочить волосы пивом, а потом накрутить их на бигуди, локоны продержатся неделю. Правда, от головы будет слегка попахивать, но это уже малозначительная деталь. А вместо закрепителя для укладки использовалась сахарная вода. Раствор заливали в распылитель, получался лак «Цукерман». Если кто не понял, объясню, слово «цукер» в переводе с немецкого означает сахар.

— Ну и глупость ты делаешь, — изумилась Кира, глядя, как я старательно растворяю в теплой воде куски рафинада.

— Неужели твоя мама никогда ничего подобного не мастерила? — засмеялась я.

Кира замялась.

— Я росла в интернате, наши воспитательницы такими деталями не делились.

— Прости, пожалуйста, — смутилась я, — ты никогда не рассказывала о своем детстве.

Кира вздохнула:

— Неохота вспоминать. Когда мне исполнилось шесть, мать вышла замуж за отчима, а тот конкретно сказал: «Расписываюсь с тобой, но не с девчонкой, нажитой в подворотне. Кормить лишний рот не намерен». Мать подумала и сдала меня в приют, доверила мое воспитание государству.

— Разве при живых родителях можно поместить ребенка в детдом? — охнула я. — То есть я хотела спросить: неужели любая женщина, которая приведет дочь... вернее...

Кира сказала:

— Я тебя поняла. Мать не пила, по мужикам не шлялась, работала, имела стабильный доход. В советские годы можно было написать заявление: «Прошу временно поместить мою дочь в интернат в связи с тем, что...» А далее женщина указывала причину, объясняющую желание сбагрить малышку. Отъезд в длительную командировку. Плохое состояние здоровья. Напряженный рабочий график. Понимаешь?

Я молчала, а Кира вдруг улыбнулась:

— Не переживай. Это была отличная школа жизни, после нее я ничего не боюсь. Вообще. Смешно только, когда рассказы о тяжелом детстве от кого-то слышу. Был у меня когда-то парень, он всерьез злился на мать за ее привычку врываться к нему в комнату и кричать: «Солнышко, уже семь. Кто рано встает, тому бог подает». Андрей считал, что родительница таким образом его унижает. И еще очень забавно смотреть американские фильмы, в них иногда показывают семейные детдома и возмущаются: «Ах, ах, несчастные сиротинушки! Ну как им плохо! Каждая комнатенка размером со спичечный коробок, кормят макаронами и мясом, из фруктов одни яблоки с апельсинами!» Интересно, что бы сказали америкосы, засунь они нос в наш интернат? Я жила в пятиметровке с тремя девчонками, а на сорок человек у нас был один душ! Два сортира! Столовка в подвале, зимой там от сырости тараканы дохли!

Я почему-то забеспокоилась. Последние слова Киры показались мне очень важными. Но тут Вася залаял, и я начала аккуратно обмазывать его не пойми откуда появившиеся кудряшки липким составом.

Спустя короткое время из груди Киры вырвался вздох облегчения:

— Супер! Башка словно каток! Лампа, отломлю тебе кусок Васькиной медали. Погнали, иначе опоздаем.

Я намотала на запястье поводок Васи, схватила в объятия не желавшего самостоятельно ходить Данди и поспешила к машине. Кирка топала сзади. Она напоминала верблюда, который приготовился к многодневному переходу через пустыню, вся обвесилась тюками и сумками. Спасибо интеллигентному Мартину, который самостоятельно шагал к моей иномарке, тщательно обходя любое пятнышко грязи, попадающееся на пути.

«Спани-шоу» является частью масштабной выставки псов всех пород. Как правило, подобные мероприятия проходят в спортивных залах. Огромное пространство делят на ринги, куда судьи по очереди вызывают участников. Неподалеку от территории, где предстоит выступать под прицелом строгих глаз, расположены места для собак и их владельцев. Вы подходите к распорядителю, платите небольшой взнос и получаете квитанцию с номером вольера. Это своеобразная лотерея, можете устроиться очень удачно, вплотную к рингу, но есть вероятность получить и темный угол. Нам с Кирой не очень-то повезло, пришлось размещаться вплотную к территории мастиффов — огромных, размером с паровоз псов, которых я могу с легкостью использовать вместо пони. У этих собак крупные головы, лошадиные ноги, и смотрятся они устрашающе. Спаниели возле них выглядят как мыши. Будто назло, наш непосредственный сосед оказался особенно величественным экземпляром, и вдобавок он не сидел в клетке, а лежал рядом на матрасе.

Едва мы с Киркой скинули на пол торбы, как хозяйка мастиффа воскликнула:

— Не шумите, Фил нервничает!

На мой взгляд, мастифф напоминал истукана, он даже не моргнул, когда переполненный эмоциями Василий начал лаять, но владельцы собак на выставках бывают порой хуже своих питомцев.

Хозяйка мастиффа оказалась из рода крайне истеричных особ.

— Филя, котик, — задергалась она, — не смотри на эту тупую спаниелину! Она сейчас тебя разволнует.

Мы с Кирой переглянулись, но никак не отреагировали на хамство дамы. А та решила развязать военные действия. Сначала ей показалось, что матрасик Мартина слегка заехал на ее территорию, затем ее возмутил лак, которым Кира начала обрызгивать Данди.

— Эй, вы там, поосторожней! У Фила начнется аллергия!

Следом тетка потребовала у Киры выключить фен, прекратить греметь медалями, не шуршать пакетами, не ходить взад-вперед, не шевелиться, не моргать, не дышать.

Через десять минут я рассвирепела, набрала побольше воздуха в легкие, желая достойно ответить этой сумасшедшей, но тут Фил сел, повернул здоровенную морду к хозяйке и оглушительно произнес:

— Вау!

Мастифф не лаял, он просто высказался один раз. С большой долей вероятности его речь следовало перевести так:

— Заткнись!

Самое интересное, что скандалистка тут же прикусила язык и не произнесла более ни слова. Разобравшись с владелицей, мастифф осторожно зашел на нашу территорию, боднул гигантской головой Кирку, меня, облизал Мартина, Данди, Васю, а потом выразительно покосился на упаковки сырных дропсов, вожделенного собачьего лакомства.

Я вытряхнула из тубы две конфетки и спросила у хозяйки:

— Можно угостить вашего очаровательного мальчика?

Тетка неожиданно улыбнулась:

— Меня зовут Таня. Не бойтесь Фила, он никого не тронет.

— Скорей уж мы вас испугаемся, — ляпнула Кирка.

Таня не обиделась:

— Я нервничаю очень. Вдруг Филу последнее место присудят!

Мастифф глянул на Татьяну и шумно вздохнул.

— Спаниели с пятнадцатого до двадцать восьмого номера вызываются на ринг «Б», — пропело радио.

Я подхватила Данди и покрепче вцепилась в поводок Васи, Кирка повела Мартина.

— О! Мяо но? — восхитился судья при виде меня. — Соу ноу?

Арбитры на крупных соревнованиях теперь часто иностранцы, а в моем образовании есть пробелы, — я не владею китайским. Мужчина же, который оценивал по достоинству участников, судя по внешности, прибыл из Поднебесной.

— Бео ля? — спросил он.

Я на всякий случай кивнула.

— Нео мей? — продолжал китаец.

— Че он хочет? — занервничала Кира.

— Понятия не имею, — фальшиво улыбаясь, ответила я, — но арбитру нужно понравиться.

— Нео мей? — повторил человек из страны шелка, фарфора и лучших махровых полотенец.

— Нео, нео, — закивала я.

Китаец начал озираться, похоже, он искал переводчика, но того рядом не наблюдалось, и судья продолжал:

— Кео иза?

— Иза, иза, — радостно воскликнула Кира, решив подлизаться к дядечке, который выдает медали.

— Бьютифул! — обрадовался судья. — Ду ю спик инглиш?

— Ноу, — ответила я, — ихь... э... ихь...

Все немецкие слова, когда-то вбитые в голову девочки Романовой замечательной учительницей Красновой, напрочь вылетели оттуда. А ведь говорила мне Наталия Львовна:

— Овладевай как следует языком, в жизни пригодится!

Я сосредоточилась и вдруг отрыла в глубине памяти искомое выражение:

— Ихь бин кранк![1]

Китаец заулыбался и закивал абсолютно лысой головой:

— Ай донт парле английский[2], — ответила Кира.

— Вери найс, — сверкнул лысиной китаец, — зам дней? О'кей?

— О'кей, — на всякий случай согласилась я, — о'кей!

Арбитр достал из кармана три конфетки, завернутые в бумажки, и подал их мне.

— Нем-нем!

— Он предлагает тебе угоститься, — бойко перевела Кира, — слопай угощение, а потом благодари и кланяйся.

— Есть совсем не хочется, — закапризничала я.

— А кто тебя спрашивает? — возмутилась Кира. — Непременно жри, смотри, он уже не лыбится.

— Давай поделим их пополам, — предложила я.

— Забыла про мой диабет? — хмыкнула Кира. — Из-

---

[1] Ich bin krank — я больна.

[2] Я не говорю по-английски. — Кира коверкает фразу, она произносит глагол на французском, «английский» — по-русски.

вини, но хавать бонбончики придется тебе. Ну, пожалуйста, Лампуша! Говорят, восточные люди злопамятны, обидчивы и мстительны. Ты откажешься, а он наших спаниелей засудит. Ну, ам-ам! Смотри, у дядьки лысина краснеет! Похоже, он злится!

Что мне оставалось делать? Я осторожно развернула бумажки и засунула в рот темно-коричневые конфеты.

— Вкусно? — с интересом спросила Кира.

— Офигительно, — ответила я, — кушанье на редкость отвратительно, не шоколад, не карамель, не ириска, не помадка...

Слова закончились.

— Из чего лакомство? — не поняла подруга.

— Не знаю, — вздохнула я, — ни разу не пробовала ничего подобного.

Пока мы с Кирой обсуждали иноземные конфеты, глаза судьи из узких стали круглыми, и он заверещал:

— О! Нео узи, бр-р, дза! Дза! Дза! Ин-ин!

— Слушай, мы его расстроили? — испугалась Кира.

— Или, наоборот, обрадовали? — предположила я.

— Ин-ин! — замахал руками арбитр.

И тут, на наше счастье, появилась девушка, которая, запыхавшись, сказала:

— Я Лариса, переводчик, простите, попала в дикую пробку. Вы уже договорились?

— Как еж с попугаем, — ответила Кира, — ну-ка переведи нам, чего хочет судья?

Лариса бойко зачирикала на китайском, потом примолкла и захихикала.

— Очень смешно? — разозлилась Кира.

— Ага, — честно призналась Лариса. — Ван Ли в шоке, он угостил собачек лакомством, а она не дала его спаниэлям, сама схомячила!

— Конфеты предназначались псам? — обалдела я.

Ван Ли разразился залпом слов.

Лариса скрестила руки на груди.

— Он предложил спаниэлям особые биоконфеты, их производят из саранчи, червей Джеда и гусениц...

Карамельки, упавшие в мой желудок, сделали попытку подняться вверх по пищеводу.

— Спасибо, — остановила Ларису Кира, — необязательно в деталях сообщать их состав.

Но Ларису уже было не остановить:

— ...и кузнечиков. Насекомые — кладезь отличного белка, — зачастила она, — никаких ароматизаторов внутри нет. Если вам самим понравилось угощение, Ван Ли с удовольствием даст еще.

— Ням-ням? — радушно предложил китаец.

Я усиленно пыталась справиться с тошнотой, а Кира зачастила:

— Ноу ням-ням! У Лампы ярко выраженная аллергия на червей Джумбо.

— Джеда, — занудно поправила Лариса и перевела китайцу Кирины слова.

Ван Ли зацокал языком, вынул из кармана своей курточки баллончик и заквохтал:

— Бирлирнео!

— Теперь-то чего? — вздохнула Кира.

Лариса вскинула голову.

— Он просит вас открыть рот, говорит, никогда не встречал людей с патологической реакцией на червей Джеда, он хочет вам помочь.

Испытывая те же ощущения, что и зайцы, увидевшие охотника с ружьем, я покорно исполнила приказ. Китаец нажал на распылитель и вновь произнес похожий на чириканье монолог.

— Ну как? — заботливо спросила Лариса.

— Нормально, — кивнула я, — слегка отдает ментолом.

— Однако странно, — изумилась девушка.

— Почему? — не поняла Кирка.

— Вчера, когда Ван Ли напрыскал это в пасть моему начальнику, его унесли в корчах, — ответила переводчица. — Фу! Откуда здесь столько мух? И осы! Почему они осенью не спят?

Тоненький пальчик Ларисы ткнул вниз, я переместила взор на собак и ойкнула. Над спаниелями завис жужжащий рой. Вернее, мухи роились исключительно над головой Васи. Мартин отошел чуть в сторону от товарища, а Данди предпочел сесть на туфли Киры. Наш капризник ни за какие коврижки не разместит свою драгоценную попу на голом полу.

— Господи! — всплеснула руками Кирка. — Почему твари налетели на Васеньку?

Я обозрела отчаянно щелкающего зубами Василия, пытавшегося слопать назойливых насекомых, и вспомнила про лак «Цукерман», который отлично закрепляет волосы. Макушка Васьки сейчас смахивает на гладко залитый каток, ни одна не положенная по стандарту кудряшка не топорщится ежом. Погода великолепная, от башки пса несет сахарным раствором. Стоит ли пояснять, отчего сейчас вокруг бедного будущего чемпиона нарезают круги насекомые. Лучше мне стоять тихо. Да и язык мой вроде как онемел. Орган без костей покалывают тысячи крохотных иголочек, а внутри он словно заледенел.

— Проблема? — с интересом осведомилась Лариса. — Что, говорить не получается? Это спрей Ван Ли.

Глава 24

Из моих глаз потоком хлынули слезы, из груди вырвался кашель.

— Нео бам, — затараторил Ван Ли, — бам бамбао!

— Надо потерпеть, — перевела Лариса, — Ван Ли нейтрализовал действие червя Джеда. Ваша аллергия не развивается.

Я мужественно старалась справиться с неконтролируемым слюнотечением.

— Пшик-пшик, — сказал китаец, — вери найс пшик-пшик.

Я наконец-то сумела сглотнуть. Да уж, «пшик-пшик» у китайца убедительного действия, его можно использовать вместо оружия, сейчас у меня во рту не осталось никаких ощущений, все онемело.

— Не переживай, — по-свойски похлопала меня по плечу Лариса, — к вечеру начнешь различать, где сладкое, где горькое.

Прозвучал гонг, мы с Кирой, мигом позабыв про идиотское происшествие с конфетами, бросились на ринг с такой скоростью, что орава мух отстала. По дороге нам попался непонятно как очутившийся в квадрате спаниелей мастифф Фил, который не преминул приветливо облизать голову Василия.

Начались соревнования. Мы шеренгой кружили по рингу. Ван Ли улыбался и, указав на какого-либо пса, приказывал:

— Гоу хом!

Хозяева, не скрывая разочарования, удалялись. В конце концов нас осталось трое, Кирка, я и девушка в клетчатой рубашке. Ван Ли встал напротив нашей малочисленной группы и зацокал языком:

— Бьютифул! Вери-вери найс! Догс вери найс!

— Май нейм из Галя, — решила сообщить владелица нашего конкурента.

Несмотря на тотальное невладение ни одним из иностранных языков, я сообразила, что сказала хозяйка пса, и решила последовать ее примеру:

— Май найм Лампа!

— Вери-вери найс, — протянул Ван Ли, — вери, вери.

Глаза арбитра перемещались от одного спаниеля к другому. Китаец впал в глубокую задумчивость. Было понятно, ему нравятся все оставшиеся на площадке собаки, но ведь предстоит выбрать одну! Ван Ли уставился на Данди и зацокал языком.

— Хорошо бы он засудил моего Чарлика, — тихо бормотнула Галя.

Я поразилась до глубины души и еле слышно спросила:

— У тебя нет желания уехать отсюда с медалью?

Ван Ли присел около Данди и забормотал какие-то непонятные слова.

Галя переминалась с ноги на ногу.

— Чарли пес моей свекрови. Если он отсюда без бронзулетки уедет, то больше мне не придется таскать его по рингам! А ты хочешь медальку?

— Да, — честно призналась я.

— Тогда незаметно пригладь своему кудряшки, — посоветовала Галя, — не стандарт получается, китаец тебя вышибет, награда достанется Чарли, а мне этого не надо.

Я скосила глаза на Василия и ахнула. На макушке спаниеля бойко курчавилась шерсть. Ну почему? Лак «Цукерман» до сих пор никогда не подводил! Может, нынешний сахар потерял липкость? Недоумение сменилось пониманием. Мастифф Фил! Вот кто виноват в произошедшем! Перед выходом на ринг мы столкнулись с огромным добродушным соседом, а тот от полноты, как мне показалось, чувств облизал голову Васи. Язык у Фила размером напоминает плед, ясное дело, он в секунду развалил Васькину прическу. Лишь сейчас до меня дошло: мастиффа привлек запах рафинада, вот почему он демонстрировал такую нежность.

Пользуясь тем, что Ван Ли никак не хотел отойти от Данди, я быстро присела и погладила макушку Васи. Шерсть покорно улеглась, из моей груди вырвался вздох облегчения. Слава богу, проблема решена, на башке еще осталось немного липкого раствора.

Китаец выпрямился и, подойдя к Мартину, завел:

— Бьютифул, вери-вери найс.

Я украдкой глянула на Васю и похолодела. Между ушами спаниеля словно вырос одуванчик.

— Немедленно плюнь ему на лысину, — шепнула Галя.

Я посмотрела на гладко отполированную голову Ван Ли и, понизив голос до минимума, спросила:

— Ты уверена, что это поможет?

— А что еще можно сделать? Давай скорей, иначе твой спаник останется в лузерах, — бубнила Галя, — ну!

— Как-то неудобно, — засомневалась я.

— Хочешь пролететь как фанера над Парижем? — зачастила Галя. — Вот человек! Из-за тебя Чарли выбьется в лидеры, моя свекровь вечеринку закатит! Мне придется потом посуду мыть! Ну же! Не тормози! Ну! Ну!

Науськанная Галей, я собралась с духом и плюнула прямо на макушку Ван Ли. Китаец вздрогнул и поднял голову, Галя издала кудахтающий звук и присела на корточки. Ван Ли посмотрел прямо мне в глаза, потом спросил:

— Куси, куси?

Что ответить арбитру, который определенно задает вопрос: «Зачем вы на меня плюнули?»

Я яростно затрясла головой:

— Ноу, ноу.

— О, иес, — улыбнулся Ван Ли.

Арбитр выглядел невозмутимым, но я читала Абэ Кобо и знаю, что мужчины-азиаты никогда не теряют лица, на их устах всегда играет приветливая улыбка. Правда, Абэ Кобо был японец, но ведь Страна восходящего солнца где-то неподалеку от Поднебесной, наверное, у них одни порядки. Или я ошибаюсь? И у этих государств нет общей границы? Мне стало совсем нехорошо. Милая на первый взгляд Галина оказалась коварной интриганкой! Ее слова про нежелание видеть Чарли на верхней ступени пьедестала — гадкая ложь. Она решила устранить конкурентку, оттого и посоветовала владелице возможной собаки-победительницы совершить эпатажный поступок. Ну и как оценит Ван Ли Васю, если учесть то, что сейчас проделала я?

— Иес, иес, — кивал китаец.

— Ноу, ноу, — почти в обмороке возражала я, — ищь бин ништь вам плевать! Ништь! Ай донт! Ноу! Невер! Жамэ! Никогда! Нет!

Ван Ли поманил пальцем помощницу и выдал короткую реплику. Лариса метнулась к столику, схватила зонтик, раскрыла его над китайцем и вздохнула:

— Какие иностранцы капризные! Он решил, что идет дождь! Это под крышей-то!

Я перевела дух, вспомнила про Васю, испугалась, глянула на спаниеля, но поняла, что поздно, арбитр уже навис над основным претендентом на первое место. Галина с самым невинным выражением на лице стояла около Чарлика.

Ван Ли выпрямился и ткнул пальцем в Васю:

— Иес! Намбер уан!

Затем он указал на Данди и Мартина:

— Намбер ту энд фри! Сорри!

Последнее слово относилось к Гале. Кирка завизжала от восторга, я посмотрела на Васю и не поверила своим глазам. Макушка спаниеля была абсолютно гладкой.

— Ну ты сильна! — засмеялась Галина, уводя Чарли с ринга. — Плюнула на судью! Кому сказать, не поверят!

— Ты сама посоветовала! — возмутилась я. — Кто сказал: «Плюнь ему на лысину»? Хотя, как ни странно, твой странный совет изумительно подействовал! Васины кудряшки прилипли к черепу. Ну как это возможно?

Галя начала хохотать, в промежутке между приступами истерического смеха она говорила:

— Я велела тебе плюнуть на голову спаниеля! Думала, его хохол пригладится. Когда Ван Ли решил, что начался дождь, я нагнулась и пришлепнула вихор твоей собаки. У меня ладошка липкая, я в ней мармелад для Чарлика держала. Слава богу, это сработало! Ой, не могу!

Я почувствовала себя дурой и пролепетала:

— У Ван Ли совсем нет волос, а ты говорила про лысину!

Галя промокнула рукавом выступившие на глазах слезы:

— Ну это же просто так! Неужели ты не поняла, что под лысиной имелась в виду башка твоего Василия?

— Нет, — честно призналась я.

Галина схватилась за живот, согнулась пополам и утянула Чарлика в толпу. Откуда ни возьмись, материализовался мастифф и кинулся к Василию. Огромный язык Фила начал быстро облизывать новоявленного чемпиона, от которого теперь зазывно пахло липким мармеладом, но мне уже было все равно. Сейчас Вася может напоминать кочан декоративной курчавой капусты. Медали присуждены, обратного хода решение судьи не имеет. Жаль, что здесь не вручают дипломы за глупость. Ей-богу, мне бы точно достался Гран-при!

Когда я подъехала к дому Груздевых, мое сердце затряслось, словно заячий хвост. Во дворе стояло много машин: «Скорая помощь», седан Макса, легковушка нашего приятеля, следователя Леонида, малолитражка Герасима, темно-синий мини-вэн и старенькая «девятка»! Ноги задрожали. Я бросилась в дом и налетела на Тамару, которая стояла в холле, обхватив себя руками за плечи.

— Что случилось? — спросила я.

— Жуть, — пролепетала Тома, — она... его... Хрясь! Хрясь! Потом... ее! Крови море! Фонтан! Она с ума сошла! О!

— Лампа, — сказал Макс, выходя в прихожую, — что у тебя с телефоном? Я не смог дозвониться.

Тут только я вспомнила, что отключила перед выходом на ринг сотовый, а уехав с выставки, забыла его оживить.

— Прости, — залепетала я, — отлучилась ненадолго. А что здесь произошло?

Макс рассказал мне новости.

Наташа, жена Антона, похоже, совсем лишилась рассудка. Днем — точное время никто из присутствующих назвать не мог, — она вошла на кухню и открыла холодильник. Старик Груздев немедленно разозлился и задал ей вопрос:

— Зачем лезешь?

— Надо, — коротко ответила Ната.

— Захлопни, — приказал отец.

— Не хочу, — нагло ответила всегда послушная дочь.

— Не смей спорить с отцом! — вступила в беседу мать.

Кроме семьи Груздевых, в тот момент на третьем этаже находились еще Тамара, Оля и Сандра. Последняя сидела в туалете, она не видела того, что произошло. Выскочила из санузла, услышав дикие вопли Антона и Томы, но и без нее свидетелей происшествия оказалось достаточно. Правда, Тамара не смогла ничего сказать, ей сразу стало дурно, она убежала вниз, затаилась в прихожей, где я с ней и столкнулась. В суматохе про нее все позабыли. Но Оля, на удивление, сохранила самообладание, она бросилась к Зяме, а тот немедля позвонил Максу.

Москва погибает в пробках. Пока муж добрался до базы, прошло немало времени, но на кухне все осталось в нетронутом состоянии. На полу лежали два трупа: Наташа зарезала острым шеф-ножом сначала отца, а потом мать. Молодая женщина испытала невероятный приступ ярости. Она действовала, как хорошо обученный киллер. Старику Груздеву одну из ран нанесла прямо в сердце, его жене недрогнувшей рукой перерезала горло.

Макс вызвал Леонида, спецбригаду и решил зайти в комнату Наташи. Мой муж ни на секунду не сомневался: убийца давным-давно сбежала, у нее имелась масса времени для побега, но Нату обнаружили на кровати. Она спала, даже не удосужившись вымыть руки и не сняв окровавленную одежду. Рядом с преступницей на матрасе лежал тот самый нож.

— С ума сойти, — прошептала я. — Но почему она так поступила? Что произошло? Мне Наташа не показалась агрессивной, наоборот, в момент нашего посещения кафе она выглядела запуганной, боялась даже притронуться к эклеру. Хотя...

— Хотя что? — поторопил меня Макс. — Говори.

Я потрясла внезапно заболевшей головой.

— Я общалась с Наташей несколько раз. Как-то поднялась на кухню, а она нападала на Антона, придиралась к нему, была крайне недовольна неумением супруга зарабатывать деньги. Потом я узнала, что старик Груздев использует дочь и зятя в качестве дармовой рабочей силы. Вроде платит деткам копейки за службу, но тут же отнимает их в качестве платы за жилье и еду. Почему Ната требовала от Антона деньги? Она что, не знала, как у них в доме заведено? Через некоторое время я столкнулась с Наташей в прихожей, но это уже была другая женщина. Ни малейшей агрессии, напора, уверенности. Только униженность, забитость и желание угодить.

Макс сообщил:

— В письменном столе старика Груздева я нашел историю болезни дочери. Наташа страдала биполярным расстройством. Она ранее посещала психиатра, принимала соответствующие лекарства.

— Маниакально-депрессивное состояние, — пробормотала я.

— Знаешь, что это такое? — поинтересовался Макс.

— В общих чертах, — ответила я, — больной словно раздваивается, подвержен резким перепадам настроения. То излишне активен, то впадает в глубочайшую депрессию. Радуется жизни, способен запланировать сто встреч на один час, а через сутки валится в кровать и не шевелится.

— Довольно точное описание, — похвалил меня Макс. — В принципе такого человека вполне возможно удерживать в состоянии равновесия. Ему необходимо принимать соответствующие таблетки. Но Наташа, похоже, их не пила, в доме медикаментов не найдено.

— Пилюли дорогие, а денег нет, — предположила я. — По почему родители не озаботились состоянием дочери?

Макс взъерошил волосы.

— Тут такая ситуация. Наталья не родная дочь Груздевых. Ее удочерили совсем малышкой. Первые признаки психиатрического заболевания у девочки появились в подростковом возрасте. Врач, к которому обратился старик Груздев, похоже, был хорошим специалистом, но он скончался, когда Наташе исполнилось двадцать лет. Более Михаил Матвеевич ни к каким докторам дочь не водил.

Я вздохнула:

— И почему это меня не удивляет? Готова поспорить, что любящий папаша не платил за лечение денег, доктор пользовал Наташу бесплатно, а когда он ушел из жизни, Груздев и не подумал обратиться куда-нибудь еще! Ладно, с лечением несчастной более или менее ясно. Груздев мог отвести дочь в диспансер, где ей выписали бы рецепты. За визит к бесплатному врачу раскошеливаться не надо, но потребуется пойти в аптеку. Не представляю, сколько могут стоить препараты для лечения биполярного расстройства, но предполагаю, что это не копейки.

— Груздеву было жалко и медной монетки, — мрачно напомнил Макс.

— Сплошные странности, — сказала я. — Зачем они взяли на воспитание девочку?

— Обычная практика для бездетных пар, — пожал плечами Макс. — Хотят ребенка, а свой не получается.

— Груздевых нельзя назвать любящими родителями, — заспорила я. — Скрягами не становятся, ими рождаются! Судя по найденной мною на чердаке одежде, Михаил Матвеевич с давних пор копил даже сношенные тряпки. И на тебе, новый сюрприз — в сундуках полно детской одежды разных размеров и видов!

— Они хотели получить бесплатную прислугу, — перебил меня муж. — Брали девочку с расчетом на то, что она, став чуть постарше, будет ухаживать за папочкой и мамочкой. Что, в конце концов, и получилось.

— Одежда, — бормотала я, — почему скряга приобретал несколько платьиц? Не в его привычке тратить деньги! Маленькой Наташе с лихвой бы хватило на лето сарафанчика, а на зиму халата из байки. А наверху много одежды, плохой, дешевой, уродливой, но целый ассортимент! И зачем Груздеву наряды для мальчиков?

Макс хмыкнул:

— Понятия не имею.

— Согласись, это странно, — не успокаивалась я, — одна Наташа и гора шмоток, в том числе мальчуковых.

— Забирали у знакомых, — выдвинул свою версию Макс. — Многие люди не могут выбросить хорошие вещи, но они им не нужны, поэтому они отдают всякие там штаны-рубахи-юбки знакомым. Старик патологически скуп, вот и забирал, а потом складировал.

— Что-то мне здесь не нравится, — бубнила я. — А где Антон?

— Ему стало плохо, — пояснил Макс, — его отправили в больницу, он в обморок упал. Да кто бы на ногах устоял, увидев, что натворила жена!

— Ужасно, — еле слышно сказала я, — наверное, надо сообщить его матери. Она живет тут неподалеку. Дом стоит на другой стороне МКАД, надо лишь перейти дорогу по переходу.

— Откуда ты знаешь? — удивился Макс.

Я рассказала о безуспешных попытках Антона продать «покойника» и прибавила:

— Номер квартиры я не выяснила, но женщину с фамилией Лидияалексеевская легко отыскать. Вроде ее зовут Нина Егоровна.

— Лидияалексеевская? — повторил Макс. — Мда.

— Странные бывают фамилии, — кивнула я.

Макс вытащил из кармана наладонник, соединился с одной из своих сотрудниц и велел:

— Лена, живенько выясни паспортные данные родителей Антона Пулкова. Ага, секунду, записываю.

Глава 25

Пока муж водил тоненькой палочкой по экрану телефона, мои мысли перекинулись на другую тему. Что будет с конкурсом красоты? То, что Наташа зарезала родителей, скрыть не удастся. Думаю, сейчас около коттеджа Груздева уже собираются представители СМИ всех мастей, фотоаппараты вынуты из чехлов, ноутбуки открыты. Завтрашние выпуски газет украсят «шапки» вроде «Смерть среди красавиц» или «Нож в сердце матери». Представляю себе реакцию Капы, которая вложила в шоу громадные деньги. Хотя моя свекровь навряд ли прервет состязание, Капитолина не из тех, кого на пути к достижению цели остановит такая «мелочь», как два трупа. Вернее, три — не стоит забывать о Лене, которую отравила Оля. Да, племянница Тамары не хотела смерти соперницы, но она убила девушку. А еще я уверена, что Ольга — родная дочь стилиста: ну не станет тетка так защищать племянницу. На отчаянные поступки, как правило, готовы исключительно родные мамы. И где Катя? Мне необходимо проверить слова Тамары про возможность открыть решетку в последней комнате первого этажа. Катерина банально сбежала? Почему? Что ее напугало? Или девушка бросилась к любимому? Может, у нее есть жених, который велел ей немедленно прекратить участие в конкурсе?

— Мать Антона зовут Нина Егоровна, — сказал Макс, закончив беседу со своей подчиненной, — и она...

— Ты хорошо проверил Катю? — перебила я мужа.

— В смысле? — не понял Макс.

— Позвонил ее родителям, побеседовал с женихом, — зачастила я, — порасспрашивал подруг? Вероятно, девушка сбежала. Мы были уверены, что она затаилась в доме, но вдруг Катя незаметно выбралась?

— Красавица не москвичка, — пояснил Макс, — живет на съемной квартире. Вернее, в «трешке» занимает одну комнату. Я только сегодня за пару минут до звонка Зямы выяснил имена ее соседок, они тоже модели, Вера и Сандра. Вера уезжала из города, вернулась сегодня рано утром, а...

— Сандра, — подпрыгнула я, — редкое для России имя! Думаю, это наша.

— Точно, — не стал спорить Макс, — наверное, мать девчонки начиталась любовных романов и назвала новорожденную в честь одной из героинь. Иных причин не вижу, потому что, пока ехал сюда по пробкам, успел узнать, что Сандра родом из города Манска, а среди ее родственников сплошные Маши, Тани и Саши. Ей-богу, некоторым матерям нужно сначала крепко подумать, а уж потом нарекать своих отпрысков.

— Если Сандра и Катя жили в одной квартире, значит, они дружили! — предположила я. — Жилье на паях снимают лишь те, кто испытывает друг к другу симпатию. Но я ни разу не видела, чтобы девушки на базе общались между собой. Вне конкурсных занятий они почти не разговаривали и не походили на хороших знакомых.

— Ну какая дружба в конкурсной обстановке? — усмехнулся Макс. — Знаешь, что мне кажется странным? Ну, в самом доме?

— Он весь идиотский, — буркнула я, — вспомнить хотя бы единственный сортир под крышей! Ладно, пусть один туалет, но почему не разместить его около душевой? Или, на худой конец, в коридоре второго этажа, поблизости от спален?

— Здесь отсутствует гостиная, — неожиданно произнес Макс.

— Ты о чем? — не поняла я.

Муж почему-то понизил голос:

— Дом сдают под свадьбы, юбилеи и всякие двухдневные мероприятия. Торжества проходят в большом зале, там ставят столы, устраивают танцы, а на возвышении играет оркестрик и выступают нанятые артисты. Но где телевизор?

— Телевизор? — переспросила я. — Зачем он?

— Кино смотреть, — уточнил муж.

— И много ты встречал людей, которые во время пьянки включают информационные программы? — хмыкнула я.

— Сколько я ни жил в гостиницах, и больших, и крохотных, там всегда есть местечко с диваном, креслами и теликом, — не успокаивался муж, — и в ресторанах-кафе тоже.

— Вспомни про жадность старика, — сказала я, — небось он посчитал, что подобное развлечение лишнее. Спорю, в жилой половине хозяев спартанские условия.

— Анна, Наташа и Антон жили в чуланчиках с минимумом мебели, — согласился Макс. — Сейчас там спецбригада осматривается. А вот сам Михаил Матвеевич обитал в отлично обставленных апартаментах: ковры, хорошая мебель, шелковое постельное белье, холодильник с деликатесами.

— Вы вошли на половину старика! — обрадовалась я и тут же сникла. — Но, похоже, Кати там нет.

— Нет, — ответил Макс. — Сейчас самым тщательным образом осматриваем весь дом. Но ты не дала мне договорить. Мать Антона зовут Нина Егоровна, вот только...

Дверь в спальню распахнулась без стука, в комнату влетел взъерошенный паренек и громко сказал:

— Там ребята вроде нашли кое-что, кажется, подвал!

— Толя, — остановил юношу Макс, — для начала познакомься с Лампой.

— Здрассти, — опомнился вошедший.

— Лампа, это Анатолий, — представил его Макс, — мой новый помощник, пока находится на испытательном сроке. Толя, это Лампа, ведущий детектив от нашего агентства на этом деле.

— Очень рад, — кивнул Толя, — о вас все говорят!

— Да ну? — удивилась я. — Не являюсь ни попзвездой, ни актрисой из сериала. Какой смысл обсуждать обычную женщину? Насколько знаю, в доме нет подпола. Я вынудила Антона устроить для меня экскурсию по зданию. Он показал мне все чуланы, кладовки и в конце концов рассказал про личные апартаменты старика, но муж Наташи утверждал, что дом стоит на цельном бетонном фундаменте.

— Нет, — возразил Анатолий, — там есть люк, только он тщательно заделан. Вскрывать?

— Конечно, — кивнул Макс.

Я встала и хотела направиться к двери.

— Вам лучше туда не ходить, — заботливо сказал Анатолий, — шуму будет! И грязи!

— Верно, — согласился Макс, — посиди в спальне.

— Думаю, в подвале хранится нечто очень интересное, — протянула я, — иначе почему Антон отрицал наличие в доме этого помещения?

— Герасим предположил, что люк заварили давно, — вмешался в нашу беседу Толя.

— Вероятно, Антону были известны не все тайны дома, — вздохнул Макс, — кое о чем он и понятия не имел. Как только поднимем крышку, я тебя кликну. Лучше поболтай пока с Сандрой, порасспрашивай про Катю.

— Ладно, — согласилась я, собралась пойти искать девушку и притормозила на пороге: — Все тут очень странно.

— Да уж, — кивнул Макс, — мне здание все больше и больше напоминает...

Муж замолчал.

— Что напоминает? — спросила я.

— Так, ерунда, — отмахнулся Макс.

— Мы упустили какие-то детали, — протянула я. — В столе Груздева найдена история болезни его приемной дочери, страдавшей с пятнадцати лет биполярным расстройством. Девочку лечил друг Михаила Матвеевича и, как мы думаем, бесплатно. Но лекарства! Что она пила?

— Ноофазол![1] — отчеканил Макс. — По бумагам выходит, что она его принимала много лет, а когда доктор умер, лечение прекратилось. Я навел справки, врач существовал в действительности, и он покойник.

_____

[1] Из этических соображений автор не указывает подлинные названия препаратов, которые психиатры прописывают людям с биполярным расстройством.

— Наверное, препарат дорогой, — протянула я, — странно, что Михаил Матвеевич его вообще покупал!

— Ну он же не совсем дурак, — нашел объяснение Макс, — небось понимал, что дочь может проявить агрессию, заботился не о ней, а о своем спокойствии!

— Антон упомянул, что в последние дни у Наташи стало резко меняться настроение, — вздохнула я. — Не понимаю, по какой причине старик не пошел в аптеку.

— Денег пожалел, — ответил Макс.

— Не захотел себя обезопасить? — протянула я. — Раньше приобретал ноофазол, а сейчас пожалел денег? Это нелогично.

— Вероятно, доктор давал приятелю таблетки бесплатно, — предположил Макс. — Иди, поболтай с Сандрой.

Конкурсантка обнаружилась на кухне, она стояла спиной ко входу и рылась в холодильнике.

— Привет! — воскликнула я.

Девушка дернулась и уронила коробочку с плавленым сыром.

— Извини, не хотела тебя напугать, — произнесла я.

Сандра захлопнула дверцу.

— Всё нормально. Просто я нервничаю.

— После того, что здесь случилось, это неудивительно, — кивнула я. — Вас, наверное, забыли покормить обедом.

Сандра кивнула:

— Еды тут вообще мало дают. Я не в упрек говорю, мне-то чем меньше, тем лучше, я быстро поправляюсь. Но на нервной почве всегда на жрачку пробивает. Прямо стыдно: все аппетита лишились, а у меня желудок бунтует!

— Ешь, пожалуйста, — улыбнулась я, — не обращай внимания на других. Это индивидуальная реакция организма, она неконтролируема.

Сандра вытащила из ящика нож, достала из хлебницы не особенно свежий батон, соорудила бутерброд и протянула мне.

— Берите.

— Нет, спасибо, — отказалась я, — я как раз лишаюсь в момент стресса всякого интереса к пище. Катерина как себя вела при стрессе? Зажевывала неприятности, заедала их пирожками или начинала пить одну воду?

Сандра вцепилась зубами в ломоть хлеба, щедро намазанный маслом, и с набитым ртом проговорила:

— И откуда мне это знать?

Я решила сократить прелюдию к разговору и сразу расставила все точки над i.

— Вы ведь вместе снимали квартиру?

Модель замерла, потом задала глупый вопрос:

— Откуда вы знаете?

— От верблюда, — не сдержалась я, — шла по коридору, мне навстречу милое двугорбое животное, оно положило голову мне на плечо и сказало: «Побеседуй с Сандрой. Девушка расскажет много интересного про Катерину».

Сандра покраснела, быстро дожевала и принялась сооружать новый бутерброд, бормоча:

— Я жуткая обжора!

— Нет, ты просто сильно нервничаешь, — вздохнула я. — Скажи, где сейчас Катя?

Сандра молча уничтожала еду.

— Лучше ответь честно, — посоветовала я, — если надеешься получить первое место в конкурсе, то...

Модель не дала мне договорить:

— Вы все знаете?

Вопрос меня очень удивил. Что такого, по мнению Сандры, мне известно? Но я решила подыграть девушке.

— Слышала поговорку: «Тайное всегда становится явным!»

Сандра отступила к подоконнику.

— Так чего вы спрашиваете? Конкурс продолжат? Меня не выгонят? Мы ничего плохого не сделали! Катюха предложила, а я не отказалась. Вот вы бы согласились?

— Смотря на что, — обтекаемо ответила я.

Сандра опустилась на корточки, я последовала ее примеру. Старик Груздев не поставил на кухне даже завалящей колченогой табуреточки, не хотел, чтобы люди задерживались в непосредственной близости от холодильника. А то еще посидят-посидят и съедят все его содержимое.

Сандра прижала подбородок к груди и захныкала:

— Вам хорошо! В Москве живете! Квартира есть! Работа! А я из Манска.

— Хороший городок, — кивнула я, — спокойный.

Сандра плюхнулась на пол.

— Ага! Со скуки там помрешь! У женщин две возможности на работу устроиться: училкой в школе или на химзавод. Можно замуж выйти. Да за кого? Мужики в Манске убогие, пьют, жрут, разговоры об одной рыбалке, ну еще машины обсуждают и футбол-хоккей. В городке ни кафе, ни кино нет, за хорошими вещами надо в Москву катить, пять часов на поезде. Меня в Манске уродиной считали, слишком худая, высокая, лицо не круглое. Да я и не хотела штампа в паспорте, детей рожать не собиралась, роль свиноматки не по мне.

Я прислонилась спиной к кухонному шкафчику и слушала типичную историю.

В маленьком провинциальном городке жила весьма романтичная женщина Лида. Она влюбилась и родила девочку. Отец ребенка поступил подло: услышав о беременности подруги, он не предложил ей руку и сердце, а сел на поезд и умчался в неведомом направлении. Новорожденную мать назвала Сандрой и с пеленок внушала ей: беги из Манска, здесь счастья не будет.

В восемнадцать лет Сандра прибыла в Москву и начала штурмовать Олимп моды. У девушки были неплохие внешние данные, но, видно, роста под метр девяносто и параметров восемьдесят — пятьдесят пять — восемьдесят мало для успешной карьеры на подиуме. Нужно что-то еще. А этого «еще» Сандре не хватало. Она не выбилась в суперзвезды, бегала по показам, получала небольшие деньги. Девочкам, которым застят глаза гонорары Пивоваровой и Водяновой, нужно понять, что сумасшедшие тысячи в фэшн-бизнесе получают единицы. Цена остальным — пара сотен за выход. Это за границей. В России вообще дают копейки. Но у симпатичных малышек есть шанс удачно выйти замуж, что большинство девушек и делает. Сандре исполнилось двадцать три — критический возраст для модели. У нее имелась пара кавалеров и одно серьезное предложение замужества. В супруги Сандру звал Константин, положительный мужчина сорока пяти лет. Костя был готов ждать Сандру хоть вечность, вероятно, он ее любил. Девушка сказала себе: «Всё, участвую в последнем конкурсе. Может, стану «Мисс «Комареро» и получу зарубежный контракт. Если нет, пойду в загс с Константином».

Сандре совершенно не хотелось превращаться в домохозяйку, но у нее не было выбора. Холостой олигарх на дороге не попался, из модельного бизнеса «старушенок» быстро вытесняет юная поросль: сегодня на подиум взбираются четырнадцатилетние. В Манск Сандра не хотела возвращаться даже под страхом смертной казни. На этом фоне замужество с Константином казалось наилучшим выходом.

Сандра познакомилась с Катей на одном показе, последнюю как раз выгнали из квартиры, и девушка никак не могла подыскать новую жилплощадь. Сандра предложила поселиться у нее — в апартаментах пустовала одна комната. Целый год девочки жили вместе, потом Катюша сделала подружке заманчивое предложение.

— Хочешь победить на конкурсе красоты? — спросила она. — Я устрою тебе Гран-при.

Глава 26

Сандре стало смешно.

— Ты у нас всемогущий Алладдин? Сейчас потрешь лампу, и я стою в диадеме?

— Нет, — засмеялась Катя, — хотя, согласись, совсем неплохо иметь личного джинна. Я просто хорошо знаю организаторов, Зяму и Риту, только и всего.

— Почему сама не желаешь занять первое место? — удивилась Сандра.

— Я вообще не хочу участвовать, — призналась Катерина, — а Зиновий с Маргаритой настаивают. Идиоты, блин!

— Зачем ты им нужна? — удивилась Сандра.

Катерина поморщилась:

— Ну слушай. Ничего красивого в этой истории нет, но и страшного тоже. Про тотализатор знаешь?

— Конечно, — кивнула Сандра.

Катюша прищурилась:

— Меня делают временно лидером, до финала. Я типа звезда, а в самый последний момент: упс! Проигрываю! Сладкая косточка достается серой мышке, на которую ваще-то никто не ставил. Сообразила?

Сандра опять кивнула:

— Зяма и Рита делают через подставных лиц ставки и слизывают сливки!

— Умница, — похвалила Катя подружку, — все просто, как воды попить!

— Давно они этим занимаются? — спросила Сандра.

— Всегда, — ответила Катерина.

— Странно, что еще до сих пор живы! — улыбнулась подруга. — И не за такие фокусы букмекеры людям руки-ноги ломали.

— Зяма с Ритой не зарываются, — пояснила Катя, — работают умно, их ни разу не заподозрили. У меня за плечами несколько побед, если я спотыкаюсь, никто не настораживается. Предлагаю работать в паре.

— Страшно, — поежилась Сандра. — Вдруг что не так покатит? Мне уши оборвут.

Катя начала уговаривать соседку:

— Тебе нечего опасаться. Получишь золотую медаль вроде случайно, потому что фаворитка ошиблась. Основной риск мой. Народ активно болтает, что в зале будет сам Том Клампенски, он может предложить тебе контракт.

— Старовата я для разбега на Западе, — грустно констатировала Сандра.

— Прекрати, — разозлилась Катерина, — ну почему у нас в России так парятся из-за возраста? Вон Клава[1] до сих пор в рекламе снимается и бросать не собирается. Эль Макферсон[2] косметику представляет, а ведь она дезертир с кладбища, ей почти полтинник. А наши, едва двадцать один стукнет, бегут ботокс колоть. Ну ладно, пусть Клампенски тебя не отберет, но все равно приятно захапать Гран-при. Выйдешь замуж, будешь потом твердить: «Дорогой, ради тебя я бросила фэшн-бизнес, ушла на пике карьеры со званием «Королевы красоты» престижной дорогой фирмы, которая собиралась сделать меня своим лицом. Следующие десять лет я бы летала по всему миру, представляя «Комареро».

Сандре стало смешно:

— Кать, очнись! До того, как ты рассказала про конкурс, я даже этого названия не слышала! «Комареро» не Диор, не Шанель, не Кензо — ерундовая, неизвестная фирма.

Катерина вскинула брови:

— Твой мужик фэшнмен? Различает бренды? Сидит на показах в первых рядах?

— Нет, — удивилась Сандра, — ты же знаешь, он до знакомства со мной думал, что Карл Лагерфельд[3] — это какой-то оперный певец.

— Вот и замутишь ему мозги, — довольно заявила Катя, — парни обожают, когда ради них бабы свою жизнь

---

[1] Клава — Клаудия Шиффер, немецкая топ-модель, г. р. 1970.

[2] Эль Макферсон — австралийская топ-модель, г. р. 1964.

[3] Карл Лагерфельд — один из великих модельеров мира на момент написания этой книги.

меняют, и радуются как дети, говоря всем: «У меня жена королева красоты».

Сандра — девушка боязливая, но Катя была очень убедительна. Она твердила:

— Не сомневайся. Все схвачено. Если ты откажешься, Гран-при без владелицы не останется. Зяма отдаст его другой. Соглашайся, еще и денег сэкономишь, целый месяц, а то и больше, поживешь бесплатно на базе, получишь подарки от спонсора...

Сандра замолчала. Когда пауза излишне затянулась, я спросила:

— И ты согласилась?

Сандра кивнула:

— Да, но сразу пожалела.

— Почему? — насторожилась я.

Собеседница протяжно вздохнула:

— Катя легкий человек, с ней жить удобно, ни капризов, ни заскоков. Мы всегда быстро договаривались, она уступчивая, никогда не будет на своем настаивать, способна мнение поменять. Не злая, не завистливая, не жадная.

Я снова превратилась в слух, а Сандра продолжила рассказ.

Естественно, девчонки не собирались трубить на всех углах о своих тесных отношениях, наоборот, они весьма убедительно сделали вид, что впервые увидели друг друга в офисе «Комареро», откуда стайку конкурсанток, отобранных из большого количества желающих, повезли за МКАД.

Катя держалась как обычно, не демонстрировала никаких эмоций, но, когда автобус въехал во двор особняка, неожиданно ойкнула, а потом спросила у Зиновия:

— Куда это нас доставили?

Зиновий встал, взял микрофон и начал вещать голосом профессора:

— Вы прибыли на репетиционную базу. Здесь мы проведем некоторое время вместе, будем готовиться к шоу. Каждой участнице предоставят отдельную комнату. Покидать дом запрещено. Если увидим, что кто-то ослушался, немедленно снимем с соревнований.

— Мы будем здесь жить? — прошептала Катерина.

— Тебе не нравится? — поинтересовался Зяма.

— Очень неуютно, — пробормотала Катя. — МКАД почти во дворе.

— Ну ты не на всю жизнь тут поселишься, — вступила в беседу Рита. — Можно и потерпеть! И не следует звездить, пока никаких оснований на это у тебя нет.

— Я хочу получить комнату в конце коридора, — внезапно заявила Катерина, — самую-самую последнюю, в закутке, хорошо?

— Все помещения одинаковые, — пожала плечами Рита, — но твоя просьба вполне выполнима.

Сандра с удивлением посмотрела на подругу. Ее поразило поведение Кати, ранее та никогда не капризничала.

Сандра поежилась и тихо продолжила:

— Через какое-то время я сообразила: Катерина отлично ориентируется в доме. Мы все путались, искали туалет, ванную, кухню, а она спокойно ходила по коридорам. Вернее, мне казалось, что спокойно, а потом...

Собеседница запустила руку в волосы, разрушила тщательно уложенную прическу и перешла почти на шепот. Мне пришлось напрячь слух, чтобы понять, о чем она говорит.

Незадолго до полуфинала, поздно вечером, почти ночью, Катерина заглянула в спальню к подруге и сказала:

— Зайди ко мне.

Сандра, уже почти заснувшая, вяло удивилась:

— Сейчас?

— Да, — кивнула Катя.

Сандра не любит тапочки, поэтому она надела голубые лаковые ботинки и потопала в самый конец извилистой галереи. Едва девушка втиснулась в каморку Катерины, как та воскликнула:

— Я ухожу!

— Куда? — не сообразила Сандра.

— Не знаю, — нервно сказала Катерина. — Уезжаю!

— Что случилось? — испугалась подруга. — Неприятности с тотализатором? Зяму с Ритой заподозрили?

Катя села на кровать и начала истерически смеяться:

— Если бы ты только знала! Нет, с тотто-лотто полный порядок. Они меня обманули! Не знаю, что они затеяли, но затеяли точно! Сто пудов! Иначе бы все рассказали. Сволочи. «Потерпи, так надо»! Я чуть не умерла, когда сюда вошла! Ну ничё, они у меня еще попляшут, когда... Ладно, это неинтересно.

— Да что происходит? — перепугалась Сандра. — Тебе плохо?

— Совсем, — призналась Катя, — хуже некуда!

— Может, расскажешь? — робко попросила Сандра. — А я попробую помочь.

Катя захлебнулась нервным смехом:

— Нет, нельзя. Ты не поймешь! Такое вообще говорить не стоит. Извини за истерику, но у меня конкретно сдали нервы. Я не Зяма и не Рита, они, оказывается, терминаторы, а меня сломало. Прости, что втянула тебя в историю с конкурсом, но, честное слово, я даже предположить не могла... ну никак не могла... совсем...

Катя замолчала. Пауза тянулась, тянулась, став почти бесконечной. Сандра решилась нарушить молчание:

— Что ты не могла предположить?

— Ерунда, — отмахнулась подруга, — я все сделала не так. Следовало отрубить, отрезать... да ладно, поздно уже... Короче, я решила просто удрать, но очень не хотела тебя волновать. Представила, как ты испугаешься, когда узнаешь, что я исчезла. Слушай. Договор остается в силе, Гран-при твой, поменять тебя на другого человека они не смогут, слишком много денег в тебя вложили. Веди себя адекватно. Когда начнут меня искать, постарайся изобразить равнодушие и радость. Одной конкуренткой стало меньше, тебе это в кайф. Прости, Сандра, я тебя подвела. А теперь иди к себе.

— Дверь заперта, — ошарашенно напомнила Сандра, — ключи у Зямы, на окнах повсюду решетки. Дом тюрьму напоминает. Странно, что его в качестве базы выбрали, очень бестолковой, неудобный и, по-моему, страшный. Как ты выйти собралась?

Катя усмехнулась:

— Ты даже не представляешь, какой он страшный! Но в этой комнате есть один секрет. Побег из замка Иф.

— Откуда? — не поняла Сандра.

— Читала роман Александра Дюма «Граф Монте-Кристо»? — неожиданно спросила Катя.

— Неа, — ответила Сандра.

— Там главного героя отправили в тюрьму, в крепость с толстыми стенами, — вздохнула Катя, — а он замыслил удрать. Никому не удавалось оттуда на волю вырваться, а Эдмон Дантес сумел. Мне книжка в двенадцать лет попалась, случайно. Я ее зачитала до дыр, держала в тайнике, по ночам доставала, гладила, а потом поклялась: непременно смоюсь, как Дантес!

— Зачем роман от всех прятать? — поразилась Сандра. — Разве тебе родители читать запрещали? Моя мама, наоборот, всегда домой разные книжки притаскивала и мне давала. Только она приключенческую литературу не уважала. Я «Три мушкетера» уже в Москве вдруг взяла, и не очень мне понравилось, глупость какая-то! Бесконечные драки.

Катя опять засмеялась:

— Мама, которая носит книги! Сандра, ты даже представить не можешь, что с некоторыми детьми случается! Ладно, забудь. Смотри!

Катя подошла к окну, сделала несколько движений, решетка чуть отошла в сторону.

— Вау! — ахнула Сандра. — Она открывается!

— Ага, — согласилась Катя, — три года на это ушло.

— На что? — оторопела подруга.

— Думаешь, легко железку ковырять? — усмехнулась Катя. — С другой стороны, Дантесу хуже пришлось. Я, как сюда попала, проверила решетку и убедилась, никто мой секрет не узнал! Хозяева жадные, ремонта не делали, окна сто лет не трогали. Сольюсь по-тихому, убегу! Вот сволочи!

— Кто? — недоумевала Сандра.

— Зяма и Рита, — ответила Катя. — Я им помогла, они вроде мне тоже, и вон как подставили. Друзей пытались изображать.

— Ты в приятелях с режиссером и его помощницей? — удивилась Сандра.

Катя вдруг разозлилась:

— Хорош расспрашивать. Я сейчас уйду, а ты выступай дальше спокойно и не сомневайся в своей победе. Может, еще увидимся!

Сандра вновь не удержалась от вопроса:

— Что значит — может, еще увидимся? Ты разве не домой поедешь?

Катя нахмурилась.

— Пока не знаю.

— Зачем ночью удирать? — поразилась подруга. — Подожди до утра. Успокойся, у тебя просто нервный срыв от усталости.

Катерина обняла Сандру.

— Я держалась, не хотела народ подставлять. Конечно, злилась на Зяму с Ритой, но понимала, каково им придется, если тотализатор не по договору попляшет. Тебя бросать не хотела, деньги ждала за участие в спектакле. Вот и терпела. Но сегодня увидела одну тетку и поняла, что они задумали. Как на тарелочке чужой замысел предстал. Бежать мне надо, Сандрюша, да поскорей, до утра ждать нельзя.

— Что за женщина? — ошарашенно поинтересовалась Сандра. — Из журналистов?

— Нет, — прошипела Катя, — она типа оригинал.

— Чего? — разинула рот Сандра.

Катерина встала.

— Если долго-долго что-то в доме имеешь, ну, допустим, чашка с синими цветочками, чай из нее пьешь, не расстаешься, то хорошо ее знаешь, так?

Сандре, совершенно потерявшей нить разговора, оставалось лишь кивнуть.

— Ты уверена, что кружка одна, — продолжала Катерина, — затем вдруг узнаешь: их несколько, очень похожих, ну просто типа на ксероксе повторили!

— Посуду? — разинула рот подружка. — Но это не получится!

Катя словно не услышала слова Сандры:

— Конечно, странно! Вдруг она выходит! Во был прикол! Я сразу поняла: другая! Зяма прикидывался зайчиком, его редко в синюю комнату отправляли. А я там один раз побывала, и этого мне навсегда хватило.

Сандра попыталась вычленить из непонятной речи подруги хоть какую-то информацию:

— Вы с режиссером и его ассистенткой когда-то жили вместе?

Катерина обхватила плечи руками.

— Сколько, по-твоему, лет Зяме?

Сандра, успевшая сообразить, что диалог с приятельницей строится сегодня парадоксальным образом, решила более не задавать вопросов:

— Наверное, тридцать или чуть больше!

Катя улыбнулась:

— Нет, он выглядит старше и пользуется этим. Зямка делает разные постановки, у них с Риткой что-то типа агентства. Ну чума! Хочешь, расскажу?

— Давай, — согласилась Сандра, подумав, что Катерина отвлечется и забудет о своем безрассудном решении уйти ночью в никуда.

Катя затрещала сорокой.

Зиновий на самом деле чуть старше Екатерины. Ему еще не исполнилось двадцати пяти. Но режиссер темноглазый, смуглый, а такие люди всегда выглядят старше. В разговоре с потенциальным клиентом постановщик ведет себя соответственно, и у них с Ритой есть фенька. В разгар беседы с заказчиком в комнату входит Маргарита и смущенно произносит:

— Зиновий, извини, там принесли торт, без твоей подписи не отдают.

— Черт! — хлопает себя по лбу режиссер. — Отлучусь на пару минут.

Когда Зяма уносится, Рита говорит заказчику:

— Одноклассники Зиновия собираются на традиционную встречу, пятнадцать лет после окончания школы у них в нынешнем году. Зяма заказал роскошный десерт, его доставили в офис, но не хотят отдавать мне, требуют подпись того, кто оплатил.

И клиент живенько прикидывает, сколько лет режиссеру. Аттестат, как правило, получают лет в семнадцать, следовательно, организатору торжеств чуть за тридцать. Весьма элегантный ход, в лоб Зиновий о своем возрасте не сообщает, но клиент успокаивается. С совсем безусым юнцом дела иметь не хочется, но и пенсионерам доверия нет. Еще у парочки офис хитро оборудован. На самом деле это квартира, доставшаяся Рите от покойной бабушки, стандартная московская трешка на первом этаже. Дверь в нее прямо за почтовыми ящиками. Кое-кому она кажется неудобной, но Зяма и Рита лишь радовались. На двери висит большая латунная табличка «Маргарита». Жильцы дома полагают, что это просто прикол Риты. Но клиенты считают, что попали в офис: первый этаж, плюс название фирмы, да еще блочная башня расположена почти у самого метро — всё говорит людям о том, что они войдут сейчас в помещение конторы по организации праздников, фестивалей, конкурсов и концертов. Вы уже догадались, что предприятие носит имя «Маргарита». В Интернете есть сайт.

Открыв дверь, заказчик входит в элегантно обставленное помещение: черно-белая мебель, темный паркет, на окнах жалюзи — типично офисный стиль. Но так выглядит лишь одна из комнат, которую хозяйка объединила с крохотной прихожей. Вход в другие посторонним заказан, там личное пространство, в нем не делали ремонта, интерьер и обстановка самые затрапезные.

Создав фиктивный офис и приврав по поводу возраста, Зяма не дурит заказчиков, не дает невыполнимых обещаний, старательно организовывает мероприятия. У них с Ритой неплохая фантазия. Зиновий имеет контакты с актерами второго эшелона и готов составить для вас любую концертную программу. Конечно, ни группу «Роллинг Стоун», ни певицу Нетребко, ни Софию Ротару вы не получите, но, с другой стороны, у обычного человека или у небольшой конторы, желающей устроить корпоратив, нет денег на оплату звезд первой величины. Люди хотят красивых девочек, поющих нечто зажигательное. Зяма с радостью приводит таких солисток, стоят они недорого, издают громкие звуки, выглядят сексуально.

Кстати, никакого режиссерского образования ни у Зиновия, ни у Риты нет, они окончили какие-то трехмесячные курсы, получили слишком красивые дипломы и повесили их на стенку. Рядом висят благодарности от фирм и частных лиц, которым эти близкие родственники Остапа Бендера устраивали праздники. Но, несмотря на явное родство с вышеупомянутым турецким подданным, Зяма и Рита никогда вас не надуют. Заплатите деньги и получите свой праздник. В Интернете о фирме «Маргарита» исключительно хорошие отзывы.

Глава 27

— Они уже пятый конкурс красоты проводят, — выкладывала Катя Сандре чужие секреты, — сейчас это модно. Зяма делал «Мисс радио «Болтун», «Королева сыра», остальные не помню. Ну, в общем, все. Я ушла! Сандра!

Подруга вздрогнула, Катя обняла ее и зачастила:

— Тут такое дельце. Завтра на полуфинале Алиска объявит, что меня похитили!

— Вау! — испугалась Сандра. — Кто?

— Никто, — ухмыльнулась Катя, — ты же видишь, я сама ухожу. Хочу Зямке с Риткой поднасрать за их подставу. Алиска заголосит: «Катю украли, за нее ждут выкуп». То-то шум поднимется! Всё их шоу к чертям полетит.

— Но тебя никто не тронет? — запоздало сообразила Сандра.

— Точняк, — хихикнула Катя, — это им подарочек.

— И Алиска согласилась тебе помочь? — напряглась Сандра. — Она в курсе?

Катя замотала головой.

— Я ей насвистела, что агентство «Синяя звезда» ради пиара спектакль с моим похищением замутило. Алиске за участие первое место дадут. Вот дура-то! Не бойся, победишь ты, Зяма с Ритой ничего изменить не смогут.

Не успела подруга ойкнуть, как Катя схватила курточку, приоткрыла решетку и выскочила наружу. Сандра бросилась за подругой, просочилась на улицу, девушки обнялись, потом одна ушла, а вторая вернулась в комнату и закрыла решетку.

— У тебя есть лаковые голубые ботинки, — сказала я, — ты в них пришла к Кате.

— Точно, — кивнула Сандра, — я все время в них хожу, очень удобные.

Я хотела сказать, что в моем гардеробе такие же, но не успела. В комнату без стука вошел Макс.

— Вот ты где, — произнес он, — прерви разговор. Пошли.

Я, решив чуть позднее продолжить беседу с Сандрой, поспешила за мужем.

Макс привел меня на первый этаж, обогнул душевую, и я увидела вскрытую часть пола. Внутрь вела старая, но с виду вполне крепкая деревянная лестница.

— Полезешь, — поинтересовался Макс, — или побоишься? Сразу предупреждаю, зрелище неприятное.

— А что там? — на всякий случай спросила я.

— Скелет, прикованный к стене кандалами, — на полном серьезе ответил муж.

Кто не первый раз сталкивается с Максом[1], отлично знает, что он обожает приколы и розыгрыши. Поэтому я захихикала и начала осторожно спускаться. Скелет — это навряд ли. Сейчас я наткнусь на очередную грязную кладовую скряги, забитую скарбом.

Подземелье оказалось неожиданно большим и достаточно высоким — моя голова не доставала до потолка. С другой стороны, и рост у меня не велик. Вот Герасиму, который находился на некотором отдалении от лестницы, пришлось слегка пригнуться — эксперт долговязый.

Я сделала пару шагов, очутилась перед небольшой нишей и, испытывая приступ любопытства, заглянула внутрь.

— Мама! — вырвалось из горла.

Помещение напоминало каменный мешок, из одной стены торчали железные кольца, от них тянулись цепи, заканчивающиеся наручниками, а на полу лежала груда костей, явно человеческих.

— Мама, — прошептала я, — скелет! Он был прикован!

— Точно, — подхватил Герасим, — денег мне платят немного, зато постоянно общаешься с интересными людьми. На какой работе еще с таким встретишься?

Я прислонилась плечом к стене.

— Не наваливайся, — приказал эксперт, — это место преступления! Что за манера! Стой прямо! Зачем вообще сюда полезла?

— Не знаю, — еле слышно ответила я, — увидела лестницу и спустилась.

— Не по всяким ступенькам можно ходить, — сурово произнес Герасим.

— Кто это? — пролепетала я. — Почему здесь очу-

---

[1] Особенности характера Макса описаны в книге Дарьи Донцовой «Император деревни Гадюкино», издательство «Эксмо».

тился? Прикованный? Может, в доме раньше работала тайная канцелярия?[1]

Герасим почесал переносицу.

— Пока, на глаз, могу лишь сказать, что это юноша. Зубы хорошие. Ну, вероятно, ему на момент смерти исполнилось лет пятнадцать. Погиб он не во времена Петра Первого, а значительно позже.

— Когда? — громко спросил за моей спиной Макс.

— Сейчас точно не отвечу, — сказал Герасим, — но грубо-прикидочно... Может, в начале нулевых? Две тысячи первый? Или раньше?

Мне стало нечем дышать, Макс обнял меня за плечи и подтолкнул к лестнице.

— Давай наверх!

Когда мы снова очутились около душевой, я смогла наконец вдохнуть воздух и выдавила из себя:

— Старик Груздев знал о мертвеце! Он давно построил этот дом! И вход в подвал был тщательно заделан. Похоже, дед кого-то убил. Когда я разговаривала с Наташей, она вдруг сообщила про смерть какого-то Славы и своей свекрови по имени Лидия Алексеевна. Наташа говорила бессвязно, мне показалось, что у нее беда с головой. Помнится, я подумала, что властный Груздев затюкал всех — и жену, и зятя, и дочь. Ната почти безумная. Про ее биполярное расстройство я не знала, но она выглядела странно. Потом, в разговоре с Антоном, я назвала его мать Лидией Алексеевной. Он спокойно поправил меня, сказав, что она носит имя Нина Егоровна. Я изумилась, спросила:

— Неужели Наташа не знает, как зовут ближайшую родственницу?

Антон ответил, что у невестки со свекровью не заладились отношения, они практически не общаются. Основной причиной разлада являются экстравагантные замашки Нины Егоровны. Но Ната, конечно, зна-

---

[1] Тайная канцелярия — орган полицейского суда и сыска в XVIII веке в России.

ет имя матери супруга, просто в беседе со мной назвала ее по фамилии: Лидияалексеевская.

Макс прищурил левый глаз:

— И ты ему поверила?

Я кивнула:

— Не имела причин сомневаться. Лидияалексеевская не самая безумная фамилия. Я слышала куда более странные — Задуйветер, Рыбоконь, Зайцеплюй, Кузнечик, а когда-то со мной в одном классе училась девочка Попочкина.

— У матери Антона в паспорте указана фамилия Пулкова, — перебил меня Макс.

В первую секунду я удивилась, потом рассердилась:

— Ну и почему ты мне об этом раньше не сказал? Пару часов назад, когда мы говорили о Нине Егоровне? Помнится, я еще тебе сообщила, что она живет в двух шагах отсюда, и назвала эту дурацкую фамилию.

Макс подтолкнул меня вперед:

— Мне эта «Лидияалексеевская» сразу показалась странной, я позвонил, попросил уточнить все по родственникам зятя хозяина, но не успел тебе ничего сказать, ты меня перебила и...

Меня охватило возмущение:

— Перебила? Я никогда не прерываю собеседника!

Муж чуть наклонил голову.

— А еще я хотел...

— Всегда даю человеку высказаться, — кипела я.

— И надо...

— Некрасиво упрекать меня в неумении слушать! — выпалила я. — Так что ты хотел сказать?

Мы вошли в мою комнату, Макс обнял меня за плечи:

— Ну извини, я погорячился. Ты всегда...

— То-то же! — довольно воскликнула я. — Нужно срочно побеседовать с Антоном! О! О! О!

— Судя по твоему виду, тебе в голову пришла интересная мысль. Я прав? — спросил Макс.

— Антон показал мне все тайные уголки дома, — зачастила я, — разболтал про интимные апартаменты Михаила Матвеевича, но начисто отрицал наличие подвала. Повторял: «Дом стоит на цельном фундаменте. В Подмосковье трудно гидроизолировать нулевой этаж. Тесть не хотел ежегодно ремонтировать подпол, тратить зря деньги, в полном смысле этого слова зарывать их в землю». Мне бы понять: если человек столь упорно твердит, что в качестве основания в особняке бетонная подушка, то, вероятно, всё же внизу наличествует некое помещение!

— Немедленно объясните, что тут происходит! — заорал из коридора властный женский голос. — Ни на кого нельзя положиться!

— Капа приехала, — вздрогнула я. — Ну сейчас полетят клочки по закоулочкам!

— Отвратительно! — гневалась Капа. — Все нужно делать самой! До финала остался один день, а на базе черт знает что творится! Кто здесь кого убил? Почему меня не спросили, разрешаю ли ножами размахивать? Устроили самоуправство! Что значит, меня не впустите? С ума посходили! Я здесь главная! Макс! Ма-а-а-акс!

— Пойду, попробую вразумить Капу, — вздохнул муж.

— Семь футов тебе под килем, — тихо сказала я, — извини, я труслива, поэтому постараюсь избежать общения с ней.

— Ма-а-а-акс! — надрывалась Капа. — Ма-а-а-акс!

— Выходи, подлый трус, — усмехнулся муж, — мыши готовы разобраться с котом Леопольдом.

— Думаю, мне нужно сходить к матери Антона, — быстро сказала я.

— Отойдите от двери! — орала Капа. — Здесь мой конкурс!

— Ты можешь просто удрать, — вздохнул Макс, — без поисков причины!

— С Капой неохота беседовать, — призналась я, — но ведь надо узнать, что происходило в доме у старика Груздева?

Дверь в комнату распахнулась от сильного толчка, ударилась о стенку, но отскочить назад не успела. В спальню ворвалось торнадо по имени Капитолина.

— Немедленно отчитайся, — налетела она на меня. — Расскажи парочку хороших новостей! От плохих я уже устала!

— Боюсь, тебе придется выслушать парочку гнусных известий, — пришел мне на помощь Макс. — Сильно сомневаюсь, что удастся благополучно завершить конкурс.

Капа плюхнулась на кровать.

— Почему?

Макс рассказал о скелете в подвале.

— Ну и что? — не заволновалась Капа. — В старых домах чего только не находят. Завтра финал, надеюсь, девчонки успеют прийти в себя. Небось мужчину убили не вчера? Хватит того, что хозяев прирезали без моего ведома, так еще и это!

— Нет-нет, — начала я объяснять свекрови, — предположительно несчастный расстался с жизнью в начале XXI века.

— И при чем тогда мой конкурс красоты? — возмутилась хозяйка «Комареро».

— В принципе — абсолютно ни при чем, — растерялась я.

— Здание базы сейчас место преступления, — попытался Макс объяснить матери суть дела, — специалисты обязаны тщательно его изучить.

Капитолина на секунду притихла, потом навесила на лицо широкую американскую улыбку:

— Зал для репетиций свободен?

Мы с Максом переглянулись и хором ответили:

— Да.

— Супер, — кивнула Капа, — пускай девочки отшлифовывают шоу. Никто из них убить человека не мог. Раз его пристрелили почти десять лет назад, значит, участницы вне подозрений. Завтра народ ломанется на финал, надеюсь договориться с газетами о материалах. Журналисты обожают подобные истории. «Скелет в подвале»! Получим хороший пиар! О «Комареро» напишут все, даже те, кто никогда не дает материалов о конкурсах красоты. Ты, Лампа, договаривайся с телевидением! Макс, надо сделать так, чтобы останки успели заснять камеры.

Я впервые увидела на лице мужа растерянность.

— Договорись, чтобы кости полежали в доме до завтра, до ужина, — деловито распоряжалась Капитолина. — О! Я придумала! Гениально! Он черный?

— Кто? — не поняла я.

— Скелет! — топнула ногой Капитолина. — О ком сейчас ведем речь? Не о пончиках же! Назови цвет костей!

Теперь растерялась я:

— Не могу!

— Почему? — возмутилась Капа. — Сбегай, погляди.

Макс взял себя в руки:

— Зачем это тебе?

Капа улыбнулась, словно кошка, поймавшая самую жирную мышь:

— Надо сделать постановочный кадр, я придумала версию для прессы. Одна из моделей пошла утром за кофе, споткнулась о ковер, схватилась за стенку, панель отъехала в сторону, а там скелет! Мы поставим девчонку около груды костей, но необходима красивая картинка, поэтому я спрашиваю про цвет! Ну почему вечно нужно объяснять самые элементарные вещи? Хорошо ли будет смотреться черное платье около темной кучи? Надо соответственно нарядить девочку, подать одежду «Комареро» выгодно! Нет, нужно мне самой проконтролировать ситуацию! Пойду, изучу интерьер!

На меня напал кашель, Макс пару секунд смотрел на Капу, потом произнес:

— Не получится со снимками, и история, придуманная тобой, не лучший вариант! Скелет находится в подвале, и в этом доме нету ни ковров, ни деревянных панелей.

— Ерунда, — отмахнулась Капа, — не делай проблем там, где их нет. Текст напишем любой! А скелет надо перетащить!

— Забудь, — твердо сказал Макс.

Капа стукнула кулаком по матрасу:

— Чьи сюда деньги вложены? Мои! Кто раскручивает «Комареро»? Я! Следовательно, все остальные обязаны молчать!

Макс медленно втянул в себя воздух. Я сообразила, что сейчас он его выдохнет и скажет Капитолине слова, о которых потом сильно пожалеет.

Я откашлялась:

— Капа, думаю, надо поступить иначе. Вам следует дать интервью газетам: «В помещении особняка, где живут девушки-конкурсантки, случайно обнаружен скелет. Меня потрясла трагедия, поэтому я приняла решение помочь милиции расследовать преступление прошлых лет. Я наняла частных специалистов...», ну и так далее.

— А конкурс? — нахмурилась Капа. — Завтра финал! Шоу состоится!

— Может, лучше прекратить состязание? — посоветовала я. — Вспомните о трагедии, о Наташе, которая зарезала отца с матерью. Не очень-то прилично...

Капа фыркнула:

— Хватит! Когда вложишь в какое-нибудь дело мешки денег, тогда и будешь раздавать советы. Все! Девушек в зал! Пойду к Зиновию!

Капитолина резво вскочила с кровати и унеслась прочь, словно юркая ящерица. Макс подошел к окну и уставился на улицу. У меня хватило ума понять, что мужу хочется побыть одному, поэтому, сказав: «Сбегаю пока к Нине Егоровне, ей надо непременно сообщить, что случилось в семье сына», — я поторопилась уйти.

И лишь нажимая звонок на двери матери Антона, я внезапно задала себе вопрос: зачем я пришла сюда? Ведь муж Наташи открытым текстом заявил, что после женитьбы не очень-то общался с родной маменькой. Мне следовало найти лучший повод для того, чтобы удрать из дома Груздевых, но отступать поздно, кто-то уже гремит замком.

Глава 28

Я навесила на лицо улыбку и хотела спросить у подростка, который открыл дверь в полутемную прихожую, где бабушка, но тут хрупкое существо в лилово-красной юбчонке и белых колготках щелкнуло выключателем.

Под потолком вспыхнула пятирожковая люстра. Безжалостно яркий свет осветил стройную женщину в обтягивающем свиторочке с глубоким у-образным вырезом. Тонкую талию незнакомки перехватывал широкий лаковый ремень. Уже упомянутый лоскут ткани, чуть больше носового платка, служил юбкой. На ногах вместо уютных тапочек красовались туфли на каблуках. Ярко-белые вытравленные волосы каскадом искусно завитых локонов падали на прямые плечи. Но самым впечатляющим было лицо. К телу юной стройной девушки прилагалась голова старой черепахи со слишком вульгарным макияжем. Толстый слой тонального крема цвета загара покрывал щеки, лоб, подбородок, спускался на шею и обрывался в районе декольте. Веки цвели бело-сине-голубой гаммой перламутровых теней и заканчивались щетиной накрашенных, карикатурно загнутых искусственных ресниц, на которых висели комки туши. На щеках пылал кирпично-оранжевый румянец, пухлые губы походили на две сардельки, обмазанные перламутровой помадой. Довершало образ огромное количество бижутерии. Серьги в виде колец, ожерелье из пластмассовых шаров размером с куриное яйцо, штук десять браслетов и примерно такое же количество перстней на морщинистых, смахивающих на куриные лапы руках. Ногти у хозяйки были явно наращенными. Ни разу в жизни я не видела женщину с натуральными десятисантиметровыми, загнутыми, словно у старого грифа, когтями. На секунду мне захотелось осведомиться у дамы: «Наверное, вам крайне неудобно умываться? И сколько колготок вы рвете за день?»

— Хай, — приветливо произнесла тетенька, но ее лицо сохранило неподвижность маски. Слишком много ботокса вколото в мышцы, отвечающие за мимику.

— Здрассти, — выдохнула я, — мне нужна Нина Егоровна.

Дама уперла тощую ручонку в костлявое бедро.

— Ну к чему отчество? Я еще не в том возрасте, когда оно необходимо. Зовите меня Нинулей.

— Очень приятно, — кивнула я, — Лампа.

Нина чуть наклонила голову набок:

— Торгуете электроприборами? Давно хочу купить малюпусенький ночничок в ситцевом абажуре. Ищу такой беленький, в голубенький цветочек. Заходите, покажу занавесочки, нужно под них подобрать.

Я вошла в холл и моментально отразилась в несчетном количестве зеркал.

— Прикольно? — радостно воскликнула Нина. — Бойфренд подарил мне на Новый год ремонт. Пабло душка! Сам дизайн придумал и всем руководил. Меня отправил в Ниццу. Я в море купалась и ни о чем не знала. Пабло решил сделать мне сюрприз, ну и получилась белибердятина! Я на побережье встретила Марко, влюбилась, переселилась на пару месяцев к нему, отправила Пабло емайл: «Милый, давай останемся друзьями. Ко мне пришла новая любовь». Он ответил: «Нинон, я рыдаю, но ничего поделать не могу. Будь проклят Марко, который вытеснил меня из твоего сердца! Дома тебя ждет сюрприз».

Нина вцепилась горячими пальцами в мою ладонь потащила меня в глубь квартиры. Я покорно шла за хозяйкой, изумляясь, как можно жить в помещении, где стены оклеены ярко-красными в белую полоску обоями. Похоже на зебру, заболевшую краснухой. А Нина говорила и говорила:

— Я приехала в Москву, отпираю замочек! Вау! Красотень! Зеркала! Плитка! Мебель! А на кухне ваза с розами и записка: «Дорогая! Люблю! Пабло». Из-за меня мужчины дерутся. Мне это неприятно, не хочу ничьих страданий! Но!

Нина втолкнула незваную посетительницу в кухню. Я на секунду зажмурилась, потом осторожно приоткрыла один глаз. Наверное, именно так должен выглядеть дом взбесившегося мандарина: в убранстве представлены все оттенки оранжевого. Думаю, Нина Егоровна здорово экономит на угощении для гостей. Пока они идут к кухне, получают головную боль, а сев за стол, испытывают приступ тошноты и напрочь теряют аппетит.

— Иные женщины никак не могут выйти замуж, — частила хозяйка, — а я отбиваюсь от кавалеров! Луплю их тряпкой! Обливаю водой! И ни малейшего эффекта! Выстраиваются в очередь! Так вы торгуете ночниками? Показывайте! Обожаю покупать вещи! Устраивайтесь удобненько! О! Посидите секундочку! Сейчас!

Нина Егоровна крутанулась на месте и убежала, я не успела перевести дух, как она вернулась и продолжила разговор:

— «Мыло» проверила, переписываюсь с Эдуардо, он живет в Милане, зовет в гости, обещает незабываемое Рождество! Но я в колебаниях. В Италии зимой сыровато, промозгло, у Эдуардо дом на побережье, замерзну там непременно. Лучше слетать к Фридриху в Гамбург или к Генри в Бостон. Как считаешь? Где прикольнее на праздник? В Германии? В Америке? Тебе в какой стране больше нравится? Так ты торгуешь торшерами?

Я попыталась ответить, но, похоже, Нина не ожидала, что собеседница поддержит беседу:

— Или мне поехать в Бразилию? Там, говорят, шикарные карнавалы! О! Емайл! Слышу! Прилетела весточка от Томаса!

Нина вновь умчалась и стремительно вернулась.

— Ну, где ночник? — воскликнула она.

Я быстро сказала:

— Меня зовут Евлампия, сокращенно Лампа! Я пришла поговорить о вашем сыне, не имею ни малейшего отношения к торговле.

— О! Здоровское имя, — восхитилась Нина, — ржачное. Жаль, что не принесли ночник!

— Антон в больнице, — выпалила я, — у него нервный срыв.

Нина Егоровна захлопала ресницами. Несколько комочков туши свалилось на обильно оштукатуренные щеки.

— Кто? — переспросила она. — Зачем он к ним пошел?

Я решила, что информация подействовала на мадам шокирующее, и повторила:

— Ваш Антон под присмотром доктора, ему плохо.

— Мой Антон? — изумилась Нина. — Не помню такого жениха. Понимаешь, за мной бегает вся Москва, Питер, Париж, Лондон, Нью-Йорк и...

— Речь не о мужиках, — рассердилась я, — а о сыне.

— О ком? — воскликнула Нина Егоровна.

— О сыне, — повторила я, — надеюсь, вы не забыли его имя: Антон. Истерический припадок с ним случился после того, как Наташа зарезала кухонным ножом своих родителей.

— Наташа? — очумело повторила Нина Егоровна.

Вот тут я разозлилась по-настоящему:

— Перестаньте прикидываться. Наташей зовут вашу невестку. Не знаю, какие отношения связывают вас с сыном, да и не мое это дело. Но сейчас Антону необходима помощь. Давайте напишу адрес больницы, съездите к нему.

— У меня нет детей, — с подкупающей искренностью ответила Нина Егоровна, — я еще слишком молода для заведения потомства. Может, лет через пять, шесть и задумаюсь о ребенке, но пока хочу пожить для себя.

Я обомлела, потом в голову стали закрадываться сомнения в психическом здоровье Нины Егоровны. Интересно, сколько ей лет? Некоторые женщины считают, что, наложив на лицо тонну краски, будут выглядеть моложе, но дело обстоит с точностью наоборот. Избыток косметики старит. По моим подсчетам, Нине Егоровне, вероятно, к семидесяти, может, чуть больше, но она смахивает на бабу-ягу. Никакие уколы ботокса, подтяжки, гель в губы и прочие ухищрения не превратят нимфу пятой свежести в нежный бутон розы. Гладкое личико, отсутствие морщин и пигментных пятен на коже не сделают вас восемнадцатилетней. Взгляд не натянешь, жизненный опыт не исчезнет под пудом силикона. Правда, душа может остаться молодой, но тогда вы и без пластической хирургии будете выглядеть юной. Самая лучшая лифтинговая процедура — это обычная улыбка. Как только вы разучитесь радоваться жизни и смеяться от чистого сердца, мгновенно постареете.

Уж и не знаю, что бы я сказала хозяйке, но от резких замечаний Нину Егоровну спас звонок в дверь. С воплем «иду, иду» она полетела в прихожую. Я, взбудораженная общением с бабушкой-припевочкой, двинулась следом.

— О! Сереженька! — бурно обрадовалась Нина Егоровна. — Что принес? Миленький!

Парень лет двадцати ловко увернулся от морщинистой костистой руки, которой хозяйка попыталась ущипнуть его за щеку, и сказал:

— Как заказывали. Проверьте по списку, сами знаете, иногда на складе продукты путают.

Из лабиринта квартиры послышалась характерная трель мобильного.

— Стой! Не шевелись! — приказала Нина и кинулась на поиски сотового.

Посыльный прислонился к стене.

— Вы доставляете на дом продукты? — спросила я.

Юноша выпрямился и привычно затарабанил хорошо вызубренный текст:

— Сеть «Кенгумама», огромный ассортимент, низкие цены, бонусы и подарки постоянным клиентам. Хотите каталог? Он бесплатный.

— Спасибо, нет, — отказалась я. — Мне нравится самой выбирать еду. Но если работаешь с восьми до двадцати, потом не захочешь бежать в супермаркет, лучше заказать коробку с едой прямо на дом.

— Ящик, — поправил посыльный. — У нас пластиковые боксы, сейчас хозяйка его освободит и мне вернет. Многоразовая тара дешевле для компании и экономичнее, она не засоряет природу.

— Но я вижу картонный куб! — удивилась я.

— Вот черт! Перепутал! Во второй раз! Фамилия у них одна! Инициалы совпадают, вон, написано Н. Е. Ну не кретин ли я? И что теперь делать? Она уже пошла проверять список доставки!

Я решила успокоить паренька:

— Нет нужды убиваться из-за ерундовой оплошности, сейчас хозяйка вернется, поймет, что ей привезли не тот набор, а вы спокойно извинитесь, сходите в машину и поменяете продукты.

Доставщик скорчил гримасу:

— Если с нормальным человеком дело имеешь, то нет проблем, у меня с собой талоны на десятипроцентную скидку, на день дают три штуки, сам их могу раздавать тому, кто понравится. Дашь человеку бумагу, извинишься, и он тебе еще и «спасибо» скажет. А Нина странная. За пару дней до Нового года я заказы перепутал. Глупо оправдываться, но сами гляньте: улица одна, фамилии с инициалами одинаковые, только дома и квартиры разные. В конце декабря снегу насыпало до носа, повсюду пробки, не проехать. Заказов полно, диспетчеры клиентов обзванивали, предупреждали, что курьеры опоздают, а я еще ящики перепутал. Вперся сюда, дал Нине список, стою, жду, пока она его прочитает, гляжу тупо на тару и вдруг понимаю: Серж, ты идиот!

Юноша осторожно поправил очки, сползающие на кончик носа, и продолжил:

— Вынул скидку из кошелька и говорю: «Нина Егоровна, извините, но я принес не ваш заказ. Прошу простить, у меня сессия, сижу ночами над учебниками, вот мозг и рухнул. В одну минуту смотаюсь к машине и совершу обмен. Верните список». Ну, и как бы вы на ее месте поступили?

Я улыбнулась:

— А есть варианты? Меня бы обрадовала возможность заплатить следующий раз меньше.

Доставщик горестно вздохнул:

— Верно, да только Нина ответила: «Забираю этот набор, он мне по душе». Я попытался ее уговорить, прибег к логике, сказал, ну зачем вам то, что другие заказали? Ща сбегаю в машину, вмиг поменяю упаковки. Знаете, как она поступила?

— Не смею предположить, — ответила я.

Курьер покосился на картонную упаковку.

— Это точно, потому что пальцем в небо попадете! Нина как заорет: «Не смей ко мне приставать, надоели мужики, вечно лапы распускают!» Я испугался и убежал!

Я улыбнулась:

— Немного странно, когда молодой здоровый студент уносится прочь от немощной бабульки. Ну что плохого она могла вам сделать?

Сергей поежился:

— Позвонить начальнику смены, пожаловаться. Знаете, как трудно найти хорошую работу, если на дневном учишься? Нужен свободный график. Ну не в сетевую же закусочную подаваться? Там сидеть на кассе одуреешь! А доставщиком продуктов служить очень выгодно, прямо то, что надо. Сам смены выбираешь, чаевые имеешь. Но клиент всегда прав. Нажалуется на курьера, старший менеджер ему ускорение придаст, разбираться не станет, желающих на мое место полно. Нина раз в неделю жрачку заказывает, на большую сумму всегда алкоголя просит, кофе, дорогой шоколад и много чаевых дает. Я уже понял: если ей комплимент отсыпать, красоту похвалить, то здоровые бабки огребешь. Вот Нинель, той яйца, крупа, сахар нужны, и она не очень часто заказы делает, наверное, не хочет тяжесть с оптушки таскать. Ваще-то прикольно: эта Нина, та Нинель, обе Пулковы, живут через квартал друг от друга, отчество у них одно, может, сестры? Я раз у Нины поинтересовался: «Знаете, у вас на этой улице почти полная тезка живет, вы часом не родственницы?» Так она обозлилась и давай орать: «Кто тебе сказал? Какая сестра? Я у мамуси с папочкой одна. С молодых лет красавица, от женихов отбивалась». Ваще-то похоже, что бабулька ку-ку! Переклинило ее на мужиках! Вот Нинель, та нормальная, ведет себя по возрасту.

Я покосилась на картонную упаковку.

— Слушай, хватай заказ и несись в машину за другим, пока хозяйка занята. Успеешь поменять, я пригляжу, чтобы дверь за тобой не захлопнулась.

Сергей моментально вцепился в коробку и ринулся к лифту. Нина, продолжавшая упоенно болтать с кем-то по телефону, не заметила рокировки. Когда хозяйка вплыла в кухню, на столе громоздилась пластиковая упаковка. Нина открыла крышку и начала вытаскивать еду. Похоже, дама не слишком экономит и уж точно живет не на одну пенсию. На свет появилась сначала банка красной икры, затем французское масло, сыр из Парижа, коробочка с клубникой, прилетевшая в Москву из Амстердама, бутылка импортного шампанского.

— Стой тут, — велела красавица, — сейчас принесу деньги.

Когда Нина исчезла в коридоре, Сергей перевел дух:

— Фу! Спасибо! Я иногда теряюсь, стою пнем, старуха моментом все забывает, ну почему я сам не допер, что надо коробки поменять? Хотите талон на скидку?

— Нет, — улыбнулась я.

— Тогда шоколадку дам, — не успокаивался парень, хотевший отблагодарить меня за помощь, — у меня в машине есть.

Я отказалась от дармового угощения.

— Спасибо, лучше познакомь меня с Нинель.

— Зачем? — удивился курьер.

— Надо, — ответила я.

— Ладно, — согласился парень, — сейчас деньги возьму и поедем.

Глава 29

Нинель Егоровна оказалась полной противоположностью своей почти тезке. Это была слегка обрюзгшая дама, одетая в теплый халат и разношенные тапки. Никакой косметикой она не пользовалась и вдобавок опиралась на трость.

— Вам не трудно отнести заказ на кухню? — спросила она.

Сергей покорно поволок ящик, я пошла следом. Хозяйка, совершенно не удивившись, что курьер явился не один, тяжело переваливаясь, следовала за нами. Потом она аккуратно проверила продукты, среди которых не было деликатесов. Похоже, Сергей прав: Нинель не хотела нести домой тяжелые пакеты с крупой и сахаром. Расплатилась хозяйка мелкими купюрами, на чай дала десять рублей.

— Ну я пошел, — бодро заявил курьер и испарился.

Только сейчас на лице пенсионерки появилось живое выражение.

— Девушка, а вы решили остаться? — спросила она.

Я откашлялась:

— Извините, сразу не представилась, не хотела вам мешать. Меня зовут Лампа. Вы знакомы с Ниной Егоровной Пулковой? Ее квартира неподалеку от вашей.

Нинель села на стул и безнадежно спросила:

— Что она натворила?

Я обрадовалась и рассказала пожилой даме о ситуации в доме Груздевых. За то время, что я говорила, Нинель оставалась неподвижной, она никак не реагировала на новости, и я не выдержала:

— Простите, вы меня слышите?

— Слышу, — подтвердила Пулкова.

— А почему молчите? — невежливо брякнула я.

Нинель отвернулась к окну:

— Сказать мне нечего. С сестрой отношения не поддерживаю. Долгие годы думала, что в нашем разладе виновата она, но теперь понимаю: я тоже немало поспособствовала отчуждению. Да, неприятно, но ничем ему помочь не смогу.

— Антону сейчас очень плохо, — напомнила я, — он, похоже, несмотря на разногласия, любит мать, старается продать автомобиль своего отца подороже, чтобы принести Нине денег.

— Кто сказал вам про автомобиль? — поразилась Нинель.

— Сам Антон, — пояснила я.

— Сын своей матери, — неодобрительно заявила хозяйка, — как ребенка ни воспитывай, генетика лезет. От Нины слова правды не услышишь, ну и сынок у нее соответствующий вышел.

— Наверное, вам надо съездить к племяннику в больницу, — посоветовала я.

Нинель вытянула правую ногу и принялась ощупывать коленку.

— Я хожу с трудом, артрит замучил. Пью, пью таблетки, а толку нет! Какой смысл ехать?

Я опешила:

— Ну... поддержать родственника, показать ему свою заботу, любовь. Антон перенес стресс.

Нинель озадаченно смотрела на ногу.

— Мы практически не знакомы. Виделись один раз очень давно, до его, так сказать, похищения, которого, как я понимаю, никогда и не было.

Я заморгала, Нинель поморщилась.

— Сделайте одолжение, дайте мне лекарство, оно в шкафчике.

Пришлось встать и открыть дверку.

— Здесь один баралгин.

— Отлично, он и нужен, — подтвердила Нинель.

— Простите, но данное средство не лечит артрит, — сказала я, — это болеутоляющее. Неужели врач не выписал вам другие пилюли? Мазь?

Нинель принялась массировать больное место.

— Я не ходила к доктору, в аптеке девушка посоветовала взять этот препарат.

— Вот здорово! — возмутилась я. — Фармацевт не имеет права лечить людей. Баралгин снимает боль, но он имеет массу побочных эффектов. Необходимо обратиться к профессиональному специалисту. Сейчас придумали хорошие таблетки от проблем с суставами, вам станет легче.

Нинель постучала тростью о пол.

— Поликлиника далеко, до нее не доковыляешь, на дом только терапевт приезжает, да и его не дождаться. На такси денег нет, и врачу нужно конвертик сунуть. Не по карману мне лечение. Пилюльки раньше хорошо действовали, а сейчас перестали помогать.

— Человеческий организм привыкает к дозе и прекращает на нее реагировать, — пояснила я. — Чтобы облегчить свое состояние, вам придется увеличивать количество таблеток.

— Пить две? — с надеждой поинтересовалась Нинель.

— По идее да, — кивнула я, — но этого нельзя делать ни в коем случае. Повторяю, баралгин вас не вылечит, придется идти в поликлинику.

Нинель протяжно вздохнула:

— Ни один специалист не вернет мне молодости. Семьдесят с лишним лет не шутка, начнут меня лечить и до могилы доведут. Как-нибудь так дошкандыбаю. Наверное, в моем возрасте организм потихоньку отказывать начинает. С этим надо смириться.

Я покосилась на пенсионерку:

— У вас беда с правой ногой?

Нинель кивнула:

— Огнем печет. Днем еще ничего, кое-как брожу, а ночью мочи нет, выкручивает, словно внутри зверь живет, грызет кость. Старость не радость.

— Левой ноге тоже восьмой десяток, а она держится бодрячком, — улыбнулась я. — Значит, дело не в годах, а в воспалительном процессе, который нужно купировать.

Нинель моргнула:

— Да? Забавный аргумент. Вероятно, вы правы, но я уже говорила: до врача мне не дойти, денег на визит нет.

Я встала.

— Моя лучшая подруга Катя работает в больнице. На ваше счастье, ее клиника расположена недалеко от места, где вы живете. Катюша отличный врач, ни копейки с вас не возьмет и, вполне вероятно, сможет снабдить бесплатными таблетками. Давайте опирайтесь на палку и пошли в мою машину.

Но Нинель Егоровна даже не пошевелилась.

— Поехали, — повторила я, — глупо мучиться от артрита, если от него можно избавиться.

— Заманчивое предложение, — протянула пенсионерка, — однако странно. Мы не знакомы. Чего вам надо? Бесплатный сыр бывает исключительно в мышеловке. Залезу в салон, а вы дверки запрете и убьете меня. Телевизор постоянно предупреждает: в Москве сплошные преступники! Честных людей не осталось!

Мне стало смешно:

— А вы сами-то чем промышляете?

Брови Нинель Егоровны поползли вверх:

— Извините?

— Вы сказали, что честных людей не осталось, значит, вы тоже мошенница, — сделала я логический вывод.

Пулкова поджала губы:

— Я-то как раз никого не обманываю.

— Замечательно, — обрадовалась я, — значит, одну положительную личность в столице обнаружили. Почему бы вам не поверить, что я вторая?

Нинель Егоровна неожиданно рассмеялась:

— Вы мне напомнили Костика Егорова. Учился у меня такой мальчик, любое замечание отбить мог. Симпатичный паренек, прямолинейный, правда, нетерпимый, как все подростки, но с хорошим стержнем. Если вы меня на самом деле познакомите с хорошим бесплатным доктором, буду очень благодарна, мне боль душу вымотала.

Я помогла Пулковой спуститься вниз, усадила ее в свою малолитражку и осторожно поехала в сторону клиники, где работала Катя. Естественно, через пять минут мы очутились в плотной пробке на МКАД и встали.

— Город безумен, — тоскливо сказала Нина Егоровна. — Во время моего детства тут были деревни. Мама все расстраивалась, что на окраине живет, она приехала в Москву из Иванова, очень хотела выйти замуж, у нее на родине найти жениха было невозможно, одни бабы, все работали на ткацких фабриках.

Москва казалась юной Анфисе маняще прекрасной. Через год она встретила Егора Пулкова и родила Нинель. Отец назвал малышку новым революционным именем, если прочитать его наоборот, то получится «Ленин», мягкий знак добавили для благозвучия.

Анфиса и Егор жили вполне счастливо, работали в столице, проживали в Подмосковье, имели свой огород, выращивали овощи, держали кур, корову и никогда не голодали. Фиса хорошо шила, вязала, Егор умел тачать обувь. С такими талантами всегда будешь при деньгах.

Потом у них появилась вторая девочка, отец дал ей имя Нина, как многие простые малообразованные люди. Егор тянулся к прекрасному, ему хотелось необычного. Отцу показалось здорово, если сестрички получат парные имена: Нинель — Нина.

Жизнь налаживалась, в магазинах появились вещи

и хорошие продукты, в деревню провели электричество, а в местной конторе установили чудо цивилизации — телефон. Анфиса приобрела новый диван и два кресла, дети не болели, корова давала много молока, в подвале теснились банки с домашними консервами. Егор не пил, не курил, не гулял от жены. Конечно, Пулковы знали, что в СССР развелось много шпионов и славные органы НКВД их постепенно ловят, но в их деревне царили тишь да гладь, на работе никого не арестовывали. Анфиса служила уборщицей в большом магазине, Егор — механиком в автобусном парке. Пулковы верили, что Сталин заботится о народе, знали, что Красная армия всех сильней, и были спокойны за свое будущее.

А потом пришла война и разом разрушила тихий семейный мир. Егор отправился на фронт добровольцем, Анфиса осталась с детьми. Крошечная Нина лежала в колыбельке, она ничего не понимала, а вот дошкольнице Нинель досталось. Ей пришлось помогать маме, которая постоянно твердила:

— Ты большая, старше Ниночки, заботься о сестре.

В некотором роде Пулковым повезло: их деревню немцы не заняли, дом Анфисы остался целым, даже корова благополучно пережила тяжелые годы. Только вот Фиса тщетно ждала мужа домой. Она ни разу не получила весточки с фронта, но, с другой стороны, похоронка тоже не приходила, что внушало надежду. Шло время, надежда таяла, потом стало ясно: Егорушка не вернется. Судьба его осталась неизвестной.

Нинель практически не помнила отца, а Нина его совсем не знала, но Анфиса весьма нелогично говорила:

— Нинуша у нас сирота, ей лучший кусок дать надо.

Лет до тринадцати Нинель не задумывалась, но потом вдруг удивилась:

— Почему Нине даешь самое лучшее?

— Она без отца растет, — вздохнула Фиса.

— И у меня папы нет, — уперлась Нинель, — несправедливо получается!

Всегда мягкая, спокойная Анфиса отчитала старшую дочь с редкостным гневом. Нинель, понурив голову, выслушала мать и с той поры более ничего для себя не просила. Года через три соседка по деревне Любка Кулова с крестьянской прямотой сказала старшей дочери Пулкова:

— Страшная ты, Нинелька, на морду образина, тумба тумбой. Вели матери, чтоб сшила тебе нарядов получше. А то останешься в девках, тебе парней надо приданым завлекать.

— Мама занята. — Девочка покраснела и убежала.

Весь вечер после она прокрутилась около шкафа с зеркалом и поняла: Любка озвучила правду. Нинель смахивала на кабачок, а черты ее лица были словно смазаны, ни одной яркой, запоминающейся нет. Зато Ниночка росла на редкость хорошенькой и с каждым месяцем расцветала все краше. Когда младшая сестра впервые пришла на танцы, к ней кинулись все юноши. А на Нинель никто не обращал внимания. Шло время, у старшей не появлялись кавалеры. Как-то раз в деревню приехал отдыхать из Москвы симпатичный инженер с беременной женой. Супруга постоянно лежала в саду на раскладушке, а муж частенько заглядывал к Пулковым, брал молоко, творог, сметану, яйца. Ходил он... ходил, а когда пара уехала, Нинель через месяц сказала матери:

— Наверное, у меня ребенок родится!

— Инженер! — ахнула Анфиса. — Ах он леший!

Нинель втянула голову в плечи, она была готова ко всему, даже к побоям, но будущая бабушка неожиданно мирно сказала:

— Ну и хорошо. Я уж беспокоилась, что ты в девках останешься! Не плачь, воспитаем.

Общественное мнение тех лет резко осуждало появление младенца вне брака, но к трудолюбивой Нинели народ отнесся с пониманием.

— Страшная больно деваха, — судачили бабы. — Замуж ее никто не возьмет, пусть хоть малыша заведет, всё не одна.

Едва на свет появился мальчик, названный в честь деда Егором, как деревню снесли. Жителей вместе с другими людьми из соседних сел разместили в больших домах, которые споро возвели на месте прежнего скопления избушек. Пулковым повезло. Анфисе и Нине дали двушку, Нинель и Егорка тоже получили двухкомнатную квартирку, правда, в другом здании.

— Вовремя ты родила! — радовалась Анфиса. — Кабы не забеременела, не дали бы тебе хором, и хорошо, что мальчик, с девкой ехать бы тебе в однушку.

Правда, Анфиса недолго радовалась центральному отоплению, горячей и холодной воде в кранах да газу. Она довольно быстро после новоселья скончалась. Нинель, никогда не рассчитывавшая выйти замуж, устроилась в школу уборщицей, поступила на вечернее отделение института и в конце концов стала учительницей. Егор подрастал, малыш получился хороший, нетребовательный, не капризный. А вот у Нины дела обстояли совсем не радужно. Учиться она не хотела, работать не собиралась, любила танцевать, гулять, весело проводить время и раньше полудня из кровати не выбиралась. В советские годы нигде не служивший человек именовался тунеядцем. Рано или поздно к нему приходил участковый и говорил:

— Надо бы вам трудоустроиться.

Если человек не обращал внимания на интеллигентное предупреждение и продолжал балбесничать, то через некоторое время его могли отдать под суд. Будущий нобелевский лауреат, великий поэт Иосиф Бродский оказался в исправительной колонии именно по обвинению в тунеядстве. Никакие его доводы, что литератор должен писать, а не ходить на службу, на судью не подействовали. Если ты член творческого союза, тогда да, можешь сидеть дома в кабинете, но если такого удостоверения нет, ступай на завод. Именно поэтому большое количество творческой интеллигенции в советской стране числилось дворниками, истопниками в котельных и сторожами. Гибкий график работы оставлял время для написания книг, музыки и картин.

Но Нина не пыталась реализовать себя на ниве искусства. Почему же ее не трогали? Да очень просто. Озабоченная заработком Нинель оформила сестру в другую, не свою школу воспитателем продленки, и пахала на двух работах. Утром преподавала одним детям, а после пятнадцати часов мчалась к другим. При коммунистах запрещалось иметь две службы, но народ ловко обходил закон. Мне нельзя трудиться и там и там? Оформлю по совместительству маму, сестру, племянницу. Отделы кадров сквозь пальцы смотрели на подобные нарушения. Конечно, на оборонном предприятии такие штучки не прошли бы, но работа в школе была не очень престижной и малооплачиваемой, в классах не хватало педагогов. Нинель вертелась белкой в колесе, делила заработок с Ниной, а последняя занималась поисками хорошего мужа. Но, несмотря на кукольную внешность, Нине никак не удавалось устроить свою судьбу. По молодости она капризничала, отвергла несколько предложений, сделанных, по ее мнению, не теми парнями. Девушка любила повторять:

— Такая красавица, как я, достойна самого лучшего. Замуж выйду за писателя или актера, ну, в крайнем случае, за академика.

Неведомыми путями Нинуша проникла в околотворческие круги и начала рыбалку. Увы и ах, все достойные претенденты оказались давно окольцованы. Нина решила не отчаиваться и увести чужого мужа. Снова увы и ах! Любовники охотно встречались со смазливой женщиной, одевали ее, обували, водили по ресторанам, но через некоторое время, трусливо поджав хвост, сматывались к толстой, страшной супруге.

Нина впадала в отчаяние, прибегала к Нинели, бросалась на диван и, рыдая, причитала:

— Ну почему? Я же красавица! Отчего жизнь катится под откос?

Нинель, как могла, утешала сестру, пыталась вразумить ее, осторожно говорила:

— Смени приоритеты, получи профессию, иди работать, непременно найдешь супруга.

Нина вытирала глаза и парировала:

— Жить, как ты? В нищете? Не иметь приличной шубки? Вечерами штопать чулки? Фу! Это не мой размер! Сшей мне поживей новое платье и дай денег. Я младшая, сирота, тебе мама велела помогать мне.

Глава 30

Оставалось удивляться, почему Нинель шла на поводу у Нины, но старшая сестра постоянно поддерживала младшую. А потом произошла невероятная история. Директор школы, где Нинель вела основные занятия, вдовый Сергей Петрович начал ухаживать за скромной учительницей и предложил ей расписаться.

Сыграли свадьбу, во время которой Нина напилась и устроила истерику.

— Нашла себе бобра, — кричала она, не обращая внимания на обомлевшего мужа сестры, — урод лысый! Нищий! Купил тебе говеное кольцо! Медовый месяц в Ессентуках! Фу! Лучше жить одной, чем с таким.

Сергей Петрович молча проглотил оскорбления, но потом сказал Нинели:

— Давай сделаем так, чтобы твоя сестра не приходила к нам каждый день обедать и клянчить деньги. Нина вполне может пойти работать, пусть сама себя обеспечивает.

— Она сирота, — привычно сказала Нинель.

Сергей Петрович рассмеялся:

— С железными клыками и острыми когтями. Нинелечка, очнись, ты содержишь дармоедку, у которой на уме лишь тряпки и деньги. Понимаю, она тебе родня, но я не хочу потакать ленивой бабе.

Нинель испугалась. Меньше всего ей хотелось, чтобы супруг и сестра ссорились. Но тут у Нины завязался роман, и веселая стрекоза перестала забегать к скромному муравью. Иногда Нинель звонила Нине и слышала из трубки:

— Чего тебе надо?

— Просто узнать, как ты живешь, — смущалась та.

— Расчудесно, — отвечала Нина, — ездили в Карловы Вары. Ах, Чехословакия красивая страна! Я привезла сервиз, украшения из граната, попила минеральной воды. Не поверишь, от этих источников невероятная бодрость появляется.

У Нинели успокаивалась душа. Слава богу, кажется, младшенькая наконец-то обрела то, что искала. Перед самым Новым годом Нинель звякнула Нине и услышала полный раздражения голос:

— Хватит мне надоедать.

— Что? — растерялась сестра.

— Непонятно? — взвизгнула Нина. — Прекрати трезвонить. Если ждешь, что я дам тебе денег, то ошибаешься. У тебя есть муж, пусть он жену и содержит. Все! Довольно! Я выхожу замуж! Нам с тобой не по пути. Буду супругой известного литератора, мне нищие родственники ни к чему.

Нинель проплакала три дня, Сергей Петрович, как мог, утешал жену. Он ни разу не сказал: «Вот видишь! Я же предупреждал о сущности Нины».

Несколько лет от младшей Пулковой не было ни слуху ни духу, а потом Нинель неожиданно увидела на пороге своей квартиры очень постаревшую сестру.

— Привет! — весело заявила она. — Угости чаем!

— Входи, — ошарашенно предложила Нинель.

Нинка впорхнула в прихожую и затараторила. Как водится, она не спросила сестру о ее жизни, не поинтересовалась делами Сергея Петровича и не вспомнила про Егорку. Зато в подробностях изложила свои обстоятельства.

Писатель оказался гадом, он кормил Нинушу обещаниями расписаться, но тянул с разводом и в конце концов дал любовнице от ворот поворот.

— Завел себе другую пассию! — орала Нина. — Сволочь! Ну ничего, я ему еще покажу! Попляшет, скотина! Ты обязана мне помочь.

— Чем? — настороженно поинтересовалась Нинель, исподтишка разглядывая шикарную одежду нежданной гостьи. — Сомневаюсь, что ты захочешь носить сшитое мною платье.

— Даже в гроб твое рукоделие не надену, — фыркнула Ниночка, распахнула входную дверь и заорала: — Антон! Где ты спрятался?

На лестнице появился маленький мальчик, одетый в неаккуратно зашитые штанишки.

— Это твой сын? — ахнула Нинель. — Почему ты бросила мальчика у лифта?

— Надоедливый очень, — поморщилась Нина, — то ему пить, то есть, то писать.

— Сколько пацанчику? — спросил Сергей Петрович, которого привлек шум.

— Три года, — задумчиво протянула Нина, — понимаешь, какая этот прозаик сволочь? Я ему родила, думала, привяжу на всю жизнь, а он! Ребенка не признал, денег на него не дает. Негодяй! Отнесу заявление в партком Союза писателей, живо гению шею намылят. Да не о том речь. Я влюбилась!

Сергей Петрович крякнул, а Нина продолжила:

— Новый кавалер потрясающий! Обожает меня! Мы едем в Сочи! Пусть Антон у тебя поживет. Немного, с годик, потом я его заберу. Тебе хорошо, все заграбастала: и мужа, и квартиру, и оклад. А я сирота, мне помогать надо. Ерунду прошу! Кстати, Антон тебе племянник, родная кровь. Гляди!

Нина схватила мальчика за подбородок и резко подняла его голову.

— Правда, он на маму Анфису похож? Твой долг его обогреть.

Нинель растерялась, а Сергей Петрович воскликнул:

— Мальчик болен, лицо в розовых пятнах, глаза блестят. Похоже, у него корь.

— Чушь, — отмахнулась Нина, — отвратительный ребенок, весь в отца-подлеца, вечно притворяется!

— Кожную реакцию трудно подделать, — возразил директор школы. — Уходите домой. Вы заразите Егора.

— Глупости, — топнула ногой Нина, — забирайте Антона! У меня скоро поезд.

— Никогда! — отрезал Сергей Петрович.

— Милый, — робко пискнула Нинель, — мальчик в плохом состоянии, ему трудно ходить.

— Вот и отлично! — обрадовалась Нина. — Купи надоеде пару штанов, старые в лохмотья превратились. Ну, пока!

Сергей Петрович преградил ей путь:

— Нет! Ничего у тебя не выйдет! До твоей квартиры пять минут неспешным шагом! Ни я, ни моя жена не возьмем на себя ответственность за жизнь чужого ребенка. Забирай сына и проваливай.

Нина возмутилась:

— У меня поезд!

Но Сергей Петрович не дрогнул.

— Ничем не могу помочь.

— Дорогой, — пролепетала Нинель, — Антон еще малютка, на улице холодно, а на нем тонкая куртенка и шапочки нет.

— Он тебе никто, — отчеканил супруг. — О его рождении тебя не предупредили и, кстати, в гости к писателю не позвали. Не хотели свинью в калашном ряду видеть. Как аукнется, так и откликнется.

— Моя жизнь рухнет, — захныкала Нина.

— Каждый человек — кузнец своего несчастья, — съязвил директор школы.

— Значит, вы не приютите Антона? — побагровела Нина.

— Нет, — отрубил Сергей Петрович.

— Чтоб вы тут все сдохли, — заорала Нинка, — сгинуть сукам, проклятье вам! Пошли, идиот.

Малыш послушно посеменил за мамой. Нинель чуть не зарыдала от жалости, но она понимала: муж прав. Единственное, что тетка сделала для племянника — натянула ему на голову старую, самолично связанную из синей шерсти шапочку Егора.

Можно не верить в черную магию и наложенные проклятья, но после спешного отступления Нины на семью Нинель обрушилась череда несчастий. Сначала сама учительница заболела корью, она заразилась от Антона и чуть не умерла. Сергей Петрович преданно ухаживал за супругой и временно выпустил из вида сына. Егор получил невиданную ранее свободу, быстро подружился с нехорошими ребятами во дворе и пошел с ними гулять на строительный карьер, где брали песок для строек. Нинель и Сергей Петрович строго-настрого запрещали ему приближаться к глубокой яме с отвесными краями. Но мать лежала с высокой температурой, отец хлопотал на кухне, и Егорка побежал на прогулку.

Домой он не вернулся. Тело ребенка нашли утром рабочие, явившиеся на службу. Мальчик упал с крутого обрыва и сломал шею. Сергей Петрович получил инфаркт и очутился на больничной койке. Долго директор школы не протянул, его хоронили на девятый день после трагической гибели сына.

Несколько лет Нинель жила словно в замороженном состоянии, потом постепенно начала оттаивать. С Ниной она не общалась и ни малейшего желания встречаться с сестрой не испытывала. Именно избалованная младшая Пулкова привела в дом сестры корь. Нинель не выпустила бы сына из виду, ее муж остался бы жив. Первопричиной бед являлась младшая сестра, которая исчезла из жизни старшей.

Шло время. Нинель уволилась из школы, она навевала слишком много негативных воспоминаний, и устроилась в органы опеки. Теперь в ее обязанности входило посещать неблагополучные семьи, проверять, как с детьми обращаются взрослые, ревизовать матерей-одиночек. Работа неожиданно ей понравилась, Нинель любила малышей и была толерантна к подросткам, у нее даже появилось несколько подруг из числа мамаш. Они почитали Нинель как гуру и с любым вопросом мчались к ней.

Как-то раз одна из упомянутых женщин, Алёна Резникова, сказала Нинели:

— Моя Вера рассказывает странную историю про некий дом, в котором вроде живет девочка. Ее похитили, истязают, мучают морально и физически, наказывают, запирают в какой-то синей комнате! Может, ты проверишь, а?

— Обычная болтовня, — отмахнулась Нинель, — вроде машины из сказки, которая по ночам прикатывает к детям и увозит неслухов в ад. Еще есть байка про черную руку. Дети — фантазеры.

— Вера никогда не врет, — возразила Алёна, — у нее с воображением беда, на редкость приземленная девочка. И она здорово напугана.

— Хорошо, приводи дочку, поговорю с ней, — согласилась Нинель.

Когда девочка появилась в кабинете, Пулкова задала ей массу вопросов и выяснила подробности.

С Верочкой в одном классе учился Миша Воронов, у того есть сосед по дому Сережа Глазов, вместе с ним в секции занимался Павлик Колосков, у которого была сводная сестра Соня от первого брака мамы. Папа Колоскова недолюбливал падчерицу за ершистый характер, постоянно лаялся с девочкой, а потом Соня пропала. Отец сказал, что третьеклассницу отправили к ее бабушке в деревню, она теперь будет жить и учиться в Подмосковье. Павел ненадолго расстроился, но потом сообразил, что отныне стал единственным владельцем комнаты, и обрадовался. Никто больше не лез на его сторону стола, не хватал без спроса машинки, не нарушал строй солдатиков на полках, не ябедничал маме. Кроме того, родители купили ему щенка, и Паша пришел в восторг: собственный пес намного лучше капризной девчонки. Короче, Паша жил себе да радовался, о Соне он и думать забыл.

Как все мальчишки, Паша любит побезобразничать. И отец и мать строго настрого запрещают сыну приближаться к МКАД, но непослушный подросток решил отправиться на рыбалку. Много лет назад за внешним кольцом Московской кольцевой дороги, в том месте, куда поехал Павел, стоял лес. Ни огромных супермаркетов, ни строительных рынков, ни больших домов тогда не было и в помине.

Павел на автобусе добрался до нужной остановки, рискуя жизнью, перебежал магистраль, прошел совсем чуть-чуть по узенькой тропинке и растерялся. Удить рыбу он отправился в гордом одиночестве, всех его друзей-приятелей родители отправили отдыхать кого в деревню к бабушке, кого в лагерь. Паше предстояло самому завтра уехать к деду, суровому, властному старику, который все лето держал шаловливого внука на привязи, не разрешая ему самостоятельно и шагу ступить. Вот Пашка и решил напоследок оторваться, да только слегка заплутал и вместо крошечного озерца, которое хорошо видно с дороги, вышел на поляну, где стоял добротный, большой дом, огражденный забором. Калитка была заперта, Павлик подергал доски, одна отодвинулась, мальчик пролез во двор. Он почему-то решил, что к озеру можно пройти через чужую территорию, но, уже очутившись около дома вплотную, разозлился на собственную глупость, повернулся, хотел убежать и услышал за спиной судорожный шепот:

— Павлушка!

Мальчик обернулся. Из зарешеченного окна первого этажа показалась тоненькая рука, которая махала из стороны в сторону. Мальчик подошел поближе и увидел за железными прутьями худое, бледное до синевы лицо своей сестры.

— Сонька! — ахнул Павел. — Что ты здесь делаешь?

Софья судорожно зашептала:

— Скажи маме, что я живая. Пусть придет и заберет

меня! Павлуша, меня украли, заперли, он очень страшный. Павлушенька, пожалуйста, спаси меня! Я болею, кашляю, а он в синей комнате меня запирает! Павлик, скажи маме! Она же меня ищет, да? Скажи! Ищет? Павлуша! Вот счастье, что ты пришел, ты меня искал, да? Я знала.

Трудно оценить растерянность подростка, который ничего не понял. Он-то считал, что Софья распрекрасно устроилась у своей бабки, а она живет в здании с решетками, плохо выглядит, сильно похудела и вовсе не кажется счастливой.

— Беги, Паша, — шептала сестра, — они за картошкой уехали, сейчас вернутся, если тебя поймают, тоже украдут, посадят в подвале в синюю комнату. Поторопись, братик. Помоги мне!

Перепуганный Павел ринулся домой и... промолчал. Он боялся рассказать родителям о встрече с Соней. Почему? Да первое, что спросит отец:

— Сын, как ты очутился за МКАД? Наш дом находится у метро «Динамо». Неужели ты наплевал на наш с матерью приказ и поехал без спроса гулять туда, куда строго запрещено?

Лето Павел провел у дедушки, в конце августа вернулся в Москву и по секрету рассказал приятелям про страшный дом.

— Может, съездишь, проверишь? — спросила Алёна.

Нинель укоризненно покачала головой:

— Абсурдная просьба.

— Вдруг девочке действительно плохо? — настаивала Алёна.

— Следует обратиться в милицию, — сказала Нинель.

— А если Паша все придумал? — вздохнула Резникова.

— Сходи к его родителям, — предложила Пулкова, — пусть они свяжутся с родственницей, которой отдали Софью, и выяснят, где она.

Алёна нахмурилась.

— Вера говорит, что отец у Павла — зверь, у него один метод воспитания — ремень. Чуть не так себя сын повел, он его колотит.

— Да уж, настоящий Макаренко, — неодобрительно буркнула Нинель.

— Понимаешь, каково Павлику будет? — воскликнула Резникова. — Если он наврал — его выдерут за ложь, сказал правду — побьют за то, что не послушался родителей и далеко уехал. У тебя есть удостоверение работника службы опеки, ну придумай что-нибудь.

— Я не имею права вторгаться на чужую территорию, — сопротивлялась Нинель, — меня на порог не пустят. И как спросить у хозяев: «У вас тут за решетками похищенная девочка не сидит?» Если Соню и правда украли, то мне ничего не скажут.

— А вдруг девочку на самом деле мучают? — прошептала Алёна. — Вера очень напугана.

Резникова долго упрашивала Нинель, и в конце концов та сдалась, поговорила с Павлом и поехала по указанному подростком адресу. Подъезжая к нужной остановке на автобусе, Нинель вдруг поняла: она совершает потрясающую глупость. Мальчик фантазер, он наплел одноклассникам сказок, решил привлечь к себе внимание. Она зря тратит время, никакого дома с решетками не существует! Одно хорошо: таинственное здание находится неподалеку от ее квартиры.

Ругая себя, Нинель все же пошла по узкой тропинке и напряглась. Дорожка привела ее к участку, посередине которого высилось здание, окруженное забором. Вспомнив про качающуюся доску, Нинель подергала несколько деревяшек. Одна поддалась. Женщина пролезла во двор, даже не подумав, что там может быть собака, увидела окна, забранные решетками, и храбро позвонила в дверь.

Если поведение Нинели покажется вам по меньшей

мере безрассудным, то поспешу напомнить, что все происходило в идиллические советские времена. Основная масса людей считала: преступность в СССР искоренена, а редкие воры отбывают справедливое наказание на зоне. Нинель работала в органах опеки, она видела родителей-алкоголиков, сталкивалась с матерями-садистками, отцами-насильниками, но наивно полагала, что этих выродков всегда обнаруживают. Того, что многие дети скрывают, как их мучают дома, бывшая учительница не знала, и ей в голову не могло прийти, что кто-то посмеет навредить чиновнице с удостоверением. Наивно? Но таков был менталитет граждан тех лет.

Дверь открылась, Нинель увидела женщину в аккуратном халате, продемонстрировала ей корочки и сухо сказала:

— Инспектор Пулкова. Нам сообщили, что здесь живет девочка, которая не посещает школу. Если вы не отправили ребенка соответствующего возраста на учебу, то нарушили закон.

Хозяйка не выказала никакого волнения, она посторонилась, впустила незваную гостью в прихожую и спокойно ответила:

— Меня зовут Анна. Вы ошибаетесь. У нас с мужем есть дочь, но она пока маленькая. Я из-за нее работу оставила, малышка постоянно болеет. Других ребят тут нет. Если хотите, можете подождать, муж поехал за дочкой в больницу, ей вчера гланды удалили, сегодня домой забираем.

В здании стояла тишина, Анна не нервничала, в холле было чисто. Нинель слегка успокоилась, но сказала:

— У вас не дом, а крепость! На всех окнах решетки.

Анна кивнула:

— Мы на отшибе живем, рядом других людей нет, неподалеку шоссе, по нему всякие люди ездят, вот и пришлось загораживаться.

Нинель окончательно успокоилась. Павлик видел дом, он существует реально, а вот встреча с якобы похищенной Соней — плод болезненной фантазии подростка. Пулкова уже собралась откланяться, как увидела на вешалке темно-синюю шерстяную шапочку с белыми инициалами «Е. П.»

Сердце Нинели оборвалось. Это был старый головной убор ее умершего сынишки Егора.

Глава 31

— И как вы узнали головной убор?

Нинель пожала плечами:

— Сама его связала. Второго такого в природе не существует. Отлично помню, как нахлобучила шапочку на голову маленького Антона, она ему оказалась велика.

— Наверное, вы изумились? — пробормотала я.

Нинель кивнула.

— Конечно. И не удержалась от вопроса: «Откуда у вас этот шерстяной колпачок?»

Анна спокойно ответила:

— Мы с мужем небогаты, поэтому покупаем одежду дочери в комиссионке, новая нам не по карману, да и не нужна она ей.

Нинель расслабилась, а Анна добавила:

— Здесь неподалеку есть рынок, на нем была барахолка, жаль, ее закрыли, теперь приходится на Тишинский рынок мотаться, там детские подержанные вещи продают. Раньше мне удобнее было — пересекла МКАД, и выбирай малышке все необходимое.

Нинель распрощалась с Анной и направилась домой. От ее квартиры до зарешеченного дома было две остановки на автобусе, но городской транспорт ходил с большим опозданием, и Пулкова решила прогуляться, пересекла шоссе и пошла неспешным шагом по улице. В голове у нее крутились разные мысли.

Сначала она просто удивилась совпадению. Вот как в жизни бывает! Нинель связала шапочку Егору, потом отдала ее Антону. Нина отнесла сношенную ее сыном вещицу в скупку, Анна приобрела ее для своей дочери, и она вновь попалась на глаза Нинели. Прямо шапка-бумеранг!

Но спустя некоторое время бывшую учительницу начали обуревать сомнения.

Шапку связали для мальчика, она темно-синяя. Зачем девочке мужской головной убор? Нинель сама, когда был жив Егор, захаживала в ту самую комиссионку и знала: на полках большой выбор вещей, для удобства покупателей сделано два торговых зала: один для мальчиков, другой соответственно для девочек, туда ведут разные входы. Отчего Анна не приобрела девчачий головной убор? Белый, розовый, зеленый, с помпонами? Чем ей приглянулся «петушок»? Он же смешно смотрится на малышке.

Нинель снова охватило беспокойство, она замерла у какого-то дома, перевела дух и поняла: стоит возле здания, где расположена квартира Нины. Не спрашивайте, по какой причине старшая сестра вошла в подъезд и поднялась на нужный этаж. Она не смогла бы объяснить свой неожиданный порыв.

Из апартаментов младшей сестры доносилась веселая музыка. Нинель ткнула пальцем в звонок.

— А вот и Ася, — закричала Нина, гремя цепочкой. Дверь распахнулась.

— Аська! — взвизгнула хозяйка. — Свинство так опаздывать!

— Это я, — тихо сказала Нинель.

Нина ойкнула, вышла на лестницу и, не забыв прикрыть дверь, зло спросила:

— Чего тебе надо? У меня день рождения!

Нинель поразилась:

— Сегодня восемнадцатое октября, а ты родилась весной.

— И чего? — фыркнула Нина. — Мой день рождения, когда хочу, тогда и праздную. Проваливай, муж не любит чужих!

— Ты расписалась? Поздравляю, — искренне обрадовалась Нинель.

Нина разозлилась:

— Какая разница, есть у меня штамп в паспорте или нет? Главное любовь!

— Антон, наверное, здорово вырос, — пробормотала Нинель.

— Его нет! Мальчика украли! — выпалила сестра.

— Кто? — попятилась старшая сестра. — Когда?

— Отец его забрал, — спешно поправилась Нина. — Чё те надо?

— Мы давно не виделись, — прошептала Нинель, — я хотела узнать, как твои дела? В порядке ли сын?

Нина нахмурилась:

— Вон оно что! Дошел до лисички-сестрички слух про моего мужа! Богатого! Красивого! Молодого писателя! Как ты меня приняла, когда я попросила своего сына пригреть? На три буквы послала! Носа потом не показывала! Чего тогда не волновалась о моем житье-бытье? Прорезалась, когда я снова на белом коне? Вали в задницу! Сегодня вечером я уезжаю с супругом отдыхать, с нищими не вожусь. Тебе нужны деньги? Иди работать! Вроде такой совет мне твой муж в тяжелую минуту дал? Кстати, как он?

— Сергей умер, — прошептала Нинель, — и Егор тоже.

— Здорово, — кивнула Нина, — меня нельзя обижать, я врагов проклинаю, и они дохнут!

Нинель примолкла. Я въехала во двор больницы, где работает Катюша, и не устояла перед искушением задать следующий вопрос:

— Вы не обеспокоились? Не пошли в милицию? Не рассказали про похищенного мальчика, чью шапочку видели в доме, где держат тоже якобы украденную девочку?

Щеки Нинели слегка порозовели:

— Я не поверила Нинке, она мастер художественного свиста. Вечно про богатых мужей лгала, а с ней так ни разу никто и не оформил отношения. Знаете, за счет чего она сейчас шикует? Небось шантажирует бывших любовников, они все женатые люди. Икру жрет! Сливки пьет!

— Вы вроде не общаетесь, так откуда знаете про содержимое холодильника сестры? — поддела я собеседницу.

Нинель начала тереть колено.

— К моему глубокому сожалению, мы живем рядом, поэтому порой сталкиваемся. Пару раз я видела, как Нинка из шикарных машин вылезает в дорогой шубе. И мы в одной фирме продуктами затариваемся, доставляет их молодой парень — студент, он бестолковый, путает наши коробки, видела я, что Нинка приобретает! А теперь скажите, почему так получилось? Я всю жизнь на тяжелой работе копейки получала, на старость не скопила. Нинка дня на чужого дядю не трудилась, но жила припеваючи, по курортам ее возили, одевали, обували, кормили. Ненамного она меня младше, но я старуха, а сестра до сих пор мужчинами вертит и в ус не дует. Почему у меня все отняли, а у нее сладкая судьба? Нинка ни одной душе ничего хорошего не сделала, под себя все гребла. А я всегда о других пеклась, чужими детьми занималась, где награда?

Я сделала вид, что поглощена парковкой. Если совершать хорошие поступки и ждать за них от судьбы конфетку, вряд ли ее получишь. Добро только тогда добро, когда оно бескорыстно. Вспомним Антона. Тетя не заволновалась о племяннике, хотя у нее были все основания поднять тревогу. Сначала сестра ей сообщила о похищении сына, затем заявила, что мальчика забрал отец. Нинель забыла, как рассказывала мне о писателе, который отказался признать мальчика и бросил его мать? Разве такой человек мог принять в свою семью бастарда?

Словно прочитав мои мысли, Нинель продолжила:

— Судьба Антона меня обеспокоила. Я бы непременно начала искать мальчика, но вечером того дня упала, сломала ногу, провела в больнице месяц, мне сделали три операции. В клинике я познакомилась с врачом, у нас случился роман, мы пару лет жили вместе. Чуток счастья мне досталось. Как-то не до чужих детей стало. Ну а потом... все забылось...

— Забылось, — повторила я, — бывает. Своя рубашка ближе к телу. Давайте помогу вам выйти из машины.

Пока Катюша осматривала Нинель, я позвонила Максу и попросила:

— Можешь проверить, не подавалось ли заявление о похищении мальчика Антона Пулкова?

— Прикольно, — ответил муж, — полагаю, что нет. Антон жив, он, если ты забыла, женат на Наташе Груздевой и сейчас находится в больнице с сердечным приступом. Или ты ведешь речь о его полном тезке? В этой истории есть еще один Антон Пулков?

— Нет, — вздохнула я, — но, пожалуйста, подними документы, воспользуйся своими обширными связями в узких кругах.

— И когда его по-твоему украли? — с недоверием спросил Макс.

— Полагаю, когда мальчику исполнилось три-четыре года, — сказала я.

— Круто, — засмеялся супруг, — малыша уперли у мамы, где-то подержали, затем вернули, он вырос, женился. Бразильский сериал. Просто Мария и рабыня Изаура отдыхают.

— Можешь считать меня полной дурой, однако удовлетвори мое любопытство, — настаивала я, — и еще узнай о прошлом Наташи.

— Уже, — напомнил Макс, — ее удочерили.

— Помню, — перебила я, — но у девочки были биологические родители. Кто они? И Катя. Необходимы подробности ее детства.

Макс со вкусом чихнул.

— Будь здоров, — пожелала я, — в доме у старика дикий холод. Ой!

— Что? — тут же спросил Макс.

— Я сказала про колотун в здании и вдруг поняла, что оно мне напоминает, — воскликнула я, — клетушка, решетки, один туалет, неудобное размещение кухни и душа. Вдобавок скелет в подвале и цепь, к которой был прикован несчастный подросток.

Я замолчала.

— Внимательно слушаю, — тихо сказал муж.

— Еще до нашего с тобой знакомства, — зачастила я, — мне пришлось заниматься одним делом, которое привело меня в детскую колонию, расположенную в далекой провинции. Понимаешь, в крупных городах систему исполнения наказаний тщательно проверяют, по исправительным учреждениям постоянно ездят комиссии. А в глубинке начальник колонии царь и бог, делает, что хочет.

Специнтернат, в который я приехала, был жутким. Подростки, правда, жили в отдельных конурках, куда с трудом вмещались кровать и кукольная по размеру тумбочка, но у них не было гостиной с телевизором, кормили их отвратительно. А еще меня поразило, что на всех был один сортир, во дворе. И душ тоже единственный.

Я возмутилась и сказала начальнику:

— Даже голодная свинья не съест обед, которым вы кормите мальчиков.

— У нас маленький бюджет, — ответил тот, — мяса, свежих овощей, фруктов на эти деньги не купить.

— А туалет? — разозлилась я. — Пусть вы лишены госдотаций на хорошее питание, но что мешает вам поставить на улице пять будок? Вырыть выгребные ямы нетрудно. Дайте мальчикам лопаты, они сами для себя постараются. И душ! Никто не просит вас ставить джакузи или сооружать бассейн, сделайте им пару «леек»! Неужели вам детей не жаль?

— Они преступники, — отрубил мужчина, — почти на каждом висит убийство, изнасилование, грабеж. И уж поверьте, абсолютное большинство преступило закон не потому, что голодали, а из-за дурных наклонностей. Их надо сломать, чтобы сообразили: за антиобщественными действиями следует наказание. Один сортир! Один душ! Вода холодная! Еда плохая! Здесь не курорт, сюда их не за отличные отметки привезли. Вот тем, кто пятерки носит и отца с матерью уважает, полагаются супчик-котлетка-конфетка и одеяло пуховое. А вам, ребята-бандиты, суровый быт. Пять будок им поставить? Хрен им! Пусть в одну толпятся! Освободятся, захотят снова разбойничать, авось вспомнят, как тут жилось, и остановятся. Суровый быт ломает личность. Моя задача их обстругать, сделать послушными, а не спинку мерзавцам чесать.

— И ты подумала, что дом Груздева — точь-в-точь тюрьма? — тихо спросил Макс.

— Вроде того, — вздохнула я, — это бы объяснило странный интерьер здания. Я читала книгу Милады Смоляковой. Писательница придумала частную тюрьму, куда родственники запихивали членов семьи, которые совершили преступления. Они не хотели, чтобы их дети очутились на настоящей зоне, но и на свободе не могли их оставить[1]. Не зря же говорят: «Любой вымысел всегда становится реальностью». Вероятно, старик Груздев в действительности имел нечто подобное. А потом что-то случилось, и он стал сдавать особняк для разных мероприятий.

— Маленькая деталь, — протянул Макс. — Антона, как ты уверяешь, похитили, когда ему было три-четыре года. Что за преступление он совершил? Разбил вазу? Стащил со стола конфеты? Возвращайся на базу, лучше поговорим не по телефону.

— Только прихвачу для Нинели лекарства в аптеке и доставлю ее домой, — ответила я.

Взяв у провизора пакетик с лекарствами, я спросила:
— У вас есть ноофазол?
— В наличии, — кивнул мужчина в халате, — давай-

---

[1] Об этом рассказано в книге Дарьи Донцовой «Ангел на метле», издательство «Эксмо».

те рецепт, этот препарат отпускается исключительно по рецепту врача.

— Абсолютно верно, ведь его прописывают людям с серьезными психическими проблемами, — решила я завязать беседу.

Провизор не пошел на контакт.

— Не имею полномочий обсуждать действие препаратов этой группы. Есть рецепт, отпущу. Нет? Извините!

— Моя сестра ноофазол принимала много лет, — солгала я. — Интересно, сколько сейчас стоят пилюли? В давние времена он казался мне недешевым.

— В давние времена ноофазола не существовало, — ответил аптекарь.

Я удивилась:

— Не может быть. Вы ничего не путаете?

— Конечно, нет, — снисходительно заявил продавец, — это средство нового поколения, на российском рынке появилось недавно. Вот в чем вы не ошиблись, так это в цене. Таблетки очень дорогие.

— Не может быть, — растерялась я, — у меня есть история болезни, в которой черным по белому написан диагноз: биполярное расстройство. И указано, что в юности сестра принимала ноофазол.

— Чушь, — скривился провизор, — препарат американского производства, штатники его в широкую продажу то ли два, то ли три года назад выпустили.

— Но врачебный документ говорит об ином, — настаивала я.

Провизор усмехнулся:

— На компьютере что угодно сделать можно!

— В столе лежала история болезни — бумажная тетрадочка, — воскликнула я. — Знаете, такая пухлая, с картонной обложкой, корешок проклеен липкой темно-синей лентой. Сзади приделан конверт, куда складывают бланки анализов. Врач на страницах ставит дату и записывает результат осмотра. Тетрадка старая, за-

.... Дарья Донцова

ляпанная, бумажки пожелтели. Такие во всех районных поликлиниках в регистратурах имеются.

Провизор сдвинул брови и повторил:

— На компьютере все сделать можно! Любой документ! И листочки пожелтеют, и анализы найдутся, мастеров куча. Зайдите в Интернет, поройтесь на сайтах, еще не то найдете. Составить историю болезни старого образца не проблема, живо сварганят за деньги.

— Но зачем? — не поняла я.

Фармацевт вынул из кармана очки, водрузил их на нос и начал рассматривать меня, словно диковинное насекомое.

— У всякого человека своя причина, — проговорил он после паузы. — Хотите сына от армии отмазать — придумываете ему астму или больное сердце. Да только врач из военкомата купленной справкой не удовлетворится, потребует все медицинские исследования с детских лет. Кто поумнее, заранее готовит фальшивые бумажонки, прямо с детсада начинает. Остальные покупают состряпанные истории. Иногда врачи, которые этим промышляют, ошибаются. Вот вашей сестре и вписали прием ноофазола с детства.

— Девочек на службу не призывают, — чуть слышно произнесла я. — Зачем ее историю болезни подделывать?

Провизор отвернулся к кассе:

— Не мое это дело, кто и почему захотел представить ее сумасшедшей.

Звякнул колокольчик, в аптеку вошла женщина, фармацевт занялся новой покупательницей, а я вернулась в машину, вручила Нинели блистеры и коробочки, благополучно доставила ее в квартиру и вернулась на базу.

Макс сидел в моей комнате.

— Когда я чуть подрос, — без всякого предисловия произнес он, — Капитолина отдала меня в интернат, так называемую лесную школу. Слышала о подобных?

— Во времена моего детства туда уезжали дети, имевшие проблемы со здоровьем, — ответила я, ну не хотела признаться мужу, что подслушала его беседу с матерью.

— Как правило, под присмотром государства дети жили один учебный год, — продолжал Макс, — редко два. Я же проторчал там почти десять лет.

— Ужасно, — прошептала я.

Макс вздернул голову:

— Вначале было ничего, мне даже понравилось. Капу нельзя назвать матерью-наседкой, я по большей части дома один сидел, с пяти лет сам яичницу пожарить мог.

— Ужасно, — повторила я.

— В интернате было весело, ребят много, кормили нормально, — методично перечислил муж. — А потом поменялся директор, у руля встал Игорь Ефимович Козлов. Его воспитательные принципы можно сформулировать так: «Топчи ребенка, пока тот не станет тихим и покорным. Дети не болеют, они притворяются». Особый гнев у него вызывал я, потому что считался старожилом и не собирался уезжать домой. Козлов поделил просторные комнаты, в которых мы жили по трое, на клетушки. Оставил одну ванную, остальные превратил в кладовки. По утрам у нас за унитаз шла битва!

— А что же родители? Неужели они позволяли мучить ребят? — поразилась я.

Макс сложил руки на груди.

— Козел был хитрый. Он матерям ситуацию особым образом преподнес. Дескать, он полон заботы о молодом поколении. Теперь у каждого мальчика отдельная спальня, это же лучше, чем общая!

— Логично, — кивнула я.

— Да только на общей жилплощади ты не один, — вздохнул Макс, — можно друг друга поддерживать, утешать, строить козни директору, готовить бунт, побег. Козлов действовал по принципу «разделяй и властвуй». Ну и добился своего. Все ходили молча строем, ждали, когда их домой заберут. Знаешь, что он сказал матери одного пацана, которая спросила:

— Почему у вас работает один туалет?

— Мальчишки бегают онанизмом заниматься, у нас не хватает сотрудников, чтоб за кучей огольцов следить.

Мамочка осталась довольна: онанизм — ужасная страшилка тех лет, даже курение считалось меньшим пороком.

Сейчас я понимаю, что этот Игорь Ефимович был садистом, ему доставляло удовольствие терроризировать мальчиков. Может, он был латентный педофил и таким образом подавлял свою страсть?

Но у меня перспектив вырваться из лесной школы не было, и я сдуру объявил гадине войну. Дерзил, не слушался, сидел постоянно в карцере, лишался ужина, обзывал его в глаза «Козел». Ну и он мне отомстил: после восьмого класса спровадил в детскую колонию за воровство. Подбросил в ранец ершистому подростку свой кошелек с получкой, вызвал милицию, и поехал я за настоящую решетку.

У меня хватило сил лишь на то же слово:

— Ужасно!

Глава 32

Муж криво улыбнулся:

— Все плохое, что с нами случается, всегда оборачивается к лучшему. Я попал в колонию озлобленным существом, готовым к постоянной драке. В отряде, куда меня зачислили, был воспитатель, Валентин Юрьевич. Избитое выражение, но он из меня человека сделал. Не встреть я его, все плохо могло обернуться. Так вот, едва я вошел на базу, как она мне показалась до боли похожей на интернат времен Козла. Здание словно возвели для издевательств, с целью подавлять личность тех, кто в нем поселился. Подвал — это карцер. Думаю, Михаил Груздев слишком жестоко обошелся с кем-то из своих воспитанников, и тот умер. Хозяин заделал вход в подпол и постарался забыть об этом. Понимаешь?

Я кивнула:

— Необходимо срочно допросить Зяму с Ритой. Полагаю, они полностью в курсе. Сандра рассказывала, что Катя, увидев из окна автобуса здание базы, перепугалась. И еще пропавшая конкурсантка открыто сказала подруге, что она раньше тут жила, мечтала убежать и, как граф Монте-Кристо, смогла выбраться на волю. Сандре показалось, что Зяма и Рита тоже обитали тут ранее. Она начала расспрашивать Катю, но та умчалась, так ничего до конца и не прояснив. Пойдем, потрясем режиссера с помощницей, у меня к ним масса вопросов.

— У меня тоже, — тихо сказал Макс, — я нарыл кое-какие факты.

Мне следовало остановиться и тут же спросить: «Какие?» Но я так хотела загнать в угол эту парочку, что сломя голову понеслась по коридору.

Зяма нашелся в зале для репетиций, там же оказалась и Рита. Кроме них, в огромной комнате находилась еще Капа. Она мирно сидела у стола и чертила какие-то линии на бумаге. При виде свекрови у меня затряслись руки. По сию пору я не испытывала к Капитолине особой любви, но уважала бизнесвумен за талант и твердость характера. Однако после рассказа Макса я с огромным трудом сохранила на лице подобие приветливости и, вместо того чтобы вежливо завязать беседу, буркнула:

— Капитолина, кто вам посоветовал снять этот дом?

— Зяма, — ответила свекровь. — А что?

Режиссер закашлялся, Рита попыталась возмутиться:

— Какая теперь разница?

— Большая, — отбила я мяч на территорию противника, — гигантская! Можно было найти массу других помещений! Отчего выбор пал на этот неудобный коттедж?

— Привлекла скромная арендная плата, — вмешалась Капа, — везде просили запредельные цены. Спасибо Зяме, это его идея.

— Интересненько, — протянула я, — а вот Тамаре

Зиновий почему-то сказал, что место для базы нашла я. Дескать, здание отвратительное, но спорить с невесткой хозяйки нельзя.

Капа повернулась к режиссеру:

— Да ну? Я отлично помню, как приехала сюда. Сначала разочаровалась — не особо шикарное здание, бытовые условия, мягко говоря, не ахти. А ты мне объяснил: «Москва не Америка, народ оборзел, миллионы хочет за секунду получить. Только заикнешься о базе для конкурса, как тебе космическую цену называют. А Груздев не задирает плату. Ничего с девками не случится, они у себя дома не во дворцах жили, а мы перетопчемся».

— Эта Тамара вечно все путает, — отмер Зяма. — Не было у нас с ней беседы, ничего я ей про тебя не говорил.

— Могу позвать Тамару! — резво прервала его я.

— Или я что-то сказал, а она неправильно поняла, — тут же выдвинул другую версию Зиновий.

Капа сделала брови домиком, я сказала:

— Тамара не бунтует против плохих условий проживания, потому что задумала возвести на верхнюю ступень пьедестала почета свою племянницу или же родную дочь. Девочки-конкурсантки мечтают заполучить контракт с иностранным агентством и потому не капризничают, понимая, что сейчас не время. Капитолина не живет в коттедже, она сюда является наскоками, не стоит в очередь к унитазу, не носится с чашкой, полной кофе, с третьего этажа на первый и не лязгает зубами в ледяной спальне. Владелица «Комареро» рада разумной арендной плате. Но вам-то с Ритой что за радость здесь сидеть?

Тут включился Макс:

— Думаю, кто-то усердно уговаривал Михаила Матвеевича разместить в особняке участниц и организаторов конкурса.

— А ты у него спроси, — немедленно схамила Рита.

Я кинулась мужу на помощь:

— Не волнуйся, мы непременно все разузнаем. Но

начать все же лучше с тебя. Зачем вам с Зямой понадобился этот дом?

— Черт возьми, да ни за чем! — вышел из себя постановщик. — Просто деньги сберег.

— Чужие, не свои, Капины, — отрывисто произнес Макс. — Всё чудесатее и чудесатее! Капитолина вам никто, простая заказчица. Добро бы для старинной приятельницы старались. Ради дружбы можно стиснуть зубы и дрожать в ледяной сырой спальне. Но мучиться из-за того, кого впервые увидел? Не понимаю.

— Это бессмысленный разговор, — огрызнулся Зяма.

Макс чуть наклонил голову:

— У вас очень редкое имя.

— Знаю, — буркнул Зяма.

— И кто же вас так назвал? — спросил Максим.

— Мать, — односложно ответил режиссер.

— Проясните один момент, — почти ласково попросил мой муж. — Совершенно случайно я выяснил некие обстоятельства, не знаю, как к ним относиться. Примерно в середине девяностых годов Оксана Григорьевна Виноградова пришла в милицию с заявлением о пропаже сына, школьника Зиновия. Мать сообщила, что Зяма страдает так называемым синдромом дороги, постоянно удирает от нее, не хочет учиться, не слушается, короче говоря, исчадие ада. Ранее, когда мальчик убегал от матери, та не шла в милицию, потому что не видела никакого смысла. Зиновий всегда возвращался, но год назад Оксана Григорьевна удачно вышла замуж, а супруг забеспокоился, не обнаружив утром пасынка в комнате, и настоял на его поисках. Милиция не суетилась, заявление приняли, что-то там сделали, мальчика не нашли и забыли о нем. Поскольку в базе данных имеется лишь один Зяма такого возраста, смею предположить: вы тот самый беглец. Где вы провели несколько лет, прежде чем очутились в Москве и поселились в квартире у Риты, а? Кстати, ваши мать и отчим здоровы, проживают в той же квартире, из которой сбежали вы. Не желаете повидаться? Могу устроить свидание.

Зяма глянул на Риту, у той на лице промелькнул испуг, а я проглотила возглас удивления. Надо было делать вид, что я отлично все знаю. Так вот о какой информации говорил Макс в тот момент, когда я выбежала из своей спальни! Следовало внимательно выслушать мужа.

Макс повернулся к Рите:

— И с вами непонятка. Маргариту Николаевну Краснову украли на оптовой ярмарке. Девочке едва исполнилось семь, и милиция посчитала, что она стала жертвой сексуального насильника. Девяностые годы, когда пропала Рита, — время разгула преступности, развала правоохранительных органов и почти анархии. Маргарита сгинула, как утонула. Объявилась девочка лишь в середине нулевых. Мать ее на тот момент скончалась, отца у Риты не имелось, зато была бабушка, древняя старушка, которая с распростертыми объятиями приняла внучку и оставила той квартиру, где сейчас Маргарита живет вместе с Зямой. Рита, а где вы были столько лет? Ваша мамочка, наверное, все глаза выплакала! Вот бедняжка, подумала, что доченьку увели. А Риточка сама усвистела. Так?

Помощница режиссера издала странный клокочущий звук. Макс не утихал:

— Антон Пулков. День сурка, да и только. Нина Егоровна заявила о пропаже пятилетнего сына. На дворе все те же девяностые. Показания матери были короткими: вошла в метро, пропустила сынишку первым в вагон, а сама сесть в поезд не успела, оттеснила толпа. Состав умчался, навсегда унося малыша! Милиция не очень старалась, ребенка не отыскали. Кто у нас там еще на очереди? Катя!

Макс обвел взором притихших присутствующих и закатил глаза:

— Ох уж эти девяностые! Люди пропадали, словно их корова языком слизывала, ам, и нету! В особенности дети. К сожалению, молодое поколение непоседливо, плюет на разумные советы родителей и влипает в неприятности. Когда Катюша поселилась у Сандры, она рассказала новой подруге о своем провинциальном происхождении и совсем не удивила приятельницу. Сандра сама явилась в столицу из Манска, чтобы добиться успеха. Ах, уж эта Катя! Вот ведь крутой вираж! Оказывается, девица москвичка, из самого центра, проживала с дедушкой-академиком, да не где-нибудь, а на Чистых прудах. Ученый воспитывал внучку после смерти своего сына и невестки, те были наркоманами, темным пятном в биографии математика. Катюша радовала дедулю, а тот, еще не трухлявый пень, женился на прекрасной женщине, у которой подрастала девочка, ровесница внучки новобрачного. И как поступила неблагодарная школьница? Ей следовало радоваться счастью деда, ан нет! Катя убегает во время семейного похода на рынок. Имеем расклад, как в преферансе. Зяма, Рита, Антон, Катя. Рынок, метро, магазин. Кого похитили, кто сам удрал в людных, практически не охраняемых местах. И вот основной прикол: все очутились в доме старика Груздева!

Рита резко побледнела, Зяма открыл было рот, но я быстро остановила его:

— Не трать время, не обманывай нас, мы слишком много знаем. Мы умеем не только искать информацию, но и складывать из отдельных кусков целую картину. Иногда случайная оговорка важнее пачки с документами. Рита в момент одной из наших бесед обронила фразу: «Груздев обгорелые спички собирает и в лампе использует».

Я очень удивилась и спросила, что Рита имеет в виду, она живо нашла ответ: «Это поговорка моей мамы!»

Или бабушки, прости, Рита. Я не запомнила твое вранье во всех деталях. Думаю, старик на самом деле собирал горелые спички, бросал их в керосиновую лампу и поджигал, экономя топливо. Подобный трюк вполне в его вкусе. Давай побеседуем начистоту. Зачем вы настояли на съеме дома Михаила Матвеевича?

— Ничего не знаю! — топнула ногой Рита.

Зяма погладил ее по плечу.

— Ладно, я расскажу!

— Ты сошел с ума! — закричала она, вскакивая.

— Это была психотерапия! — переорал ее Зяма. — Чистой воды лечебная процедура.

Рита обвалилась на стул и спрятала лицо в ладонях, а Зиновий откашлялся и завел рассказ.

Школьник Зяма никогда не собирался удирать из дома. В день исчезновения мать повела его на рынок, велела помочь донести покупки. Толпа отрезала Оксану от мальчика, Зиновий хотел пойти искать маму, но тут ему на лицо упала тяжелая мокрая тряпка. Очнулся он в крохотной каморке, дверь оказалась запертой, окна зарешечены. Ясное дело, он принялся кричать, в каморку вошел мужчина и сказал:

— Чего орешь? Ты теперь тут живешь.

— Хочу к маме, — пролепетал Зяма.

— Она тебя продала, — нехорошо улыбаясь, пояснил незнакомец, — зови меня дядя Миша. Буду о тебе заботиться, кормить, поить, одевать, обувать, но и от тебя потребую работы. Ее в доме много. Есть у нас огород, корова, куры. Не будешь лениться, проявишь аккуратность, станем друзьями. Забузишь — я тебя другому человеку перепродам.

Последнюю фразу дядя Миша произнес улыбаясь. Зяма счел ее за очередную гиперболу, его мать частенько говорила:

— Отвинтить бы тебе башку, дурь вытряхнуть, ум вложить и на место вернуть!

Но это ведь не значит, что ему и впрямь череп от шеи отделят.

Зяма скривился и заорал:

— Хочу к маме!

— Дурак, — беззлобно сказал Груздев. — Ладно, на первый раз прощается! Посидишь в синей комнате,

одумаешься. Ну, а если и по выходе продолжишь ере-
питься, то поедешь хлопок собирать. Эй, сюда!

Зяма не успел опомниться, как в каморку вошла
темная фигура и достала из кармана шприц. Дальше —
провал. Сколько Зяма провел времени без света, еды?
Может, день, два, вероятно, неделю, год. И воды он не
получал. Глаза ничего не видели, уши не улавливали
звуков. Единственное, что мальчик смог, это ощупать
руками стены. Натолкнулся на кольца, из которых сви-
сали цепи, и перепугался до беспамятства. Оказывается, его могли приковать. Правда, тут еще имелась лестница, упиравшаяся в потолок, и это внушало надежду:
может, есть шанс выйти? В качестве туалета подросток
использовал один угол помещения и скоро начал задыхаться от вони.

Когда несчастный стал думать, что его судьба умереть в заточении, и почти смирился с этой перспекти-
вой, над головой загрохотало, появился квадрат света и
лицо в нем, раздался голос:

— Ну ты там как?

— Дяденька, спасите, — заплакал Зяма.

— Будешь себя хорошо вести? — спросил хозяин.

— Да, да, да, — истово затвердил школьник.

— Поди, пить и жрать охота? — заботливо осведомился дядя Миша.

— Очень! — признался Зяма.

— Вылезай, — велел хозяин.

Когда мальчик вскарабкался по ступенькам, Михаил ему вручил ведро, веник, тряпку и велел:

— Убирай синюю комнату, она еще другим пригодится.

Зяма отдраил помещение, он так и не понял, почему его называют синим, был впущен в душ, где из лей-
ки текла холодная вода, получил два куска черного хлеба и кружку простой воды. Еще недавно Зяма бы даже
не прикоснулся к этим «деликатесам», но сейчас он
проглотил клеклые ломти без остатка и облизнулся.

— Ай, молодца, — похвалил его дядя Миша, — теперь слушай. Есть у меня жизненный принцип: надо людям говорить правду. И тебе лгать не хочу. Объясню, как ты ко мне попал. Муж твоей матери условие поставил: или я, или Зиновий. Пасынок отчима хулиганством достал. Мать твоя подумала и решила: какой с мальца толк? Воспитывай его, поднимай на ноги, благодарности не дождешься. Ну и продала тебя.

— Кому? — остолбенел Зяма.

— Мне, — спокойно ответил дядя Миша, — заплатила хорошо, чтоб я тебя подальше спрятал. Ты теперь мой раб. В доме полно дел.

— А школа? — глупо спросил Зяма.

— Во! Об учебе вспомнил, — хмыкнул дядя Миша. — Чего ж раньше двойки таскал? Вел бы себя хорошо, и отчим бы не озлобился. Ты сам виноват! Сразу предупреждаю: бежать не вздумай. Поймаю. Знаешь, почему комнату синей называют?

— Нет, — прошептал Зяма.

— Будешь в ней до посинения сидеть, — со смешком пояснил хозяин.

Зиновий оцепенел. Михаил, не реагируя на реакцию «раба», мирно бубнил:

— Драпать тебе некуда. Мать, если тебя увидит, меня кликнет. И ты сейчас не в Москве.

— А где? — окончательно пал духом Зяма.

— Это другой город, — пожал плечами мучитель. — Какая тебе разница?

— И вы ему поверили? — усомнилась я. — Неужели со двора торговый центр не видели? МКАД? Рекламный щит?

Зиновий сморщился:

— В тот год, когда я сюда попал, вокруг здания лес стоял. Ни шоссе, ни рекламы. А если и увидишь, то как узнать, где тебя спрятали? Магистрали одинаковые. Ну шоссе. И какое? В Питер? Новосибирск? Владивосток? Михаил меня конкретно запугал, я даже заикаться начал.

Глава 33

Потянулись однообразные месяцы, наполненные тяжелой непривычной работой. Не поверите, но, упав на жесткую кровать и прикрываясь драной тряпкой, Зяма мечтал не о вкусной еде, мягкой постели или теплой одежде, а о школе. Ненавистное ранее учебное заведение сейчас казалось раем, а настырные учителя — ангелами. О побеге Зяма боялся даже думать. Во-первых, куда податься? Ни документов, ни денег, ни людей, способных приютить и помочь, у мальчика не было. И он теперь знал, как поступают с теми, кто не слушает Михаила Матвеевича. Их действительно держали в подвале до тех пор, пока дети не исчезали. Жена Груздева стирала одежду тех ребят и укладывала в сундук на чердаке.

У меня от ужаса по спине покатился пот.

— Вот что хранится под крышей!

— Он их не убивал, — уточнил Зяма, — а перепродавал. Детей забирали в Среднюю Азию на плантации хлопка, увозили в горы, делали из них бесплатных работников. Себе Груздев оставлял лишь тех, кто ему нравился, казался послушным, ел мало. Старик — отвратительный жлоб. Он вещи тех, кого из дома отправлял, себе оставлял, новые хозяева рабам другую одежду покупали. Я дико старался, чуть ли не целовал ему ноги. В его доме было ужасно, но я привык, даже находил время для отдыха. Книжки читал, в особняке полно всего. А если меня увезут на юг? Там точно сдохну!

Спустя некоторое время в доме образовался костяк, как говорил Груздев, воспитанников: Рита, Зяма, Катя и Антон. Последний жил тут с незапамятных времен, попал в приют крошкой и позабыл, как выглядела мама. Но Михаил Матвеевич был вдохновенным садистом. Каждый вечер он собирал деточек за скудным ужином и с иезуитской настойчивостью рассказывал им, как поступили с ребятами родители, непременно называл их имена, фамилии и сокрушался:

— Сами виноваты. Появились на свет у хороших людей, нет бы, жить, почитать отца с матерью, слушать их! Но вы своего счастья не ценили, учились плохо, грубили старшим, плохо ели, вещи портили. Вот и надоели им.

Дальше шел детективный рассказ о том, как родственники попросили дядю Мишу позаботиться о плохих детях. Груздеву заплатили денег, чтобы он забрал Зяму, Риту, Катю и Антона.

— Хорошие вам от рождения мамы достались, — вздыхал Михаил, — могли утопить или пристрелить, но они вас в добрые руки отдали, в мои. Доведу вас до ума, обучу трудовым навыкам, но, если исправиться не пожелаете, перепродам другим людям.

Зяма привык к подобным беседам, он старался не думать, что ждет его впереди. Рита, Антон и Катя тоже выглядели сломленными. Девочки были тихими-тихими, скользили по дому тенями, но через год у Зямы установилось с ними некое подобие дружеских отношений. Рита часто помогала на кухне и имела возможность утащить чуть-чуть еды: кусок хлеба, отварную картошку, горсть риса. Слава богу, в девяностых технический прогресс еще не зашел далеко, никаких камер видеонаблюдения в доме не было, и когда Михаил уходил спать в свои роскошные апартаменты, дети имели возможность поболтать. Один раз Зяма и Рита спасли Катю от посадки в подвал. Девочка случайно отбила край у керамической вазы, которая стояла в углу коридора. Несчастье случилось поздно вечером, когда Катя кралась в комнату к Маргарите. Представляете, какой ужас обуял девочку? В страшную синюю комнату можно было угодить и за меньшую провинность.

— Я там умру, — в панике шептала Катя, — все, прощайте.

Но Риту осенило, как спасти подружку. Она пошла на отчаянный риск, сбегала на кухню, отковыряла немного хлеба, разжевала его, а Зяма, имевший умелые руки, залепил этой массой вазу.

В доме у старика было много вещей, в одном из чуланов нашли краску, и ваза стала как новая. Удивительно, но затея сошла детям с рук. Утром Михаил обнаружил расковырянную буханку хлеба, но, как и надеялась Рита, решил, что в дом вновь пришли мыши. В порыве щедрости он отдал детям испорченный хлеб, сказав:

— Нехорошо еду выбрасывать, угощайтесь.

В сторону вазы садист даже не посмотрел. Потом в доме появился новый жилец, Слава. Воспитанники быстро узнали его историю. Лидия Алексеевна, мать мальчика, умерла от болезни, сироту забрала тетка, вернее, она переехала из своей однокомнатной квартиры в просторные апартаменты покойной, чтобы якобы воспитывать племянника. Дальше ситуация стала разыгрываться, как в сказке про лису и зайчика. Помните? Была у зайки избушка деревянная, а у Патрикеевны ледяная, растаяла она весной, заявилась рыжая хитрюга к длинноухому, попросила Христа ради пригреть ее и выгнала прежнего владельца вон!

У тетки было двое детей и муж-ефрейтор. Надо ли продолжать дальше? Слава очутился у Груздева. Спустя некоторое время Зяма и Рита поняли, что Славик влюбился в Наташку, дочку Груздева, а та, на беду, отвечает ему взаимностью.

Наташа была тише всех, она сторонилась воспитанников. Ребята знали, что девочка дяде Мише не родня, он ее удочерил. И, вот уж странность, никаких рассказов о биологических родителях дочери не заводил. Почему Груздев официально признал Наташу? Ответ на этот вопрос нашелся случайно. Однажды Катя, которой вменялось в обязанность тщательно приводить в порядок покои хозяина, совершила шаг, который можно было оценить как подвиг. Воспользовавшись тем, что Михаил Матвеевич ушел на рынок, она во время уборки кабинета хозяина, заглянула в его письменный стол и стала аккуратно изучать находящиеся там бумаги. Первой на глаза попалась метрика Наташи, потом свидетельство о смерти ее биологического отца. Ната оказалась племянницей Анны, дочерью ее брата. Когда родственники погибли, Михаил записал их дочь на себя. Катя продолжала рыться в бумагах и поняла, чем был вызван порыв доброты Груздева. Родители Наты оставили ей в наследство большую каменную дачу. До достижения девочкой восемнадцати лет жилплощадь находилась в распоряжении опекуна, коим являлась Анна. После удочерения Михаил мог сдавать дом на законных основаниях. Что он и делал, качая деньги. Все законно — отец временно управляет собственностью дочери. Анна, забитая мужем, молчала, а Наташа, наверное, даже и не знала, чем обладает. Михаил Матвеевич не делал девочке никаких поблажек. Она питалась, как все, ходила в старой, штопаной одежде. А вот к Славе хозяин неожиданно воспылал любовью. Начнем с того, что не отнял у подростка красивую рубашку, в которой паренек пришел в приют. Сорочка была невероятно яркой, по светло-голубому фону разбросаны ярко-красные попугаи, желтые бабочки, зеленые цветочки. Славе разрешалось надевать ее раз в месяц. Это было удивительным баловством, остальные всегда ходили в застиранных тряпках.

Я вздрогнула:

— Я видела эту сорочку в одном из сундуков. Антон ее вытащил и воскликнул: «Ее следовало выбросить». Помнится, я весьма удивилась, у старика достойный зять, который им восхищается, одобряет все начинания Михаила Матвеевича, ну почему он вдруг был готов расстаться с хорошей рубашкой? До того, как взял ее, Антон тряс перед моим лицом лохмотьями и повторял: «Хорошие вещи, их сохранить надо, тестю клиенты часто одежду в подарок оставляют». Странное заявление про клиентов, отдающих непотребные вещи, но чего только не бывает. Хотя удивлял и разброс размеров брюк и платьев, но теперь все стало понятно.

— Совсем не все тебе понятно! — взвился Зяма. — Антон мразь, из-за него Слава умер!

— Замолчи, — шепнула Рита.

— Сама заткнись, — рявкнул Зиновий, которого воспоминания лишили самообладания, — мы старика боялись, служили ему из принуждения. Жили в постоянном ужасе, а Антон его обожал. Между прочим, он тут дольше всех жил! С малолетства! Как он мог это чудовище любить!

— Стокгольмский синдром, — пояснил Макс.

— Это что такое? — удивилась Рита.

Макс вздохнул, вытащил коммуникатор, нашел нужную информацию и сказал:

— Цитирую вам Интернет-энциклопедию. Там написано: «Стокгольмским синдром — популярный психиатрический термин, защитно-подсознательная «травматическая связь», возникающая между жертвой и агрессором в процессе захвата и применения (или угрозы применения) насилия. Под воздействием сильного шока заложники начинают сочувствовать своим захватчикам, оправдывать их действия и в конечном итоге отождествлять себя с ними, перенимая их идеи и считая свою жертву необходимой для достижения «общей» цели. После освобождения выжившие заложники могут активно поддерживать идеи захватчиков, ходатайствовать о смягчении приговора, посещать их в местах заключения и т.д. Стокгольмский синдром может принимать односторонний или взаимный характер.

Авторство термина приписывают криминалисту Нильсу Бейероту, который ввел его во время анализа ситуации, возникшей в Стокгольме во время захвата заложников в августе 1973 года. Механизм психологической защиты, лежащий в основе стокгольмского синдрома, был впервые описан Анной Фрейд в 1936 году и получил название «идентификация с агрессором».

Стокгольмский синдром формируется после 3—4 дней лишения свободы и усиливается в случае изоляции пленников. В некоторых ситуациях (внутрисемейное насилие, похищение людей с целью обращения в рабство) пострадавшие добровольно отклоняют идею освобождения, даже когда побег становится возможен».

— Похоже, — подвел итог Зяма, — Антон прямо расцветал, когда Михаил ему мимоходом бросал: «Ты стараешься, продолжай дальше в том же духе». А парень от счастья ему в ноги кидался. Фанат садиста.

— Он хотел выжить, — вступилась я за зятя хозяина, — спасал себя. Вы вели себя в том же духе.

— Нет! — возмутилась Рита. — Ты не понимаешь. Нас Михаил сломал, лишил воли, но мы пытались друг друга выручить. Груздева считали врагом, просто не имели сил и средств с ним бороться. А Антон мечтал стать членом его семьи, он оказывал Наташе знаки внимания. Он давно задумал на ней жениться.

— Подлый и хитрый, — подхватил Зяма, — умел очки втирать. Гениальный актер, способный исполнить любую роль. Ухитрился Михаила вокруг пальца обвести, тот в его искреннюю любовь поверил.

— Ребята, вы не психологи, — кашлянул Макс. — Человек, страдающий стокгольмским синдромом, не прикидывается. Он по-настоящему обожает своего мучителя. Понимаю, в такое сложно поверить, но это так!

Зяма вскочил, потом сел:

— Нет! Антон сволочь. Слушайте, что он устроил!

Каким образом Славе и Наташе удалось встречаться, не знает никто. Вроде у молодых людей не было ни времени, ни места на любовь, но, как потом выяснилось, время они выкроили и место нашли. Зяма с Ритой заметили, что Слава и Ната старательно отворачиваются друг от друга, и сообразили: ребята влюбились. Но они и помыслить не могли, как далеко зашли их отношения. Трагедия разыгралась в начале мая. Михаил и Анна отправились, как всегда, закупать продукты на неделю. Зяма ковырялся в огороде — старик приказал ему вскопать грядки. Рита мыла полы, Антон вроде отдраивал окна, Наташа гладила, а Слава присматривал за мальчиком, которого завтра должен был забрать новый хозяин.

Неожиданно из дома полетели вопли Груздева. Зиновий поразился: каким образом Михаил там очутился? Но на всякий случай решил ничего не выяснять и затаился. А в коттедже, похоже, бушевал вселенский скандал. Лишь вечером, во время ужина, подростки узнали правду.

Когда они молча сели за стол, Михаил каменным голосом сказал:

— В нашем доме завелась гадина! Но, слава богу, есть у нас и хороший человек, который все мне рассказал! Крыса посажена в синюю комнату. Антон, тебе за правильное поведение причитается лишняя порция еды.

Напускное спокойствие, с которым говорил Груздев, немедленно исчезло, Михаил Матвеевич начал орать. Стало понятно: Антон наябедничал старику, рассказал, что Наташа и Слава встречаются в одном из чуланов. Садист решил поймать парочку, сделал вид, что вместе с женой укатил на рынок, а сам затаился в доме и с успехом осуществил задуманное. Славу заперли в подвале, Наташу приемный отец выдрал, а остальным объявил:

— Теперь у вас еда один раз в день! У всех, кроме Антона!

Запуганные, лишенные воли, бесправные воспитанники не посмели возражать. Около двух недель в доме царила полнейшая тишина, прерываемая лишь воплями Михаила Матвеевича и криками Наташи, которую добрый папочка каждый вечер сек ремнем.

Четырнадцатого мая — число Зяма запомнил на всю жизнь — ночью к нему в комнату пробралась Катя.

— Уходи, — зашептал в ужасе мальчик, — немедленно! Что, если Антон увидит? Нас тогда убьют!

— Надо бежать! — сказала Катя.

— С ума сошла? — подпрыгнул Зяма. — Как? Двери заперты, окна тоже! Куда идти? Документов и денег нет! Мы не в Москве! Если и доберемся до родителей, то они нас сюда снова сдадут!

Катя села на кровать к Зяме и начала говорить такие вещи, что юноша не поверил своим ушам. Оказывается, девочка несколько лет расковыривала решетку и добилась того, чтобы конструкция с железными прутьями отходила в сторону. Более того, она сделала хитрое приспособление: если посторонний человек начнет трясти заграждение, оно не пошевелится.

Старик приказал Кате убирать свой кабинет, и она нашла там все документы. Сейчас у нее на руках были паспорта Зямы, Риты и ее собственный.

— Очнись, — шептала она, — тебе не двенадцать лет, а намного больше, давай, решайся! Будь мужчиной. Мы уже не дети, а взрослые, совершеннолетние.

— Как Груздев оформил на нас паспорта? — удивился Зяма.

— Не знаю, — ответила Катя. — Помнишь, он нас фоткал? Теперь ясно зачем. Наверное, у него есть знакомые в милиции.

— Зачем ему наши документы? — недоумевал Зиновий.

Катя пожала плечами:

— Понятия не имею, но они есть, и я их украла. Слышал, Слава умер!

— Нет! — ужаснулся Зяма. — Когда? Почему?

— Сегодня вечером, — молвила Катя, — Михаил велел Антону заделать вход, он похоронил Славу в синей комнате. Бежать надо сегодня или никогда, я могла бы одна уйти, взяв свой паспорт. Но помню, как вы с Риткой мне с вазой помогли, поэтому предлагаю: уходим вместе. Маргарита согласна, очередь за тобой.

— Куда направиться-то? — шептал начисто деморализованный Зяма.

— В никуда, — жестко ответила Катерина, но потом добавила: — Ритка надеется на свою бабку, та ее очень любила, приютит нас, если, конечно, она жива.

Откуда в вечно испуганной Кате появились решительность и смелость? Она твердила не останавливаясь:

— Пошли, хуже, чем здесь, не будет.

— У нас нет денег, — бубнил Зяма, — я боюсь!

— Как хочешь, — сказала Катерина, — упрашивать не станем. Было бы подло удрать и не предупредить тебя. Но если ты трусишь, то мы не можем тебя долго уговаривать. Время уходит, старик просыпается в восемь. Оставайся здесь до смерти, а мы с Риткой предпочитаем сдохнуть на улице чужого города, чем помереть в новой синей комнате, которую Мишка оборудует. Он тебя там тоже заживо похоронит.

— Я с вами, — решился Зяма. — А Наташа? С нею что будет?

Катя махнула рукой:

— К ней не пройти. Они с Антоном тут останутся. И мне до нее дела нет, Наташка с нами дружить не хотела.

В истории лагерей и тюрем есть немало страниц, посвященных побегам заключенных. Не счесть литературных произведений, в которых описано стремление человека оказаться на воле. Но мало кто из очутившихся за решеткой был так затравлен и унижен, как Катя, Рита и Зяма. Михаил Матвеевич не сомневался: молодые люди, волю которых он методично подавлял с юных лет, никогда не смогут выпрямить спины. Ни Рита, ни Зяма, ни Катя ни разу не демонстрировали неповиновения, они старательно служили садисту, выполняли любые его прихоти. И все же удрали! Троица вылезла через отодвинутую решетку, вернула прутья на место, закрепила их, чтобы Михаил не понял, как убежали рабы, и понеслась через лес. Спустя короткое время маленькая группка вышла к МКАД и поняла: Груздев им врал, из Москвы ребят не увозили!

Зяма примолк, Рита вскинула подбородок:

— Дальше начинается другая история, и она вам неинтересна. Мы адаптировались в обществе, научились жить почти как нормальные люди, стали зарабатывать. Спасибо моей бабушке, она очень меня любила, горевала, когда я пропала... Ладно, дальше не стоит ничего говорить.

— Вот почему Антон уверял меня, что в доме нет подвала, — прошептала я. — Он-то знал: там под землей лежат останки Славы.

Наташа не забыла первую любовь, она по сию пору считает Славу своим мужем, умершим, а его мать, никогда не виденную ею Лидию Алексеевну, свекровью! Слава очутился у Груздева после ее смерти. Остальных находящихся здесь детей мамы предали, а его нет. Думаю, подросток очень тосковал, рассказывал Наташе о своем счастливом детстве, они строили планы, хотели стать семьей. Наташа полюбила Лидию Алексеевну, считала ее своей близкой родственницей.

Бедная Наташа, она была явно психически нестабильна. Теперь понимаю, отчего несчастная испугалась, когда я упомянула про подпол. И она при нашем разговоре казалась странной, вспомнила скончавшуюся Лидию Алексеевну! Антон, когда я ему назвала это имя, живо сориентировался: якобы его мать зовут Нина Егоровна, а фамилия Лидияалексеевская. Вот почему Антоша почти сразу выдал правду про личные апартаменты Груздева. Зять хозяина опасался, что я начну искать подвал и, не дай бог, обнаружу заделанный вход. Антон рассудил просто: натреплю чрезмерно любопытной тетке про апартаменты, она подумает, что я с ней предельно откровенен, и успокоится, поверив, что нет в здании подпола. Зять по-прежнему преклонялся перед тестем. Одно непонятно: почему он не донес старику о моих расспросах?

Макс потер затылок:

— Думаю, Антон хорошо играл свою роль. Машина, которую он продавал, помесь «Мерседеса» с собачьей будкой, никогда не принадлежала Нине Егоровне. Развеселая мамашка, которая сплавила крохотного сына Груздеву, потому что мальчик мешал ее отношениям с мужчинами, и не слышала про автомобиль. Гибрид принадлежал старику Груздеву.

— Антон задумал обмануть хозяина? — с сомнением спросила я. — Мало на него похоже. Он женился на Наташе, остался в доме Груздева, не покинул его, став взрослым мужчиной. Маленького мальчика, подростка можно удержать за забором, но Антон вырос, он спокойно выходил из дома, ездил по городу и всегда возвращался назад. Он не делал попыток убежать, считал Груздевых своей семьей, одновременно боялся, уважал старика и восхищался любыми его действиями. И вдруг — украсть машину. Выдумал для меня целую историю про отца, который был ну просто замечательным! Собирал авто по частям, бегал по помойкам!

— Людям, выросшим в интернатах, свойственно придумывать себе семью, — пояснил Макс. — Я сам врал о родителях-дипломатах, которые служат за границей.

— Но как он решился обворовать Груздева? — недоумевала я. — Отчего изменил свое отношение к нему? Неужели не понимал, что рано или поздно старик зайдет проведать чудовищный механизм, не найдет его на месте и поднимет шум!

— У меня другие вопросы, — подхватил Макс и посмотрел на режиссера. — Зачем вы вернулись в этот дом?

Зяма вздернул подбородок.

— Объяснить заново? Это психотерапия. Мы хотели избавиться от груза воспоминаний, а для этого следовало приехать сюда и понять: Груздев — жалкий старикашка, Анна — его тень. Мы избавились от их власти. Вот по какой причине мы выбрали их дом базой.

— И Михаил Матвеевич вас не узнал? — пробормотала я.

Рита неожиданно улыбнулась:

— Представьте, нет. Ему и в голову не могло прийти, что организаторы конкурса — его воспитанники. Прошло довольно много времени, мы сильно изменились внешне, я отрастила волосы, сделала химзавивку, перекрасилась. Катерина подправила у пластического хирурга нос, ей хотелось стать звездой подиума, поэтому она убрала небольшую горбинку. У меня силикон в губах. Знаешь, даже подправив форму бровей, можно стать почти неузнаваемой. Зямик бреет голову, год назад ему на щеке удаляли жировик, остался шрам, он пополнел, щеки округлились, второй подбородок появился. Но главное, Михаил и помыслить не мог, что мы вернемся.

— Но ваши имена! — не успокаивалась я.

— Рита и Катя? — хмыкнула помощница. — Вот уж эксклюзив.

— А Зиновий? — вдруг подала голос Капитолина, до сих исполнявшая роль безучастной слушательницы.

— Михаил Матвеевич с нами практически не общался, — пояснила Рита, — мы к нему всегда Лампу со всякими проблемами посылали. Один раз он со мной в кухне столкнулся и спросил:

— Как вашего режиссера по паспорту зовут?

— Зинаидий, — не моргнув глазом, солгала Маргарита, — отец его так в честь своей матери назвал, а мы кличем его Зяма. Не Зина же. Неудобно так к мужчине, которому хорошо за тридцать, обращаться, еще подумают чего плохое.

— За тридцать, — кивнул Михаил Матвеевич и ушел.

— Хитро, — одобрил Макс, — если старика и смутило редкое, но знакомое имя, то ты выкрутилась. И возраст режиссера категорически не подходил. Обычно людям не нравится выглядеть старше своих лет, но вам внешность Зямы помогла. Трудно принять его за парня, которому едва стукнуло четверть века. Он похож на человека, перешагнувшего четвертый десяток. Следующий вопрос. Зачем вы устроили базу в этом доме?

— Издеваетесь? — зашипел Зяма. — Уже сто раз объясняли.

— Психотерапия? — переспросила я. — Метод шокового воздействия? Вернуться в ад, где вас мучили, чтобы изгнать страх?

— Да, — подтвердила Рита. — Многие узники фашистских концлагерей после освобождения раз в год собираются в Освенциме, Биркенау, Бухенвальде, чтобы понять: они на свободе.

— И Катя была в курсе? — продолжала я. — Она одобрила эту идею?

— Ну конечно, — кивнул Зяма.

Я заглянула режиссеру в глаза:

— Тогда объясните мне одну странность. Ваша троица на протяжении большого времени занимается мелким мошенничеством, связанным с тотализатором. Прибыль вы потом делите. Отчего же Катя, увидев здание базы, перепугалась? Она же знала о психотерапевтическом методе, согласилась, по вашим словам, на его применение. И это еще не самое удивительное. Катя удрала оттуда, подпилив решетку. Старик так и не понял, каким образом покинули дом его воспитанники. Наверно, решил, что вы сумели подобрать ключи к входному замку. О том, что прутья могли расшатать, он даже не подумал или потряс их и успокоился. Устройство девочки сработало, железки не дрогнули. Катя по приезде сюда сразу попросилась в свою старую комнату. Но перед тем как сбежать, она пообщалась с Алисой и предложила ей сделку. Та должна была сообщить, что Катерину похитили. За это модельное агентство «Синяя звезда», которое затеяло масштабную операцию, якобы устроит Алисе заграничный контракт. Алиса объявит о похищении. «Синяя звезда» якобы обнаружит того, кто украл Катю, и все хлопают в ладоши. Лишь по чистой случайности этот план не осуществился. Алиса растерялась, увидев меня, закутанную в костюм принцессы Востока, и спросила: «Мы делаем, что задумали?» Хотя вопрос идиотский. Как можно кричать о похищении Кати, когда та стоит на сцене? Но Алиса задала его, а я, не поняв о чем речь, ответила на всякий случай: «Нет!»

И попытка Катерины сорвать шоу накрылась. Ну с какой стати ей срывать мероприятие? Катя ждет свой куш от тотализатора. Можете ответить?

Зяма и Рита молчали, я заявила:

— Ладно, сама скажу. Вы ни словом не обмолвились Катерине, куда ее везут. Девушка испытала шок, увидев здание, предназначенное для базы. Полагаю, она сначала ужаснулась, но потом поняла, что вы задумали, и решила отомстить, сорвав конкурс. Плевать ей на фирму «Комареро» и ее хозяйку. Букмекеры, которые потеряют большие суммы, не оставили бы вас в покое.

— В связи со всем услышанным возникает вопрос: зачем вы приехали в этот дом? — с упорством попугая осведомился Макс. — Про психотерапию можете больше не сообщать! Почему вы молчали про решетку? Не рассказали, что она отодвигается, значит, Кати в доме нет!

— Они вам правду не откроют! — прозвенел от двери тонкий голосок.

Я обернулась, на пороге стояла стройная девушка.

Глава 34

— Катька! — всплеснула руками Рита. — Ну ты даешь. Так нас напугала! Куда ты делась?

— Убежала, — честно ответила девушка, — разозлилась на вас, что в курс дела не ввели. А потом в «Желтухе» прочитали про то, как Натка стариков прирезала, и решила вернуться. Сволочи вы! Решили подставить убогую?

— Кать! Замолчи, — предостерегающе произнес Зяма. — Хуже будет.

Катерина без приглашения плюхнулась на стул.

— Неа! Я, ребята, теперь никого не боюсь! Сработала, Зямка, твоя психотерапия.

Она повернулась ко мне и, кивнув на режиссера и его помощницу, зачастила:

— Я за дверью давно стою, все слышала, но не вмешивалась, а теперь пора. В тот день, когда мы от старика ушли, моей смелости лишь на побег хватило. Когда мы на шоссе очутились, я в истерику впала, ноги отказали, не могла идти.

— Мы тебя не бросили, — напомнила Рита, — на себе потащили.

— Правда, — согласилась Катерина. — Потом с собой поселили, и пошла у нас новая биография. Я поняла, только когда здесь очутилась: Ритка и Зяма со мной, как Груздев, поступили.

— Вот тебе на! — всплеснула руками Маргарита. — Кто тебя одевал, поил, кормил, на подиум выводил? Скажи спасибо моей бабуле, которая мне не только жилплощадь, но и деньги оставила. На ее сбережения мы существовали, пока место в жизни не нашли!

— И это верно, — не стала спорить Катерина. — Но вы постоянно твердили, что я без вас ничто и звать меня никак.

— И ты решила продемонстрировать свою самодостаточность, — горько вздохнул Зяма.

— Нет, — топнула ногой Катя, — вы замыслили подлость. Светка, понятно, с вами скорешилась. А Наташку за что? Ее на всю жизнь в психушке запрут! Светка Наташу еще за Славку ненавидит! Вот вы этим и воспользовались. Всем они одним человеком казались. Но я-то их различаю.

— Кого? — не понял Макс.

— Кто такая Светлана? — поразилась я.

Катя сложила руки на коленях:

— Ну понятно. О ней они вам говорить не собирались. Светка — сестра Натки, они близнецы, но вообще-то их можно различить. Уж не знаю, почему отец Натке дачу отписал, а Светке фигу показал, но так получилось. Наташку Груздев удочерил, а Светка ему не нужна была. Близняшки не дружили, Наташка тихая, а Светка скандальная. И она тоже в Славку влюбилась, а тот выбрал Наташу. Чем это закончилось, вы знаете. Только мы удрали не втроем, а вчетвером, Светлана с нами ушла.

— Вот это поворот! — перебила я Катю. — Макс, но почему мы не знали про сестру-близнеца?

Муж ответил:

— По документам у Груздевых одна дочь Наталья. Они взяли ее на воспитание. Никаких упоминаний о втором ребенке в официальных бумагах нет. Хотя я не копался в биографии Наташи, запросов по ее родителям не делал, удовлетворился свидетельством об удочерении. Копни я глубже, узнал бы, что у Наты есть сестрица.

— Но каким образом Анне с Михаилом удалось утаить вторую девочку? — недоумевала я.

— А как Груздевы прятали остальных? — нахмурился Макс. — В прежние годы территория, где находился их «интернат», считалась медвежьим углом, соседей не было. Некому было удивиться: что за подростки в доме? К старику не ходили гости, не заглядывали мастера, рабочие.

— Один раз пришла Нинель, — протянула я, — до нее кружным путем дошли слухи, что в доме у Михаила творится чертовщина! Женщина увидела в прихожей шапочку, которую сама надела на голову Антона, но Анна сказала ей: «Я приобрела головной убор в скупке». И Нинель ушла, успокоившись!

— И ты еще спрашиваешь, как Груздеву удалось здесь долгое время тайно удерживать детей? — горько спросил Макс. — Да никому не было до них дела! Нинель могла разоблачить садиста, но удовлетворилась объяснением Анны. Наверное, ей ситуация с шапкой показалась странной, раз она о ней помнила. Но нет, она не захотела вмешаться! Элементарно отмахнулась!

— Нинель потом сломала ноги, у нее начался роман с врачом, она занялась личной жизнью, забыла про странный дом, — пролепетала я.

Макс махнул рукой, я предпочла замолчать и стала слушать Катю и Риту, которые, перебивая друг друга, говорили без умолку.

Судьба оставленной сестры не очень волновала

Свету. Первые годы жизни на свободе молодые люди были озабочены устройством своей жизни. У Зямы и Риты началась любовь. Катя не хотела мешать парочке, поэтому перебралась на съемную жилплощадь. Света тоже отделилась. Но работали они вместе. Зяма ставил шоу, Рита ему помогала, Катерина играла роль промежуточной фаворитки, оттягивала на себя ставки, а Светлана занималась артистами, из которых составлялась концертная программа мероприятий. Синдикат работал слаженно до той поры, пока Зяма не сказал:

— Мы обязаны отомстить Груздеву за свои мучения. Пока не сделаем этого, я буду считать себя трусом.

— Да, — подхватила Рита.

— Согласна, — кивнула Света.

— Лучше нам забыть о прошлом, — прошептала Катя. — Я, как о том доме вспомню, умираю! Они еще там живут?

— Живут, — мрачно подтвердил Зяма, — я все узнал. Михаил испугался после нашего побега, перестал детей «воспитывать». Он теперь бизнесмен, сдает особняк под праздники.

— Надо про него милиции рассказать, — предложила Катя, — Груздева арестуют.

— Наивняк, — хмыкнул Зяма, — ничего ему не сделают. Нам не поверят. Сами разберемся.

— Как? — прошептала Катя.

— Если ты с нами, расскажу, — пообещал Зяма.

— Нет, нет, — замотала головой Катерина, — увольте. Я решетку расковыряла, удрать вам помогла, но это все!

— Лучше и впрямь забыть о тех временах, — внезапно вмешалась в беседу Рита.

— Ладно, — неожиданно согласился Зяма.

Кате следовало насторожиться, ранее Зиновий никогда так быстро не сдавал своих позиций. Но она просто порадовалась тому, что Зяма выбросил из головы безумную идею, и успокоилась. Понимаете, какие эмоции охватили бедняжку, когда автобус с конкурсантками въехал в хорошо знакомый ей двор? Екатерина кинулась за объяснением к Зяме, а тот ответил:

— Спокойно! Это особый метод лечения. Над нами довлеет прошлое, сейчас мы проведем тут шоу и избавимся от фобий. Я специально не предупредил тебя заранее, нужно пережить шок, иначе не достигается нужный результат. Я консультировался у лучшего психолога России, он посоветовал, как нам действовать. И ты, узнав, чего я хочу, могла отказаться.

— Точно бы не согласилась! — воскликнула Катерина.

— Ну и осталась бы с фобиями навсегда, — объявил Зяма. — Скажи спасибо, что я о тебе позаботился!

Катерина встала и указала на Зиновия пальцем:

— Я ему поверила! Решила, что он прав, страху надо в лицо посмотреть. Чуть в обморок не упала, когда на Груздева наткнулась, а он просто сказал: «Здрасти» — и ушел! Не узнал! Стал старым! Жалким! Я его бояться перестала!

— Вот видишь! — обрадовался Зяма.

— Но потом я с Наташкой столкнулась! — взвизгнула Катя. — Она мне все не попадалась! Антон по дому ходил, Анна шастала, а Натка от меня словно пряталась. И вдруг идет! Глаза в пол, по стене скользит. Но я вмиг поняла! Это Светка! Не Натка!

В зале стало тихо.

— Вот почему ты, перед тем как удрать, произнесла перед Сандрой маловразумительную речь про чашки, одинаковые, но разные! — закричала я. — Не могла открыть подруге правду, а поделиться хотелось!

Катя села и сгорбилась:

— Ох! Жуть! Я все оговорки Зямы и Ритки, обмолвки за последние месяцы вспомнила и поняла, что они задумали. Светка прикинется Наткой, убьет Михаила с Анной, а все подумают, что это дело рук Наташки. Здорово, да? Психически больная дочь лишила жизни родителей. Про Светлану никто не знает, о ней и не вспомнят.

Макс поднял руку.

— Кто первый расскажет правду, получит снисхождение от судьи!

— Неужели надо было Михаилу торт вручить? — заголосила Рита. — Медаль ему дать?

— Я, я, я, — засуетился Зяма, который быстро сообразил, что игра проиграна и необходимо спасать свою шкурку. — Слушайте меня!

План, разработанный человеком, умеющим ставить шоу, оказался гениально прост. Зиновий выяснил распорядок жизни Груздевых, узнал, что Михаил и Анна по-прежнему раз в неделю ездят за продуктами, а Наташа в это время тащит белье в прачечную самообслуживания. Антон никогда не помогает жене, та в одиночку возится с тюками.

Зиновий уговорил Капитолину снять дом старика, а за день до приезда конкурсанток Ната, как обычно, озаботилась стиркой. В торговом центре к ней подошла Светлана, ее сестра испугалась и обрадовалась одновременно. Света предложила:

— Забрасывай простыни, цикл длится полтора часа, давай попьем у меня дома кофе.

— Белье! — забеспокоилась Ната. — Его могут украсть. И отец разозлится, если поймет, что я с тобой встречалась.

— Ничего он не узнает, — пообещала Светлана. — Я живу в двух шагах, дом около супермаркета, мы же родные сестры, давно не виделись!

Вот только милая близняшка забыла уточнить, что однушку сняли для операции. На самом деле Светлана живет на другом конце Москвы. Но для успешного осуществления плана Наташку следовало спрятать в непосредственной близости от коттеджа Груздева.

Жена Антона под давлением сестры согласилась, но уже на выходе из магазина вдруг уперлась:

— У меня нету тапочек домашних. Без них в гости нельзя, натопчу тебе, а босиком неприлично.

Светлана решила не спорить, купила ей тапочки и

препроводила ее в квартиру. Напоила чаем со снотворным, уложила Нату спать и понеслась в прачечную.

Внешне ничего особенного не произошло. Наташа ушла стирать белье, и она же вернулась с чистыми комплектами. Зяма не мог сорвать шоу, слишком много денег вложили в него букмекеры. Поэтому расправу над стариком и Анной наметили на тот день, когда конкурс успешно завершится. Светлана играла роль тихой, забитой женщины, и она вначале вполне успешно справлялась с ролью. Но потом возникли трудности. Ее ужасно раздражал Антон. До такой степени, что Света буквально тряслась от злости.

— Один раз Света сорвалась, — вмешалась я в речь Зямы. — Сначала она терпела «мужа», а потом закатила истерику. Я стала свидетельницей этой вспышки и была немало удивлена. Полагаю, вы ей сделали суровое внушение за несдержанность?

Рита зябко поежилась:

— Взрыв негатива мог все испортить, но он случился в отсутствие Михаила и Анны, и ей это сошло с рук. Но потом произошла большая неприятность.

— Я, я, я рассказываю, — засуетился Зяма. — Не лезь! Светлана каждую ночь бегала к Натке. Мы не знали, что на входе в дом есть камера! Капа с нами была не откровенна.

— Конечно, — нахмурилась Капитолина, — если нанимаешь народ, за ним следить надо. Мало ли кого вы ночью впустить могли! Или выпустить!

— Света будила Наташу, кормила и снова одурманивала, — выкладывала Рита. — То ли Зяма неправильно дозу рассчитал, то ли Наташин организм к лекарству быстро привык, но она однажды проснулась, вышла из квартиры и приперлась домой.

Из моей груди помимо воли вырвалось:

— Я дура!

— Смелое замечание, — немедленно отреагировал Макс. — Чем его мотивируешь?

— Я вышла в прихожую и увидела там Наташу, —

сказала я, — она стояла в верхней одежде и ботинках. Под ногами грязь. Я спросила: «Ты куда?» Она ответила: «Надо картошки купить». Если бы я сконцентрировалась на грязи, оставленной ее обувью, то непременно поняла бы: Ната только что вошла, а не собирается покидать дом.

— И почему она тебя обманула? — спросила Капа. Макс повернулся к матери:

— Она не врала. Провела немалый срок под снотворным и потеряла ориентацию. Иногда проснешься и в первые секунды не сообразишь, где находишься. Кое-как, на автопилоте, бедняга добралась до дома. Ната никак не могла прийти в себя. Ее мозг настроен на выполнение нудных домашних обязанностей, поэтому, когда Лампа, не поняв, что та только-только пришла, поинтересовалась, куда Наташа уходит, она ответила:

— За картошкой.

Все правильно, бедняга в основном бегала в прачечную да притаскивала тяжелые сумки с корнеплодами. Она никогда не гуляла без дела, ей в голову не приходило пойти с подругой в кино. Да и друзей у Наты нет. Тюков с бельем она не увидела, зато на полу лежала сумка. Вот несчастная и подумала о картошке. Нельзя человека в том психическом состоянии, в каком не один год пребывала Наташа, кормить на протяжении пары недель пилюлями от бессонницы. Результат может оказаться плачевным.

Я встала и забегала по залу:

— Верно, Наташа выглядела безучастной, испуганной, я с трудом убедила ее заглянуть в кафе. А там случилось небольшое происшествие. Неуклюжая официантка пролила на меня стакан воды, я ушла в подсобку сушить кофту, вернулась, а Наталья неожиданно изменилась и стала бойкой. Она даже слопала пирожные, а потом сбежала. Я все удивлялась, что с ней случилось. А сейчас понимаю: в пиццерии, кроме нас, посетителей не было. Кому официантка на подносе несла минералку? Да еще со льдом? Кто захочет в промозглый день освежиться? Думаю, красотке из кафе заплатили, а та и рада стараться: облила меня и утянула в служебное помещение. Пока я приводила себя в порядок, вместо Наты появилась Света. Бедная Наташа, у нее очень мало вещей, поэтому она взяла из квартиры новые тапочки, не могла их там бросить. Копеечные баретки для несчастной очень дорогой подарок! Так? Вы окончательно сделали Нату сумасшедшей, она небось не понимала, что происходит, где была, приняла встречу со Светой за сон.

— Сядь, голова кружится, — велела мне Капитолина.

Я проигнорировала просьбу свекрови. Рита тоже вскочила и подошла ко мне:

— Я увидела вас случайно в окно и обмерла: топаете вдвоем к машине! А Светка-то в доме! Что делать? Я бросилась на улицу, гляжу, малолитражка у торгового центра встала. Проехали вы всего триста метров! И я со Светкой внутрь пошли! Дальше было так, как ты и говорила. Светка официантке заплатила. Пока тебе шмотку сушили, она Нату выволокла и мне вручила, я ее в квартиру отвела! Наташа не сопротивлялась, выглядела марионеткой, шагала молча, не спорила, ни о чем не спрашивала. Я была рада ее послушанию, проблем не возникло.

Макс положил ногу на ногу.

— Теперь мой черед строить предположения. Поправьте, если я ошибусь! У Светланы окончательно сдали нервы, и понятно почему. Сам дом навевал страшные воспоминания, и ей в отличие от остальных приходилось часто контактировать с Михаилом и Анной. К участникам и администраторам шоу хозяева не лезли, но к дочери Михаил Матвеевич обращался часто, он ею привычно командовал. Кем надо быть, чтобы не сломаться? И Светлана схватилась за нож раньше намеченного дня.

— Она убила Груздевых, — перебила я Макса, — Антон в ужасе сбежал. Сандра тоже. Зяма, как и положено, вызвал милицию. Но сначала он подложил в стол Михаила Матвеевича фальшивую историю болезни Наташи, в которой был указан диагноз: биполярное расстройство.

Зяма молитвенно сложил руки:

— Мы не хотели ей навредить!

— Ну да, — кивнул Макс, — всего-то представить убийцей.

— Ната болела психически! — ажитировалась Рита. — Ее никогда к врачам не водили, но любой психиатр только взглянет на нее и поймет: имеет дело с сумасшедшей! Ей надо помочь!

— Мы не собирались мстить Антону, хотя он и гнида, это из-за него погиб Слава, но понимали, парень — жертва, хоть и мерзавец, — звенящим голосом продолжал Зяма. — Думали наказать исключительно Михаила и Анну! И Наташу бы в тюрьму не посадили! У нее есть история болезни с нужным диагнозом. Ее вылечат! Ей помогут!

— Могло прокатить, — согласилась я. — Но человек, который состряпал этот документ, ошибся, указав, что больная много лет подряд принимала ноофазол. Потом врач якобы умер, Наташа лишилась лекарства, случился всплеск агрессии. Так часто бывает, когда перестают пить таблетки. Вот только ноофазол новое средство, оно на рынке недавно. Косяк вышел!

Катя по-детски подняла руку:

— Можно мне? Наташка и Света — близнецы. Михаил и Анна не заметили разницы. К старости у человека портится зрение, и вообще Груздев даже предположить не мог, на что способны его бывшие рабы. Но Антон! Наташа ему жена! Если Катя узнала Светлану, то почему этот ее не узнал?

Рита переглянулась с Зямой:

— Ну... нет у нас ответа. Но Антон точно ничего не заподозрил!

— Иначе б он Михаилу все растрепал, — подхватил Зяма. — Мы Светку предостерегали, просили вести себя поосторожней, а она отмахивалась: «Спокуха! Всех обведу вокруг пальца, Антона в первую очередь, он с женой не спит, ему секс не нужен, бабло предпочитает!»

— Смелая, — задумчиво протянула я, — даже безрассудная.

— Ха! — выкрикнула Катя. — Светка Натку ненавидела за то, что ее Слава полюбил! Очень ей хотелось Наташку или в психушку, или в тюрьму засунуть. В отместку!

Зяма поморщился:

— Чушь! Слава давно умер! Света решила наказать наших мучителей.

Катя возразила:

— Мы тоже давно убежали, а отомстить ты только сейчас собрался.

— На некоторые желания срок давности не распространяется, — выпалила я. — Антон все понял! Он узнал Светлану, но решил вести свою игру.

Все повернулись в мою сторону, а я продолжала:

— Стокгольмский синдром — это навсегда. Не всякий психотерапевт с ним справится. Но имейте в виду: обожая мучителя, жертва подсознательно пытается от него избавиться. Антон — достойный ученик Михаила, он скуп и склонен везде искать наживу. Я уверена: Антон понял, что в доме теперь орудует Светлана, и решил заполучить свое. Может, он подслушал разговор Риты и Зямы? Он их тоже узнал. Катя права: у Груздева к старости испортилось зрение, бывшие воспитанники изменились, но у Антона-то глаза молодые. Он сообразил: неспроста тут вся старая команда собралась, и догадался, зачем в доме появились Зяма, Рита и Света. Ну, а теперь попытайтесь рассуждать, как Антон. Если Груздевых убьют, а Наташу арестуют, то кому достанется дом и все состояние?

Капа подпрыгнула на стуле:

— Ему! Дочь наследует за родителями, а муж за женой.

— Натка жива, — буркнула Рита.

— Верно, — согласилась я, — но ее по вашим планам с большой долей вероятности должны были объявить сумасшедшей. Антон станет опекуном супруги. Вот почему он без страха взялся продавать колымагу тестя. Знал, Михаилу недолго жить осталось, он никогда не узнает, что зять подделал его подпись на генеральной доверенности. Может, он нашел «серого» нотариуса, не знаю, как технически решил проблему с документами на машину, но он явно оформил бумагу, потому что очень спокойно вел переговоры с покупателями. Про мои расспросы о доме, подвале и местных тайнах Антон ничего старику не сообщил, не желая насторожить Груздева. Ждал, когда того убьют.

— Ну и чего тогда в обморок падать? — разозлился Зяма. — Если все понял, за фигом чувств лишаться и в больницу с сердечным приступом ехать?

— Одно дело — думать об убийстве, и совсем иное — увидеть его воочию, — вздохнула я. — Нервы у него не выдержали!

— И последний вопрос, — потер руки Макс. — Зачем вы сняли дом под базу?

На секунду мне показалось, что муж глупо пошутил.

— Эй, ты что, не врубился? — заорал Зяма. — Уже все по сто раз объяснили.

— Слышал, — отмахнулся Макс. — Но ведь Света могла просто подменить Наташу? За каким чертом вам всем тут маячить?

Зяма вздрогнул, а Катя усмехнулась:

— Ткнул ты его в больное место. Зямке с Ритой неинтересно просто убить! Они хотели понаблюдать за стариком, насладиться мыслями: «Ходит Груздев по дому и не знает, что ему жить с комариный нос осталось». Они планировали лично при убийстве присутствовать, полюбоваться на расправу, да Светка подвела, не доставила им полного удовольствия. Михаил был садист, но он и из Зямы с Риткой почти свое подобие сделал. Зиновий ни о чем, кроме как об убийстве, в последний год не говорил. Накупил себе дисков с фильмами про казни, тыкал пальцем в экран и кричал: «Во! Так им надо сделать! Повесить! Нет, лучше на части разрезать!» А потом план придумал, как Груздевых убить, а самому в тени остаться. Ладно, у Наташки крыша съехала, после того как Слава умер. Светка сестру ненавидит, ее корчит от злости, когда имя Ната слышит. Зяма офигел на почве мести. Ритка ему в рот смотрит и любой приказ дорогого-любимого исполняет. Михаил Матвеевич ее приучил мужикам повиноваться. Я по ночам не сплю. Ветер занавеску шелохнет, а у меня паника — Груздев за нами пришел. Антон способен лишь о бабле думать, он за рубль удавится. Не за миллион, а за жалкий рублик, прочувствуйте фишку. Мы все психи, нормальных среди бывших воспитанников нет. Но главные сумасшедшие — это родители, которые от своих детей избавиться захотели и Михаилу Матвеевичу их отдали. Хотя нет, они сволочи! Опять не то слово! Не могу подобрать подходящее выражение для этих нелюдей.

Катя закрыла лицо руками и зарыдала.

— Наташка не убивала, не убивала, не убивала, — повторяла она. — Я пришла правду рассказать, иначе меня совесть съест!

В ту же секунду заплакала Рита. Некоторое время в зале раздавались всхлипывания, потом они стихли, повисло тягостное молчание, прерванное коротким, громким звуком. Я обернулась. Бледная Капа трясущимися руками пыталась поднять упавший на пол мобильный.

Эпилог

Забегая чуть вперед, расскажу, как завершились события. Несмотря на все случившееся, Капа провела финал конкурса. Корону «Мисс «Комареро» получила Сандра, ей же достался и обещанный зарубежный контракт.

Стилист Тамара упорно твердила, что тархун с успокаивающей настойкой Лене дала она сама, Оля ничего о задуманном теткой не знала. И хотя все понимали, что к старухе-травнице ездила именно Оля и это она угостила на чердаке Елену, доказать вину девушки не удалось. Тамара нашла хорошего адвоката, который успешно провел дело. Обвинение рассыпалось в прах. Законник сумел убедить судью, что его подзащитная понятия не имела об аллергии у Лены и кончина девушки — несчастный случай. Не стану пересказывать весь процесс, скажу лишь, что Тамара отделалась малым сроком, который отсидела, ожидая суда, и была освобождена прямо в зале.

Зяме, Рите и Свете повезло меньше. Несмотря на то, что и следователи, и пресса, и даже прокуроры пришли в ужас, узнав о страданиях, которые пришлось пережить воспитанникам Груздева, они выросли, задумали и осуществили убийство, поэтому были отправлены на зону. Впрочем, наказание троица отбывает в условиях максимально комфортных для российской пенитенциарной системы. Зяма руководит самодеятельным театром в колонии, Рита занимается тем же на женской зоне, а Светлана заведует в лагере библиотекой и пишет книгу о том, что случилось. Она уже заключила договор на ее издание.

Катерина осталась на свободе и, насколько знаю, собралась выйти замуж. Наташа находится на лечении в психиатрической клинике. Мне хочется думать, что у нее есть шанс выйти оттуда здоровой.

Но все это станет известно позднее. После финала конкурса мы с Максом не пошли на банкет, затеянный Капитолиной, заглянули в небольшое кафе, заказали пиццу и некоторое время ели молча. Потом я сказала:

— Как ты думаешь, почему Груздев перестал брать детей «на воспитание»? Судя по большому количеству одежды на чердаке, он давно основал интернат. И сколько их было?

Макс отрезал от лепешки с сыром аккуратный кусок.

— Имен всех несчастных, прошедших через этот дом, мы никогда не узнаем, равно как и фамилии тех, кому он продавал детей. Зяме, Рите, Кате, Антону, Свете и Нате в некотором роде повезло. Они остались в Москве, не поехали ни в Среднюю Азию, ни в горы.

— Да уж, везение, — вздохнула я.

— Если знать перспективу, то да, — продолжил Макс. — Даже нечеловеческие условия у старика были лучше, чем жизнь на плантациях хлопка. А почему он перестал заниматься работорговлей? Через день после побега воспитанников в непосредственной близости от коттеджа началось строительство крупного торгового центра. Здание уже не находилось в уединенном месте, появилось огромное количество людей, техники, стало шумно, вырубили лес. Груздев элементарно испугался, вдруг кто-нибудь что-нибудь увидит, и прикрыл лавочку. Да и время изменилось. Беспредельные девяностые годы ушли в прошлое, в России начал устанавливаться мало-мальский порядок, Михаил Матвеевич старел. Даже мерзавцам хочется спокойной жизни на пенсии. Вот он и придумал новый бизнес, легальный. А для удовлетворения своих садистских наклонностей имел Наташу, Антона и Анну. Членов семьи хозяин мучил по-прежнему, но попасться в руки закона не хотел. Думаю, что все происходило так, хотя сам Михаил Матвеевич нам уже ничего не расскажет!

Я ковырнула вилкой пиццу.

— Знаешь, что забавно? Зяма и Рита на какое-то время поверили Лене, подумали, что Шота Руставели — реальный персонаж.

— Меня это не удивляет, — кивнул муж, — первое правило пиара: лучшая сплетня о тебе — та, которую ты запустил сам. Второе правило: чем безумнее и фантастичнее слух, тем быстрее в него поверят.

— Жаль, что Антон вышел сухим из воды, — грустно сказала я. — Ни на секунду не сомневаюсь, что зять догадался, какая судьба уготована его теще и тестю. Он очень старался, чтобы Светлана смогла выполнить задуманное. В тот день, когда лже-Наташа устроила на моих глазах истерику, Антон не удивился нехарактерному поведению жены, а стал ей подыгрывать, изображая тихого подкаблучника. Он пособник преступников.

— Сомнения к делу не пришить, а прямых улик против зятя Груздева нет, — сказал Макс и поманил официантку.

— И почему Катя честно сказала Алисе, что победу на шоу пророчат Сандре? — не успокаивалась я. — Получается, она подставила подругу, растрепала секрет.

— Сглупила, — ответил Макс, вынимая кредитку, — не продумала свое поведение в деталях. Все совершают ошибки, большие и маленькие. Поехали домой. Не нравится мне давать людям обидные прозвища, но, похоже, все участницы конкурса красоты — королевы без башни.

Ночью меня разбудило тихое прикосновение к плечу. Сначала я решила, что щенки, спавшие в моей постели, проснулись, и сонно забурчала:

— Муся, Зефирка! Вставать еще рано! Немедленно укладывайтесь!

— Лампа, ты поможешь мне с ним договориться? — спросил женский голос.

Я села, включила ночник, увидела растрепанную Капу в халате и испугалась. Макс около полуночи улетел в Екатеринбург по рабочим делам. Муж позвонил из аэропорта, сообщил, что он уже сидит в самолете, рейс не задерживается. Почему сейчас в нашу спальню влезла Капитолина?

— Что с Максом? — вырвался у меня вопрос.

— Он меня поймет? — спросила Капа и без приглашения села на край кровати. — Знаешь, я забеременела случайно, но родила ребенка, решила, раз получился, пусть живет. А потом оказалось, что он то болеет, то капризничает. Исключительно ради его здоровья я отвезла сына в интернат. Там хорошо, вовремя покормят, спать уложат, я отдала его временно.

Я перестала слушать Капу. Со дна души поднялась злость. Временно отдала? Почти на десять лет! Не приезжала, не забирала домой даже на летние каникулы, не утешала, вообще выкинула сына из своей жизни. Ну чем Капа лучше Нины Егоровны?

— ...а сейчас, после истории со стариком Груздевым, я в ужас пришла, — прорезался голос свекрови. — Что же я наделала?

— Не беда, — старательно борясь со злостью, отвечала я. — Макс вырос хорошим человеком.

Капа зашмыгала носом:

— Я не понимала последствий своего поступка, а теперь все спокойно оценила и сна лишилась. Очень надеюсь на твою помощь. Ты должна объяснить Максу, что я хотела как лучше!

— Полагаю, тебе самой следует побеседовать с сыном, — пробормотала я.

— Мне прямо плохо, — прошептала Капа. — Знаешь, иногда что-то совершишь, полагаешь — хорошо придумала, а спустя некоторое время становится понятно: мама родная, что я натворила-то! Я же хотела как лучше! Но не приняла в расчет реакцию Макса, а она, вероятно... может... все этого Антона вспоминаю... он ради денег убийцам поспособствовал... хитро вывернулся...

Капа стиснула руки и прижала их к груди, ее лицо было таким несчастным, растерянным, что я сказала:

— Макс не Антон, он удивительный человек, его не испортило тяжелое детство. Тебе очень повезло с сыном.

— Думаешь? — с надеждой спросила Капа.

— Уверена, — твердо сказала я.

— Он не станет... ну... не решит... — лепетала свекровь.

Я погладила Капу по плечу:

— Хочешь совет? Не ищи посредников, которые помогут тебе наладить отношения с сыном. Сама подойди к нему и скажи: «Макс, я наделала ошибок, не знала, что чувствуют дети в интернате, каково им там приходится. Верила, что малышам на попечении государства хорошо живется. Прости меня».

— За что? — вдруг спросила Капа.

— За ужасное детство, — машинально завершила я.

— У него все было нормально, — заморгала Капа, — сам хулиганил, учиться не хотел, в колонию попал, но потом одумался. С чего ты сейчас об этом вспомнила?

Я растерялась:

— Разве ты пришла не для того, чтобы попросить меня стать парламентарием, который от твоего имени пойдет к Максу с белым флагом в руках?

Капа вытаращила глаза:

— Ты о чем? Когда я затеяла в России бизнес, без договоренности с Максом использовала кое-какие его счета. Это было связано с налоговой, я действовала аккуратно, сын бухгалтерией не занимается, нашел теток, они финансами рулят. Я с ними законтачила. Сегодня одна из них позвонила...

Я вздрогнула:

— Ты говорила о деньгах?

— О чем же еще? — изумилась Капа. — Надо, чтобы Макс мне кое-что подписал. Сама не хочу его просить, он может взъерепениться, что я втихую действовала, и плакали большие суммы, которые только что пришли.

Понимаешь, эта дура бухгалтерша взяла с меня бабки за помощь, обещала, что все тихо произойдет, но не случи...

— Все! — рявкнула я. — Капа, ступай к себе! Не хочу знать про твои махинации! До свидания!

Свекровь поджала губы:

— Ты должна мне помочь! Объясни Максу...

— Уходи, — велела я, — сама разруливай ситуацию. От меня ничего не жди.

— Вот ты, оказывается, какая! — возмутилась Капитолина. — Макс обязан мне за заботу и внимание! Думала, ты ценишь, что я к нему хорошо отношусь и мы все уладим! Прямо страшно стало, когда я сообразила, что Макс на мои деньги сейчас права имеет, ну как Антон на наследство Груздева!

Я онемела, Капа поднялась, дошла до двери, обернулась и сказала:

— Вечно я в людях ошибаюсь. Думаю, они хорошие, добрые. И что? Всякий раз убеждаюсь, каждый думает только о своей выгоде! Вот, как ты, например, о себе беспокоишься, обо мне не думаешь! Как мне перестать витать в облаках? Научиться цинизму?

Дверь хлопнула, Капитолина удалилась. Я натянула на голову одеяло и попыталась заснуть. Бойтесь людей, которые витают в облаках. Если они оттуда свалятся, то шлепнутся прямо на голову своим крепко стоящим на земле родственникам.

Развесистая клюква ГОЛЛИВУДА

главы из нового романа

Глава 24

Игорь Семенович был женат, разводиться с супругой не собирался. Кристина не хотела замуж, боялась навязать Тане отчима. Игорь Семенович искренне заботился о любовнице, Кристина получала самые лучшие заказы, ей платили по высшей ставке, и она никогда не сидела без рукописи: сдавала один перевод и тут же получала новый. Брунов был богатым человеком, у женщины появилась симпатичная шубка из белки, хорошая одежда и золотые сережки с колечками. Драгоценности не шли ни в какое сравнение с теми, что продал Алексей, но Кристи с удовольствием носила подарки любовника.

Брунов какими-то таинственными путями смог быстро проторить Кристе дорогу в Союз писателей, пристроил ее в жилищно-строительный кооператив, приобрел ей четырехкомнатные хоромы и обожал Таню. Долгие годы он был добрым ангелом Кристины. Танечка понимала, кем является для мамы дядя Игорь и в отличие от ревнивых подростков, эгоистично желающих, чтобы родительница принадлежала исключительно им, всегда обнимала и целовала Брунова при встрече. Игорь Семенович скончался, когда Танюша училась в десятом классе, но Кристина Петровна уже считалась одной из самых маститых переводчиц. Смерть благодетеля не выбила ее из седла, новый главный редактор издательства относился к ней с почтением.

Когда Татьяна вышла замуж, мать рассказала ей всю правду о себе. Дочь пришла в негодование. «Почему ты не нашла отца и не потребовала денег? Он тебя обокрал». — «Не знала, где он живет», — нашла достойный аргумент Кристина. «Можно отыскать его по Мосгорсправке, — ажитировалась Таня, — назови его фамилию!» — «Нет», — решительно отказалась Кристи.

Дочь накинулась на нее. «Почему? Он не платил алименты, обокрал тебя!» Кристина взглянула на разгневанную Танечку. «Алексей спас мне жизнь. Родственников членов национал-социалистической партии отправляли в концлагерь. Если бы не Леша, я давно умерла бы от голода и побоев. Он рисковал жизнью, привез меня в Россию, нашел квартиру, работу. Думаю, он все же любил меня». — «Мама, тебе не кажется странным, что, испытывая столь сильное чувство, он так и не расписался с тобой?» — спросила Таня. «Он боялся, — пожала плечами Кристина, — правда в любой момент могла вылезти наружу». — «И обманывал тебя! Брал твои драгоценности, продавал их, а тебе вручал копейки, — протянула Таня, — тут что-то не так!» — «Почему?» — не поняла Кристина.

Таня помолчала, а потом неожиданно сказала: «Ты чего-то не знаешь. Алексей мог убить тебя по дороге, забрать чемоданчик с украшениями и жить припеваючи. Никто бы не стал тебя искать. Но он предпочел привезти немку в Москву, очень рисковал, приходя к тебе. Почему?» — «После известного доклада Хрущева[1] жизнь в России стала другой, — вздохнула Кристина, — и Алексей меня любил».

— Мама, когда человек любит женщину, он оформляет с ней брак и не ворует у нее деньги, — отрезала Таня, — а если он обманывает девушку, то он подлец. В ваших отношениях существует некая странность. Надо найти Алексея. Скажи мне его фамилию!

— Нет, — отрезала Кристина, — не хочу ворошить прошлое. Я считаю, что ты должна знать правду о сво-

---

[1] На XX съезде КПСС (14—25 февр. 1956 г.) Никита Хрущев сделал исторический доклад «О культе личности и его последствиях».

ем биологическом отце и о немецких корнях. Но фактически тебя воспитал Игорь Семенович. Баста. Более на эту тему не беседуем, мне она неприятна. Я благодарна Алексею Николаевичу и не хочу причинять ему неприятности. Вероятно, он давно женат и счастлив. Я тоже довольна жизнью, забыла про драгоценности, но никогда не выкину из памяти того, кто меня спас.

Когда рухнула Берлинская стена, Таня поговорила с мамой.

— Может, тебе съездить в Германию? — предложила дочь Кристине.

— Нет, — испугалась та, — боюсь, не спрашивай чего, просто боюсь. Лучше ты поезжай.

Танечка поехала в Германию, посетила город Мартенбург, отыскала дом, где жил художник Петер Теренц и позвонила в дверь.

Ей открыла молодая женщина. «Вы к кому?» — удивилась она. «Когда-то здесь жили Петер и Уна Теренц», — начала издалека гостья из Москвы, но хозяйка не дала ей договорить. «Кристина! — ахнула она. — Смотрите!»

Не дав Тане опомниться, немка втащила ее в дом, привела в просторную комнату и указала на портрет, который висел над кроватью. Танечка вскрикнула: на полотне была изображена она сама в старомодной блузке с высоким горлом. Внизу виднелась надпись: «Кристина. 1945 год».

«Это моя мама, — прошептала Татьяна. — А вы кто?» — «Лиза Беркель», — представилась хозяйка.

Через пару часов Таня узнала огромное количество ошеломившей ее информации. Петер Теренц умер через несколько дней после отъезда Кристины. Нет, художника не расстреляли советские солдаты, он мирно скончался от инфаркта. Уна приготовилась к высылке, сложила небольшой чемодан и по ночам вслушивалась в шаги на улице. Но вопреки ожиданиям ее никто не тронул, из дома не выгнали, никаких репрессивных мер в отношении супруги живописца, верой и правдой служившего фашистам, не применили.

В пятьдесят восьмом году Уна вышла замуж за Карла Беркеля, у того была крохотная дочка Лиза. Уна воспитывала девочку, стала ей родной матерью.

— Да и я считала ее мамой, — грустно говорила Лиза. — Уна замечательный человек, как она вас любила! Мне долгие годы никто не рассказывал правду. Портрет ваш висел в спальне всегда, папа и мама на все мои вопросы отвечали: «У Уны были первый муж и дочь Кристина. Петер и девушка погибли, когда в Мартенбург вошли советские войска». И лишь перед смертью Уна открыла правду про побег Кристины. Оказывается, она поддерживала с дочерью отношения, не теряла ее из вида, посылала ей помощь.

«Поддерживала с дочерью отношения, посылала помощь? — повторила Таня. — Вы не ошибаетесь?»

Лиза открыла секретер, вынула большую коробку и показала Тане письма.

— Уна хранила их, и я не могу выбросить. Можете почитать.

Татьяна начала разворачивать сложенные вчетверо листочки.

«Все хорошо. Спасибо. Кристина Т.», «Все отлично. Спасибо. Кристина Т.», «Все отлично. Спасибо. Кристина Т.», «Все прекрасно, Кристина Т.», «Спасибо. Кристина Т.».

«Не слишком подробно, — протянула Таня, — и они напечатаны на машинке!»

Лиза развела руками. «Кристина боялась сама писать. Это же не по почте приходило». — «А как?» — насторожилась Татьяна.

Беркель сложила записки в коробку. «Не знаю. Вроде был какой-то знакомый, он работал дипломатом, обладал иммунитетом и мог перевозить через границу ценности. Петер Теренц обожал дочь, конечно, ему было страшно отправлять ее одну в Россию. Отец опасался, что Алексей может бросить жену, поэтому придумал такой ход. Убегая из Германии, Кристи увезла в качестве приданого драгоценности, но ей отдали не все семейные раритеты. Эксклюзивные изделия Петер оставил дома, сказав Алексею: «Раз в год вам будут переправлять что-то из вещей. Все хлопоты по организации доставки я беру на себя. От вас лишь нужно письмо с подписью Кристины. Девочке пока ничего не рассказывай, я не уверен, что канал успешно заработает. Не хочу, чтобы Кристи расстраивалась, узнав о потере самых дорогих вещей. Получишь посылку, тогда и обрадуешь жену».

Теренц хотел привязать Алексея к Кристине при помощи самой крепкой веревки — денежной. Как после внезапной кончины супруга Уна смогла наладить регулярную отправку драгоценностей, Лиза не знала. Но раз в двенадцать месяцев в Москву улетали очередные брошь, браслет или кольцо, а в ответ привозилась коротенькая цидулька, подтверждавшая: у Кристи полный порядок, она получила изделие.

В конце пятидесятых Уна отправила последнюю, самую дорогую вещь — диадему, которая передавалась в их семье из поколения в поколение с семнадцатого века. Страшно представить, сколько могла стоить «корона». На словах Уна попросила передать, что запас обмелел, но ее любовь к дочери никогда не иссякнет.

Спустя месяц курьер привез горькую весть. На этот раз письмо было чуть длиннее обычного, и, как всегда, его напечатали на машинке. «Кристи умерла в родах. Ваш подарок пошел на ее похороны, поминки и памятник. Простите. Не уберег. Я в отчаянье. А.» К посланию прилагалась нотариально заверенная копия свидетельства о смерти Кристины Петровны Теренцовой. Уна прорыдала год, а потом всю свою нерастраченную любовь отдала Карлу и его маленькой дочери. Дойдя до этой части истории, Лиза примолкла и воскликнула:

— Но погодите! Если вы живы, значит, не умерли вместе с матерью!

Танечка постаралась взять себя в руки. Наконец-то она получила ответ на вопрос, по какой причине Алексей не отнял по дороге в Россию у Кристины чемоданчик с драгоценностями, отчего позаботился о немке, а не убил ее. Мерзавец не только обманывал наивную невесту, продавая бриллианты за огромные деньги, а законной владелице вручая копейки, он еще и присваивал посылки, которые регулярно приходили из Германии. В конце пятидесятых Уна предупредила, что золотой дождь иссяк, и надо же случиться такому совпадению, что именно в этот момент Кристина сказала Алексею о своей беременности. Аборты в СССР тогда были запрещены, ребенка Алексей не хотел, жениться на немке не собирался, он повел Кристину в загс, отлично зная, что учреждение по понедельникам закрыто. Пока невеста сидела на скамеечке в парке, он обчистил ее квартиру, потом «обиделся» и пропал навсегда из жизни Кристи. Она ему больше была не нужна. Алексей великолепно понимал: молодая женщина его искать не станет, побоится идти в милицию, испугается, что правда о ее незаконном въезде в СССР выплывет наружу. Хорошо хоть женишок был всего-навсего негодяем и вором, а не убийцей.

Представляете, в каком состоянии Таня ехала в Москву? Сообщить матери правду она не могла. Кристина давно знала цену Алексею, но история с присвоением посылок была совсем уж гадкой. Вернувшись, Таня показала ей блокноты Петера, которые ей отдала Лиза. В них содержались графические наброски живописца. У Теренца была привычка — прежде чем приступить к написанию полотна, он делал много эскизов, а потом рисовал карандашом композицию в уменьшенном виде.

Судьбы многих живописцев напоминают горную дорогу с неожиданными поворотами. После победы над фашизмом картины Теренца начали уничтожать. Полотна с радостными спортсменами, веселыми рабочими и румяными крестьянами выкидывались из учреждений, сгнивали на помойке, имя художника было забыто. В Германской Демократической Республике старательно искореняли все, что напоминало о деятелях культуры, которых любил Гитлер. Но в восьмидесятых годах один из искусствоведов напечатал большую статью о Петере и организовал его выставку, где представил публике незнакомого Теренца, не того, который рисовал счастливых подданных Адольфа, а того, кто писал обнаженную натуру. Петера снова вознесло на гребень успеха, его картины опять стали пользоваться популярностью, за них можно было получить громадные деньги, но в доме у Лизы осталось всего три работы. Портрет Кристины и пейзаж «Вид из спальни» она подарила Тане, а себе оставила портрет Уны. Еще Лиза отдала блокноты, и Кристина долго плакала, изучая записи отца. Да, Таня так и не рассказала матери о посылках, она просто не смогла.

Ваня перевел дух и посмотрел на меня.

— Ну, и как тебе эта история?

— Звучит, как авантюрный роман, — ответила я, — но пока я не понимаю связи с Белкой.

— Жениха Кристины, офицера, который привез немку в Россию, звали Алексей Николаевич, — искоса поглядывая на меня, заявил Иван. — Это твой дед!

— С ума сошел! — подскочила я. — Сколько в Москве Алексеев Николаевичей!

Ваня скрестил руки на поясе.

— Ты слушай дальше. Знаешь, почему тетя Таня рассказала нам правду о бабушке? В тот день она включила телевизор, а там показывали сюжет о гостинице «Кошмар».

— Ну было такое, — подтвердила я, — мы сами его смотрели. Целых семь минут!

Иван положил ногу на ногу.

— У нас видик записывает программы. Тетя Таня ставит его на таймер, а вечером в свободное время смотрит. Когда мы домой вернулись, она нам репортаж прокрутила и все-все пояснила. Картины в вашей столовой — Петера Теренца, это те самые полотна, которые он отдал Кристине, когда та убегала из Германии.

— Ошибаешься! — решительно ответила я.

Ваня чуть сдвинул брови.

— Нет. У Тани есть блокнот с эскизами. Мы сто раз смотрели репортаж, сравнивали картины с рисунками в черновиках, это они. И внизу на страницах Петер написал: «Подарены К. и А. в день нашего расставания».

— Ну и что? — уперлась я. — Ладно, пусть жених обокрал Кристи, но он потом продал картины моему деду или кому-то другому, а тот уже отдал мазню мужу Белки.

— Жениха звали Алексей Николаевич, и к твоему деду обращался Алексей Николаевич. Странное совпадение, — скривился Ваня.

— Круто! Ты Иван, следовательно, должен быть наказан за избиение своей супруги Нинки, — заявила я.

— У меня нету жены! — удивился собеседник. — И я не распускаю рук. Никогда не ударю женщину.

— Ну как же! — заерничала я. — Ты же Ваня! А в деревне Караваевка, она тут рядом, живет Иван, который лупит Нинку.

— Идиотизм! — рассердился гость. — Сколько вокруг Иванов!

— Алексеев Николаевичей не меньше, — парировала я. — Кристина сообщила дочери фамилию своего спасителя?

— Нет, — покачал головой Ваня, — никогда ее не упоминала, не хотела, чтобы Таня искала биологического отца.

Я потянулась.

— Спасибо за интересный рассказ, люблю семейные саги, но лучше бы мне выспаться. Ни малейшего отношения ваш фамильный подлец не имеет к моему замечательному дедушке, который обожал Белку.

— У твоей бабушки есть жемчужная нить? — вдруг спросил Ваня. — Белые и черные камушки, между ними золотые пластинки с выгравированным и покрытым ярко-голубой эмалью вензелем «u»?

— Предположим, — осторожно ответила я.

— Да точно есть! — вздохнул Иван. — Изабелла Константиновна в ней по телевизору красовалась. Она эту вещь от мужа получила, он ей приволок, небось врал, что купил задорого!

— Вот и нет! — возразила я. — Нить взаправду досталась бабуле от супруга, но это семейная реликвия. Мать Алексея звали Ириной, жемчуг ей подарил отец в день свадьбы. Отсюда и вензель на пластинках.

Ваня вынул из кармана тоненькую книжечку, которую я сначала приняла за паспорт. Но парень открыл обложку, и стало понятно: внутри лежат несколько фотографий.

Иван протянул мне один снимок.

— Смотри.

Я постаралась сохранить спокойствие. На явно сделанной в студии карточке была молодая девушка, которая легко сошла бы за уроженку Иванова, Рязани, Тулы или других исконно российских городов: светлые волосы, голубые глаза, чуть вздернутый нос.

— Это Кристина Петровна, — сказал Ваня, — в тот день, когда она решила запечатлеть на память украшения. Посмотри внимательно, что висит у Кристи на шее.

Я сделала глотательное движение и увидела жемчужные бусы с золотыми вставками.

Но парень не замолкал:

— Буква «u» не начало имени Ирина, это из латинского алфавита. Пишется «u», в немецком читается, как...

— У, — пробормотала я, — не Ирина, а Уна.

— Точно, — выдохнул Ваня. — Кстати, как звали мать Алексея Николаевича, неизвестно. Его младенцем подбросили на порог монастырского приюта, где Варбакас воспитывался до десяти лет. Потом он попал в детдом, получил профессию портного, устроился на работу и очень рано женился.

— А ты откуда знаешь? — подскочила я. — Белка говорит, что дед до того, как встретил ее, никогда не регистрировал брак. Считал себя слишком молодым для семейных отношений, а потом разразилась война.

Ваня покачал головой.

— Алексею Николаевичу мог бы позавидовать барон Мюнхгаузен. Хотя нет, неправильно. Мюнхгаузен лгал из любви к искусству, а Алексей получал от вранья выгоду. В тысяча девятьсот двадцать пятом году, в возрасте восемнадцати лет, он оформил брак с некоей Эстер Варбакас, хозяйкой швейного ателье. Что у тебя по истории?

— Ну, пятерка, — неохотно ответила я.

— Тогда ты должна знать, что в начале двадцатых годов прошлого века Владимир Ленин сообразил: вау, из-за революции в России голод, разруха, надо как-то спасать экономику, и предложил новую экономическую политику, сокращенно НЭП.

— Можешь не демонстрировать свою образованность, — остановила я студента, — у меня зачет по советской истории. В России разрешили мелкий частный бизнес. Очень логично. Сначала «весь мир насилья мы разрушим до основанья, а затем мы наш, мы новый мир построим, кто был ничем, тот станет всем!». Да только начали строить то же самое. Богатых купцов убили, на их место встали нищие, не умеющие торговать, кулаков в деревнях расстреляли. А кто на селе был голодным-безлошадным? Пьяный да ленивый.

— Давай не лезть в политику, — поморщился Иван, — Эстер Варбакас на момент свадьбы исполнилось тридцать пять, думаю, ей пришелся по душе юный Леша, а тот взял фамилию жены и стал управлять ателье так хорошо, что получал немалые деньги. Но потом НЭП признали ошибкой, ателье закрылось. Алексею пришлось работать простым портным.

— Почему он взял фамилию жены? — удивилась я. Ваня усмехнулся:

— В приюте монашки назвали парня Алексей Найденкин. Наверное, «Варбакас» показалась ему красивее.

— Ты рылся в архивах? — с недоверием спросила я.

— Мы рылись, — уточнил Иван, — идею выдвинул Миша, сказал: «Надо раскопать все про эту хозяйку гостиницы, понять, откуда у нее драгоценность Кристи».

Мы начали разматывать клубок и сразу обратили внимание, что она вдова Алексея Николаевича Варбакаса. Имя и отчество совпали с данными того офицера. Стали изучать его биографию, и тут открылась масса интересного. Эстер Варбакас — этническая немка, по-русски она говорила плохо, молодому мужу пришлось освоить в полном объеме германскую мову, что он и сделал. Эстер очень удачно умерла в тридцать восьмом году. Неизвестно, что случилось бы с ней и мужем, дотяни тетка до начала войны.

— Ого, сколько они вместе прожили! — воскликнула я. — А дети у них были?

— Нет, — ответил Иван, — потом Алексея призвали на фронт, он, благодаря свободному владению немецким, служил при штабе переводчиком. Часть, к которой был приписан Варбакас, освобождала Мартенбург. Знаешь, в архивах ничего не пропадает, если порыться в бумагах, все найдется.

Вернувшись после победы в Москву, Варбакас сначала вел холостяцкий образ жизни, потом женился на Изабелле Константиновне Юрьевой. Он непонятным образом получил отличную квартиру, возил жену в Сочи, жил на широкую ногу, ходил в рестораны. Ну, элитный портной шикарно зарабатывает. Ясен расклад?

— У него имелись супруга и дочь, — зашептала я, — а Кристи являлась его кошельком? У нее он брал для продажи драгоценности, перехватывал ее посылки! Эй! Получается, что Татьяна и моя мать единокровные сестры?

— Так выходит, — подтвердил Иван.

В моей голове родилась новая мысль:

— Михаил внук Кристины, я внучка Белки. Черт возьми! Я не хочу находиться в родстве с продюсером!

— Иногда наше желание ничего не значит, — без тени улыбки заявил Иван. — Кем приходятся друг другу дети единокровных женщин? Они вроде двоюродные брат и сестра?

— Надеюсь, что нет! — взвилась я. — Ну а теперь выкладывай самое интересное. Вы же не шоурелы? Не собираетесь выкладывать ролик в сеть?

— Неа, — признался Ваня, — я заканчиваю медицинский, а Мишка учится в Литературном институте.

— Писатель фигов, — прошипела я, — или поэт хренов!

— Нет, он станет редактором, — объяснил Иван.

Я пошла вразнос:

— Мне без разницы, чем он хочет заниматься! За каким дьяволом вы приперлись в «Кошмар»?

Ваня опустил голову.

— Таня выбивается из последних сил, денег у нас почти нет, я подрабатываю в больнице, но там платят гроши, Мишка тоже выше головы прыгнуть не может. А у вас собственная гостиница, квартира в Москве сдается — это нечестно!

— Да ну? — восхитилась я. — И почему? Белка добилась всего своим трудом.

— На деньги, которые ей оставил супруг, — протянул Иван.

— Глупости, — топнула я ногой, — бабуля поднимала отель, когда дед умер, он не мог из могилы помочь жене.

— Ошибаешься, — серьезно сказал Ваня. — Откуда она надыбала средств на ремонт? На взятки, которые следовало дать в разных инстанциях, а?

— Бабуля продала все свои драгоценности, подарки деда! — выпалила я. — Оставила только жемчуг.

— И картины на стенах, — шепнул Ваня, — они кисти Теренца.

Я растерялась:

— Белка считает их мазней, но не убирает в память о муже.

— Так на чьи бабки сооружена гостиница? — словно злой следователь, поинтересовался Иван. — Кому изначально принадлежали драгоценности, которые дарил ей Алексей, а? Они Кристинины, следовательно, Танины, но никак не ваши.

Я закашлялась, потом промямлила:

— Но Белка-то ничего не знала! Пойми, она обожала Алексея Николаевича, он был для нее богом. Супруг делал ей подарки, содержал семью. Бабуля никогда его не спрашивала о доходах, знала, что Алексей Николаевич популярный портной, и не сомневалась: он балует ее на честно заработанные деньги.

— Мы думали иначе, — признался Ваня, — полагали, что Изабелла Юрьева знала о существовании Кристины. Ну неужели она не догадывалась о любовнице мужа?

— Нет, — помотала я головой. — Белка, несмотря на все чувства, мигом ушла бы от неверного мужа. Во всем море негатива, который ты тут вылил, есть капля хорошего: вы не собираетесь выкладывать в Интернет ролик про хозяек гостиницы и труп в коридоре?

— Видеосъемка — это прикрытие, — признался Ваня, — Миша узнал про мечту Юрьевой играть в кино и подумал, что лучший способ втереться к ней в доверие — это предложить главную роль.

— Однако это сработало, — зло сказала я. — Ты забыл уточнить, Белке предназначалась вторая главная роль, первая отводилась мне.

— Мы надеялись, что ты тоже придешь в восторг, — смутился Ваня. — Все девчонки грезят славой.

Я в упор посмотрела на парня.

— Я принадлежу к меньшинству. Никогда не хотела покорить Голливуд. Вы удачно воплотили свой план в жизнь. Белка разрешила вам жить здесь бесплатно. И что вы задумали?

У Вани непроизвольно дернулась щека.

— Взять картины, жемчуг, найти лису и уйти.

— Воры! — воскликнула я. — Ну просто отлично! В ответ на гостеприимство хозяйки ограбить ее! Клево! Супер!

— Мы пришли за своим, — надулся Ваня, — отнять у грабителя то, что он у тебя украл, — не воровство.

— Так вы Робин Гуды? — язвительно перебила его я. — Борцы за правду и справедливость!

— Считаешь, что Варбакас молодец? — ринулся в атаку Иван.

— Нет, — тихо ответила я. — Но он умер, Кристина тоже. Не наше дело их судить, и не следует рыться в некоторых историях.

— Похоронить и забыть? — взъерепенился Ваня. — Мы нищие! А у вас гостиница, созданная на украденное. Ваще-то этот отель по идее Танин.

— Идиот! — не выдержала я.

— Сама дура! — гаркнул Иван.

Пару секунд мы, тяжело дыша, смотрели друг на друга. Ваня первым сделал шаг к примирению:

— Извини. Мне с самого начала не нравилась эта затея, но я не мог бросить Мишу, а тот, словно питбуль, с цепи рвался. Мишка почти год по архивам носился, а потом сказал: «Едем в "Кошмар", все ясно».

Мишка честный, он бы никогда сюда не намылился, будь у него сомнения в том, что Алексей Варбакас вор. И у нас беда. Тетя Таня больна, ей нужно делать операцию, в Москве не берутся, в Лос-Анджелесе есть госпиталь, где ей обещают помочь, но у нас денег нет! Понимаешь?

Я кивнула, Ваня частил дальше:

— Картины снять легко! Дело пяти минут! Жемчуг старуха в шкафу держит!

— Молодцы! Нашли, — похвалила я Ивана, — придумали игру с поисками Микки-Мауса! Везде порылись! Почему же не сперли?

— Ураган начался, — честно признался Ваня, — нам пришлось остаться.

— Понимаю, — кивнула я, — воровство надо совершить перед самым отъездом, иначе хозяйка заметит пропажу и поднимет крик. Картины-то на самом виду.

— Еще мы не нашли лису, в которой было самое ценное, — вздохнул Ваня, — она где-то здесь!

— Ошибся, котик, — улыбнулась я, — булавочница в кресле сшита самой Белкой, грелку на камине нам подарила одна гостья, а фарфоровая статуэтка появилась лет пять-шесть назад. Это ты ее разбил?

— Мишка, — с неохотой ответил Ваня, — он все лису ищет. Бегает по дому!

— У меня возник вопрос, — протянула я, — вот только что возник! Где вы прячете девушку?

Глава 25

— Какую? — не понял Ваня.

— Да ладно тебе, — скривилась я, — мы же договорились быть честными! Ту самую, что притворялась мертвой в коридоре.

— Мне приехали вдвоем, — сказал Иван, — никого больше в это дело не вмешивали, Таня не знает, что мы придумали. Думаю, она бы нам не разрешила.

— Не ври! — Я снова разозлилась.

Ваня поднял вверх руку:

— Клянусь. Да и зачем нам такой розыгрыш устраивать?

Простой вопрос загнал меня в тупик. Действительно, зачем? Еще за ужином у меня был на него хороший ответ. Парни снимают ролик, они шоурелы, хотят заработать деньги на показе в ютубе. Но сейчас Иван рассказал о воровстве, и мне стало понятно, что у них совсем другие планы. Получается, что девица не член съемочной группы. Тогда кто ее сюда приволок? И, главное, зачем?

Ваня, не обращая внимания на не совсем радостный вид собеседницы, продолжал:

— Мне показалось нечестным украсть и убежать. Изабелла Константиновна совсем не похожа на суку. Да и ты тоже не тянешь на сволочь. А после случая с экстренной трахеотомией я тебя так зауважал!

Я вздрогнула и временно выгнала из головы мысли про девушку, медведя-гризли, женщину в белых баретках с бантиком и сказала:

— А я считаю героем тебя.

— Миша настроен искать лису, — бубнил Иван, — он уверен, что Изабелла Константиновна ее спрятала. Хочет дождаться конца урагана, забрать картины, жемчуг, лисицу и уехать. А я решил поступить иначе. Степа, отдай нам эти вещи сама. Согласись, так будет по-честному! Ты частично искупишь вину деда, а мы не станем ворами.

Я обхватила руками плечи.

— Мне надо подумать.

Иван вскинул голову:

— Я сначала хотел пойти к Изабелле Константиновне...

Я вскочила:

— Не смей! Белке нельзя говорить правду про Алексея Николаевича!

— Вот и я так решил, — кивнул Ваня, — поэтому обратился к тебе.

Я схватила его за руку.

— Хорошо, вы получите картины и бусы. Но Миша должен показать мне все документы про Варбакаса. Почему я обязана верить тебе на слово?

— Не обязана, — вздохнул Иван. — Значит, договорились?

— Михаил демонстрирует мне бумаги, — кивнула я, — если все сказанное тобой правда, картины и жемчуг ваши.

— А лиса? — напомнил Ваня.

— Ее нет! — мрачно ответила я.

— Ой ли? — нахмурился Иван.

— Думаешь, я вру? — обозлилась я.

— Ты не веришь мне, я тебе, — пожал плечами Ваня.

— Сделай одолжение, ищи, — скривилась я, — найдешь — она твоя! Но если ты прав и лиса с сокровищем правда существовала, то игрушку давным-давно вскрыли, выпотрошили из нее содержимое, продали его, а остатки плюшевой тряпки выбросили.

— Миша считает, что нет, — не согласился Ваня, — он уверен: вещь здесь, мы ее пока не нашли. Изабелла заныкала самое дорогое.

Я ощутила давящую усталость.

— Михаил человек и легко может ошибаться. Никогда не видела никаких посторонних лисиц в «Кошмаре».

— Неужели ты знаешь обо всех мелочах, которых тут видимо-невидимо? — вздохнул Ваня. — Без лисицы Миша не уедет.

— Значит, он останется у нас навсегда, — хмыкнула я, — я живу в отеле с детства и до сих пор не видела лисиц, кроме тех, что и вы видели. Кстати! Белка давно хочет пригласить «тайного» гостя, но не может подобрать подходящую кандидатуру. Вот Миша и будет исполнять его роль.

— Кто такой «тайный» гость? — удивился Ваня.

— Сотрудник «Кошмара», который, прикинувшись отдыхающим, будет пугать постояльцев, — объяснила я. — Если Михаил желает обыскать «Кошмар», пусть пишет заявление о приеме на службу. Белка не станет бесплатно держать здесь клиента годами, придется парню отрабатывать еду и постель. У нас много помещений, один гараж... Черт!

— Ты чего? — насторожился Иван.

— Зуб заболел, — соврала я, — тронула языком, а он как дернет!

— Бедненькая, — пожалел меня Ваня, — хочешь, дам телефон суперского стоматолога? Совсем не больно клыки чинит, у него легкая рука.

Я кивнула и промычала:

— М-м-м.

Надеюсь, Иван сообразит, что мне плохо, и уйдет. Ваня посмотрел на часы на тумбочке.

— Уже семь! Проболтали всю ночь. Тебе больно говорить из-за зуба?

Я быстро закивала, Ваня включил врача:

— В аптечке есть что-то типа кетанова?

Я повторила движение головой. Вот непонятливый! Неужели не ясно, что человека, у которого заныла челюсть, надо оставить в покое?

— Одну таблетку прими сейчас, вторую не раньше, чем через шесть часов, — заботливо сказал Иван, — ну, ладно, договорим завтра. Вернее, уже сегодня.

Когда Иван наконец-то свалил из моей спальни, я рванулась к шкафу и натянула футболку с джинсами.

Подведем итог ночных переговоров. Дедушка Алексей Николаевич, похоже, не был белым и пушистым ангелом. Он обворовал Кристину и обманывал Изабеллу, жил одновременно с двумя женщинами. Думаю, к Кристине Варбакас не испытывал страсти, она являлась кошельком, который в конце пятидесятых годов потерял для него ценность, потому что Уна предупредила «зятя» о прекращении посылок. Нет денег — нет любви. То, что именно в тот момент, когда Алексей решил сбежать, Кристина Петровна забеременела, является чистой случайностью. Варбакас все тщательно рассчитал, он полагал, что немка, тайком попавшая в СССР, не будет искать гражданского мужа, и не ошибся. Мой дед навсегда вычеркнул из биографии страницы, посвященные дочери Теренца, и счастливо зажил с Белкой. Интересно, он когда-нибудь думал о Кристи? Или внушил себе, что ее не было?

Неприятно услышать мерзкую историю о своем дедушке, даже если ты никогда его не видела. Но я сейчас, пожалуй, забуду о семейных тайнах: внезапно я сообразила, где прячется девушка-труп. На что угодно готова спорить — она в нашем гараже.

Все постояльцы приезжают в «Кошмар» на своих автомобилях, редко кто пользуется такси, поэтому с торцевой части отеля расположен паркинг. Он рассчитан на десять машин и построен с соблюдением всех правил, в нем есть вентиляция, пол и стены выложены черно-белыми плитками, которые Белка смешно называет «кабанчик». В дальнем углу — каморка с туалетом и рукомойником. Раньше, когда на полигоне жили члены съемочных групп, в гараже был дежурный, он ночевал в комнатенке, чтобы не оставлять без присмотра автомобили. Сейчас сторожа нет, но в его каморке до сих пор стоит топчан, и унитаз находится в рабочем состоянии.

Я обшарила весь дом и не обнаружила девицы, которая правдоподобно изображала труп. Прямо-таки голову сломала, не понимая, где прячется доморощенная комедиантка, но напрочь забыла про гараж! Готова съесть свою любимую помаду, если я не права, но уверена, что ловкая нахалка сейчас безмятежно спит в чулане сторожа.

Я выскочила из спальни, миновала лестницу и увидела Олесю, которая замерла в холле около комода.

— Ты уже встала? — удивилась я.

Повариха сделала страшные глаза:

— Степашка! В доме оборотень!

От досады я топнула ногой. Комедиантка уже проснулась, покинула гараж и принялась за дело. Что на этот раз? Кого станет изображать звезда самодеятельности? Кинг-Конга? Женщину-кошку? Инопланетную плесень? Кто устраивает этот спектакль? Кто режиссер? Кто привез сюда девчонку? Геннадий Петрович и Юля отпадают, у них на уме только сексуальные ролевые игры. Миша и Ваня не снимают кино, они рыщут по отелю в поисках лисы, которой здесь нет. Мы с Белкой не имеем ни малейшего отношения ни к привидению, ни к гризли. Олесю, Катю и Семена тоже надо исключить из числа подозреваемых. Кто остается? Да уж, не один человек! Маша и Олег Леоновы, Никита Бурундуков, Кузьма Сергеевич и Аня. Ребята, ну зачем кто-то из вас впустил в гостиницу «ужас на крыльях ночи»?

— Я перепугалась, аж волосы вспотели! Он ее хавал, слюни пускал, когтями рвал, — бубнила Олеся.

— Кто кого ел? — очнулась я.

— Оборотень курицу, — всхлипнула Олеся, — утром открываю холодильник, и от страха колотиться стала! Вечером было три птички, а утром две лежат целехонькие, а одна... Он ее схарчил!

Мне стало смешно. Вот так рождаются легенды и мифы нашего околотка. Но признаваться Олесе в собственном обжорстве не хочется, и я спокойно сказала:

— Не нервничай, оборотней не существует, да и навряд ли человек-волк кинется к холодильнику, просто кто-то из гостей захотел ночью поесть тайком и слопал твою курицу.

— Он дурак? — воскликнула повариха. — Есть сырое мясо?

Я попятилась и повторила:

— Сырое?

— Ага, — загундела кухарка, — я запланировала приготовить на сегодняшний обед птицу по-индийски. Тушке надо помариноваться часов пятнадцать. Вечером обмазала курочек специальной смесью из трав, устроила в кастрюльках, на нижней полке. Утром смотрю, а один бройлер весь обкусанный, ножки нет, грудка разворочена. Точно оборотень! Не станет нормальный человек сырое трескать. Ну, если только он идиот!

Меня затошнило, и я ляпнула:

— Птичка выглядела запеченной, имела золотистую корочку и пахла съедобно!

— Правильно, — согласилась Олеся, — шафран и карри дают приятный цвет, а перец, чесночный порошок и кинза издают замечательный аромат. Ты чего надулась? Вид у тебя странный, испугалась оборотня?

Я, вспомнив, что курица плохо жевалась и была похожей на кусок резины, вздрогнула:

— Ничего. Олеся, никому не рассказывай про цыпу. Не следует пугать народ, у нас и так выдался кошмарный август.

— Изабеллу Константиновну предупредить надо, — возразила повариха.

— Сама ей сообщу, ты не лезь, — приказала я, —

достань еще одну куру из морозильника и шлепай к плите.

— Птице не промариноваться за десять минут, — заартачилась Олеся.

— Значит, просто пожарь ее, — посоветовала я.

Повариха вытянула губы трубочкой:

— Ага! Одна часть обеда запеченная, а другая со сковороды.

— Главное, находчивость повара, — просветила я Олесю, — многие кулинарные шедевры родились в минуту, когда его постигла неудача. Но только умный человек вывернет ситуацию в свою пользу. Салат «Оливье» появился на свет, когда французский король потребовал в неурочный час ужин. Пришлось шеф-повару спешно крошить все, что нашлось под рукой, и готовить соус из первых попавшихся под руку ингредиентов. И, думаю, первый шашлык зажарен из куска мяса, ненароком упавшего на угли костра. Главное, не тушеваться, не блеять гостям: «Простите, но обед не получился, съешьте абы какую курятину». Вспомни известный мультик, где поется: «Как вы лодку назовете, так она и поплывет», — и действуй соответственно моему совету. Две запеченные цыпы разделай на куски и положи на блюдо в виде орнамента, в середину помести жареного бройлера и внеси в столовую со словами:

— Курица по рецепту Марии-Антуанетты. Королева любила после удачной охоты полакомиться таким блюдом.

— На кур охотятся? — изумилась Олеся.

— Их давно одомашнили, — выкрутилась я, — но во времена Марии-Антуанетты птицы летали по лесу. Да, Марий-Антуанетт было в истории две: одна во Франции, другая в Англии. Если попадется умник, который возразит: «Парижанка не ела кур, я точно знаю», — ты легко убьешь его аргументом: «А я говорила об англичанке». Запомнила?

Олеся оглушительно чихнула:

— Лучше я все три штуки пожарю, и делу конец.

У меня память плохая, запутаюсь в именах. Устаю очень, одна на кухне прыгаю, попробуй-ка наготовь на армию народа. И потом еще посуду помой!

Олеся обожает жаловаться на свою тяжелую работу. Песни с припевом: «Встаю в четыре утра, ложусь в два ночи, пропадаю у плиты, согнулась под тяжестью шумовки» — повариха исполняет по пять раз на дню. Поверьте, она лукавит. Олеся просыпается в семь, а после ужина ее не дозваться. Сколько раз Белка нанимала в Караваевке деревенских баб для черной кухонной работы! Приводила их в «Кошмар» и объявляла: «Олеся! Это тебе помощница. Пусть чистит картошку, морковку и вообще будет на подхвате».

Полагаете, наша жалобщица радовалась и переваливала на плечи новоявленных поварих кучу дел? Вот и нет. Через день после появления очередной помощницы Олеся шептала Белке на ухо: «Грязнуля, овощи немытые ножом скрести принялась. Шесть раз хозяйский кофе пила, на бутерброд наше масло слоем в кулак намазала».

Одновременно повариха шпыняла помощницу и давала ей указания типа: «Морковь надо нарезать, только пусть останется целой». Самая терпеливая продержалась неделю, другие убегали через два-три дня.

«Не хочет народ трудиться! — закатывала глаза Олеся. — И учиться профессии не желает. Бедная я, несчастная, верчусь хомяком в банке, забыла об отдыхе».

Ну и дальше по тексту. Я хорошо понимаю: Олесе хочется одной царить на пространстве между плитой и мойкой, ее нытье о патологической усталости сродни ритуальному пению. Но поощрять Олесю не стоит, поэтому я остановила поток жалоб замечанием:

— За тарелки и чашки отвечает Катерина.

Олеся всплеснула руками:

— Ты всерьез это сказала? Да Катька посудомойку нормально не загрузит! Сервиз испортила.

— В смысле разбила? — встрепенулась я. — Какой?

— Белый, чайный, — вздохнула Олеся.

— Новый? — расстроилась я. — Тот, что Белка купила в начале июня?

— Его, — кивнула повариха, — у Катьки не руки, а медвежьи лапы! Кучу всего в доме переколотила! Но белый сервизик не кокнула. Он испачкан.

— Вымой! — велела я.

— Пробовала, не получается, — пригорюнилась повариха, — гелем полоскала, таблетки «три в одном» в машину пихала, пищевой содой терла, ни фига! Катька предложила чашки в «Туалетном утенке» подержать, но я засомневалась.

— Хорошо, что у нас соляной и серной кислоты в запасе нет, — резюмировала я. — Чем измазана посуда?

Олеся не успела ответить.

— Кофе уже готов? — громко спросила Аня, спускаясь по лестнице. — Мечтаю об арабике со сгущенкой.

Я испытала горькое разочарование. Поход в гараж придется отложить, надо исполнять обязанности радушной хозяйки.

Глава 26

Завтрак прошел без происшествий.

— Как самочувствие Кузьмы Сергеевича? — спросила Белка, едва народ устроился за столом. — Я его со вчерашнего вечера не видела.

Аня подавилась тостом с паштетом:

— Он спит! Я всю ночь около кровати сидела, боялась, что трубка выскочит.

— Не должна, — успокоил Пряникову Ваня, — я ее надежно прикрепил. Но лучше бы нам поскорее отправить вашего мужа в больницу. Кстати, ему надо сделать укол! Я через полчасика зайду?

— Конечно, — кивнула Аня, — сама хотела тебя об этом попросить.

Завтрак продолжался. Олеся принесла яичницу, потом подала кофе. Я обратила внимание, что на стол поставили разномастные чашки, а не белый сервиз. Значит, он и впрямь испорчен. Интересно, что с ним случилось?

— Когда же дождь прекратится? — вздохнула Юля. — Папочка, у меня получились поганые каникулы!

Геннадий Петрович погладил «доченьку» по голове.

— Надо терпеливо принимать то, что нельзя изменить. Например, казусы природы.

— Зачем мы сюда приехали? — ныла Юля.

— Отец не знал, что разразится ураган, — защитила Геннадия Петровича Аня, — прогноз погоды обещал сухой, аномально жаркий август.

— Гидрометеоцентр ошибается один раз, но каждый день, — улыбнулся Никита, — не реви, Юля, дождь скоро прекратится.

— Он льет уже не первый день, — возразила менеджер по организации сексуального досуга.

— Август в России всегда сплошной катаклизм, — оживился Миша. — Давайте развлекаться! Мы так и не нашли Микки-Мауса!

— Совсем про него забыла, — захлопала в ладоши Белка, похоже, она решила развеселить постояльцев.

— Налейте мне какао, — попросила Маша, — и, если можно, дайте поднос. Отнесу Олегу завтрак.

— Катя! — крикнула бабуля. — Помоги Машеньке. Как себя чувствует ваш муж?

Маша растянула губы в улыбке:

— Весь в аллергии. И я сама займусь едой. Олег стесняется показываться посторонним.

— Давайте осмотрю его? — предложил Ваня.

— Спасибо, — решительно отказалась Леонова. — Как только ураган ослабеет, мы уедем в больницу, к настоящим специалистам.

Иван сделал вид, что не заметил колкости в свой адрес, а мне стало обидно за парня:

— Ваня без пяти минут врач! И он спас Кузьму Сергеевича!

Маша повернулась ко мне с вежливой улыбкой, но глаза ее оставались грустными, потухшими:

— Вот когда те самые пять минут пройдут и Иван получит диплом, я, вероятно, обращусь к нему. А пока он не имеет права на практику.

— Интересно, где бы сейчас был Кузьма Сергеевич, не сделай ему Ванька трахеотомию? — задумчиво произнес Миша. — Он попал бы в райские кущи или наоборот? О! Вспомнил анекдот! Умер российский футболист, член сборной, входит он в рай и говорит святому Петру: «Здравствуйте, вот он я!» А Петр ему в ответ: «Милый, как же ты в ворота попал?» Ха-ха-ха! Почему вы не смеетесь?

— Потому что история глупая, — ответила Юлечка.

— Блюдо-загадка! — объявила Олеся, внося в столовую тарелку.

Я расслабилась. Очень вовремя! Из-за плохой погоды наши гости готовы скандалить каждую минуту. Но сейчас они переключатся на кушанье, которое при всей своей незамысловатости всегда вызывает бурю удивления и шквал вопросов.

— Это что? — прищурилась Аня.

Я мысленно потерла руки. Началось.

— Сосиски, — ответила Белка, — молочные!

— Вроде там макароны? — удивилась Юля.

Бабуля ткнула вилкой в одно колбасное изделие, подняла его и продемонстрировала гостям.

— Точно. Спагетти.

— Никогда такого не видел! — признался Никита. — Макарошки торчат из сосиски! Свисают с двух сторон!

— Как они попали внутрь? — поразилась Аня.

— Сосиски с прической, — дал название блюду Никита.

— Кто первый догадается о способе приготовления волосатых сосисок, получит приз! — объявила Белка. — Ну, Геннадий Петрович?

Добрый отец отложил нож и вилку.

— Понятия не имею!

— Папа! — возмутилась Юлька. — Не порти игру! Отгадывай!

Геннадий Петрович уставился на руку Белки.

— Вермишель отварили, а потом приклеили к сосиске.

— Нет, — засмеялась бабуля, — неправильно. И несъедобно! Следующий.

— Их пришили? — выдвинул свою версию Никита. — Суровыми нитками?

Ваня возразил:

— Это маловероятно, либо Олеся гениальный хирург. Кожица у сосисок нигде не лопнула. Многие студенты, чтобы научиться делать хорошие швы, берут сардельки, осторожно надрезают натуральную оболочку, а потом ее зашивают.

— Подумаешь! — протянула Юля.

— А ты сама попробуй, — усмехнулся Ваня, — хватай иглодержатель, протыкай тонкую кожицу, а потом затяни узел так, чтобы он не прорезался. На сосисках даже крохотного разрыва нет. За мастера с такими золотыми руками клиники пластической хирургии передерутся. Олеся, не хочешь начать новую карьеру?

— Делать мне больше нечего, как вермишель притачивать, — гордо ответила повариха, — не в ту сторону думаете!

— Степлер? — неуверенно предположила Аня.

— Приправа из острых железок вредна для желудка! — с серьезным видом заявил Бурундуков.

— Никто не угадал! — захлопала в ладоши Белка. — Пойдем со мной на кухню, я покажу способ приготовления волосатых сосисок. Вернетесь домой и удивите друзей. Блюдо стоит недорого, но вызывает у всех восторг.

— Чур, я первая! — закричала Юля, вскакивая со стула. — Папа! Не тормози!

Когда гости столпились у разделочного столика, я тихонько вышла в прихожую. Самое время посетить паркинг: моего отсутствия никто не заметит. Все наблюдают за бабулей. Ну почему гости всегда реагируют одинаково? Увидят сосиски со свисающими макаронами и начинают ломать голову, как это сделали. Никто не догадывается, что сосиски проткнули твердыми спагетти перед варкой.

— О-о-о! — раздалось из кухни.

Я хихикнула. Представляю, что сейчас происходит у плиты. Белка как фокусник, проткнула тонкими макаронами сосиску и осторожно опустила конструкцию в кипящую воду. Присутствующие, затаив дыхание, наблюдают, как булькает вода, а минут через пять бабуля продемонстрирует им результат.

Я толкнула дверь, прошла сквозь небольшой тамбур и очутилась на стоянке машин.

В каморке никого не оказалось. Голый топчан, табуретка и колченогий стол составляли всю обстановку. Спать на простых досках неудобно, к тому же в крошечном помещении стоит особый запах. Я ошиблась, девушки здесь не было. Не знаю, как вам, а мне всегда неприятно расписываться в собственной неудаче, но надо признать, я была неправа. Ну и где же незнакомка? Кто ее привел? Привез? Принес? Принес! Я подпрыгнула. Принес! Почему мне эта мысль не пришла в голову раньше? Орнитолог Никита Бурундуков! Его застигла непогода, он приволок сумку и фоторужье в чехле! Я еще очень удивилась, когда Семен попытался оторвать от пола поклажу Никиты, и она оказалась неподъемной! Помнится, орнитолог засмеялся и сказал: «Там складная палатка, спальный мешок и прочие необходимые для путешественника вещи».

Я прислонилась к стене и мысленно перенеслась в то время, когда на пороге «Кошмара» возник Бурундуков. Вот он жалуется на то, что попал в бурю, потом спрашивает: «Где можно оставить вещи?» — «Сейчас позову Семена», — предлагаю я. А Никита продолжил: «Сумка противно пахнет противокомариной пропиткой, внутри нет носильных вещей. Лучше ее спрятать подальше. Не хочется всем доставлять неудобство».

Я не гарантирую, что точно воспроизвела наш диалог, но от баула на самом деле пахло не лучшим образом, и спешно вызванный Семен поволок его в каморку, где у нас лежат резиновые сапоги, висят штормовки, ватники, короче, хранится рабочая одежда, которой мы, деревенские жители, изредка пользуемся. Что, если девушка лежала в бауле? Забыв спросить себя, зачем Бурундуков припер к нам девицу, я выбежала из паркинга, пересекла прихожую, открыла небольшую дверь и вошла в каморку. Так, вот сумка! Если в ней обнаружатся палатка и прочие причиндалы туриста, я мысленно извинюсь перед Бурундуковым, если же торба окажется пустой...

В носу зачесалось. Запах пока подтверждает слова Никиты. В чулане сильно воняет какой-то химией, у меня даже закружилась голова. Я присела на корточки, открыла «молнию» и уставилась на багаж орнитолога.

Какая-то брезентовая ерунда, металлические палки и здоровенные черные чудовищного вида ботинки. Обувь была дешевой, грубой, но целой, неношеной.

Брезгливо морщась и стараясь не дышать, я взяла двумя пальцами полосатую тряпку и встряхнула ее. Это оказались брюки. Ну кому пришло в голову купить страхолюдские портки из жесткой ткани с рисунком под больную зебру? Как будто несчастная африканская лошадка подцепила инфекцию и из черно-белой превратилась в депрессивно серо-синюю. Штаны без пояса, на резинке. Может, это пижама? Ага, и ее сварганили из шкурок плохо побритых ежей! Мои пальцы колет грубая ворсистая ткань. Спать в таком прикиде не пожелает лечь даже потомственный мазохист!

Я снова наклонилась над сумищей и выудила куртку. Она была под стать подштаникам. Судя по расцветке и качеству ткани — это комплект. Куртенка имела на груди фальшивый карман, а на него была пришита узкая белая полоска материи с цифрами и буквами.

Я чихнула, перевернула куртку и увидела на спине три буквы, нарисованные красной краской: «ППЗ». Или это такой штамп?

У меня засвербило в горле. Сумку явно пропитали какой-то химической смесью, из-за нее я интенсивно шмыгаю носом.

В полном недоумении я смотрела на странный костюм и ботинки. ППЗ? Что это такое? Скорее всего — спецодежда. Сейчас многие фирмы выдают сотрудникам куртки или комбинезоны с надписями, вроде «Мосстрой» или «Асфальтоукладчик».

Я еще раз встряхнула куртку. Из рукава выпал комок такой же серо-синей полосатой ткани. Шапка! Смахивает по форме на тюбетейку, круглая.

Я секунду постояла, глядя на кучу одежды, а потом, безостановочно чихая, кашляя и давясь льющимися из глаз слезами, принялась запихивать шмотье на место. Белка очень любит детективные сериалы, но еще больше ей нравятся псевдодокументальные истории. Ну, такие, где показывают работу криминалистической лаборатории или демонстрируют зрителям внутренние помещения тюрьмы. Зимой я зашла к бабуле что-то спросить, но она шикнула на меня: «Погоди! Очень интересно! Садись рядом».

Я устроилась на диване и через некоторое время поняла: Белка купила DVD с рассказом о том, как живут заключенные, которых по приговору суда никогда не выпустят на свободу. Адреса колонии журналисты не сообщали. Но на последних кадрах было видно, как съемочная группа садится в катер, плывет по реке, а потом выходит на берег. Я сразу узнала местность и поняла, что рассказ идет о наших соседях-зэках.

Так вот, они все были в таких пижамах, шапочках и с номером на куртке. Буквы «ППЗ» — это не название фирмы, аббревиатура расшифровывается, как «постоянное пожизненное заключение».

Глава 27

Чуть не скончавшись от запаха и ужаса, я вылетела из чулана, плотно закрыла за собой дверь, шмыгнула в гостевую ванную на первом этаже, тщательно умылась и села на унитаз.

Я уже говорила, что на соседнем с нами острове

расположена колония, где живут особо опасные преступники. Мы с Белкой никогда не тяготились этим соседством. Иногда в Караваевке в магазине можно встретить Вадима Ханкова. Мужчина молчалив, никогда не болтает ни с покупателями, ни с продавщицей Раей. Но вся Караваевка знает — Вадик охраняет преступников. А вот с Белкой Ханков приветлив. Его отец когда-то тоже служил в колонии, а выйдя на пенсию, пришел на полигон, где заведовал всякими техническими штучками. Старший Ханков управлял избушкой на курьих ножках, Змеем Горынычем, входом в пещеру Али-Бабы и прочими чудесами, которые в докомпьютерную эпоху использовались для съемок кино.

Сергей Петрович умер лет пять назад. Мне в свое время казалось, что он совсем не прочь приударить за Белкой. Ханков постоянно заглядывал в «Кошмар» и помогал нам по хозяйству. Он превращал скрипучие дверные петли в бесшумные, чинил нам генератор, регулярно проверял трубы. От платы отказывался, говоря: «Что, по-вашему, я рвач? Возьму деньги у женщин? Вот от чаю не откажусь, заварите духовитого, ягодного».

За чаем Сергей Петрович мог сидеть часами. Он был вдов и явно тяготился одиночеством. Ханков казался простым, но очень приятным и надежным человеком. Вадим иногда заглядывал в «Кошмар» вместе с отцом, потом пошел служить в армию, во внутренние войска, остался на сверхсрочную и сейчас работает в колонии. О своей службе Вадим помалкивает, окончательно замкнулся он после того, как жена родила сына, больного аутизмом. В отличие от большинства мужчин, которые убегают из семьи, если в ней появляется необычный малыш, Вадим замечательный отец. Он очень любит своего Павлика и не оставляет надежды социализировать мальчика. В свободное от работы время занимается с сыном, лучший подарок Ханкову — развивающие детские игры, но они, увы, очень дорогие. Помню, как Вадька обрадовался, когда я принесла

Павлику на Новый год несколько картонных коробок из серии «Умелые руки».

Зося, супруга Вадика, болтунья. От нее мы узнали, что в колонии жесткие порядки, заключенные повсюду ходят с охраной, без наручников их не выпустят из камеры. Зося любит потрепать языком в магазине, и как-то раз старушка Петровна спросила у нее: «Зось! А че, бандиты в комнатах запросто сидят? Их к стене не приковывают?» — «В камерах, — поправила ее Зоська, — ну да, они там могут свободно передвигаться, а почему ты интересуешься?» — «Сбечь могут, — покачала головой Петровна, — ежели их в горнице без наручников оставляют». — «Не беспокойся, — утешила ее Зося, — колония расположена в бывшем монастыре, там стены трехметровые, окон в камерах нет, двери современные, стальные».

«В газетах писали, что из Бутырки недавно зэк подорвался, — зачастила продавщица Раиса, — переметнулся через забор и утек». — «Сравнила хрен с морковкой! — воскликнула Зоя. — В сизо много зэков, охрана не всегда надежная. А в нашей колонии контингента мало, и глядят за ними профессионалы, такие, как Вадик. Не бойтесь. Даже если кто из преступников и выберется в коридор, куда ему удрать? Повсюду автоматические решетки, электронные замки, во дворе собаки и... вода! Ой! Все! Молчу! Мне Вадик запретил про его службу трепаться. Рай, запиши в тетрадь мою колбасу, отдам долг в зарплату».

У Раисы снега зимой не выпросишь, без денег она даже родной дочери пучок укропа не отпустит, но Зося пользуется ее кредитом. В Караваевке знают, что Ханковы тратят на лечение Павлика все деньги. Порой у Зоси не хватает на хлеб, но она честный человек, непременно вернет долг. Каждый раз, когда Зося просит при мне в магазине пачку геркулеса с отсрочкой оплаты, я удивляюсь. В России не так уж много особо опасных, осужденных на пожизненное заключение преступников. Не знаю, сколько их, но счет, наверное, идет не на десятки тысяч. Неужели трудно платить охранникам достойный оклад? Что, если кто-то предложит одному из них крупную взятку? Нельзя же надеяться исключительно на моральные принципы людей с оружием! У всех у них есть семьи, дети, престарелые родители. Я бы, например, крепко призадумалась, глядя на чемодан с миллионом долларов и имея пустой кошелек! Боюсь, я не устояла бы перед искушением.

Я встала, оперлась руками о раковину и сказала, глядя в зеркало:

— Степочка! Спокойно! Главное, не терять голову! Ни в коем случае не рассказывай никому о находке! Никита Бурундуков не орнитолог! Он удрал из колонии!

Чтобы не заорать во весь голос от ужаса, я быстро отвернула кран, набрала полные горсти ледяной воды и плеснула себе в лицо. Так, попытаюсь еще раз оценить ситуацию.

Бурундуков каким-то образом очутился на свободе, спрятал одежду арестанта в сумке, небось хотел попасть на автобус, но тут начался ураган, и ему пришлось стучать в двери «Кошмара». Так. Понятно, он никуда не может уйти из-за непогоды. Почему в колонии не подняли тревогу? Вероятно, там уже идут поиски сидельца, но! Опять-таки ураган! Остров отрезан от большой земли, мост сломан, телефонной связи нет. С одной стороны, беглецу не повезло с погодой, с другой — очень даже подфартило.

У нас есть лодка, утлое суденышко, которым мы пользуемся, когда в очередной раз начинают чинить мост. У охраны в колонии тоже имеется плавсредство. Порой я вижу, как по реке Зинке несется в сторону соседнего острова катер. Но во время урагана, да еще такого, который выламывает дубы, никто не рискнет спустить на воду даже гигантский корабль. Наша речка называется смешно, но характер у нее суровый: прямо у берега начинается глубина, течение быстрое, есть омуты. Каждое лето в Зинке кто-нибудь тонет. Охрана колонии не в состоянии выбраться на Большую землю, вероятно, они вызывают в таких случаях вертолет. Но я ни разу не замечала над головой винтокрылую машину, и вновь вспомним про ураган! Охранникам остается лишь кусать локти и ждать, когда ненастье стихнет.

Я ни разу не бывала на соседнем острове, но старухи из Караваевки любят рассказывать, что монастырь, который превратили в тюрьму, особенный. Туда ссылали священнослужителей за плохое поведение. Уж не знаю, правда ли это! Престарелая Наталья Петровна говорит, что монахи были непутевыми, варили самогон, торговали им, гуляли, пили, зазывали к себе девок из Караваевки. Думаю, бабка привирает, ну откуда бы ей знать правду? Наталья Петровна родилась в тридцатых годах, и тогда на острове уже была колония, правда, не для убийц и маньяков, а для простых людей, которых при Сталине пачками запихивали за колючую проволоку. Потом, в начале шестидесятых, сюда стали привозить особо опасных преступников, а уж когда это место превратилось в зону для пожизненного заключения, мне не ведомо.

Я тщательно вытерла лицо полотенцем. За украденную в булочной плюшку навсегда за решетку не посадят. В деле Бурундукова должно быть не менее трех трупов, он убийца, ему нечего терять. В России мораторий на смертную казнь, больше пожизненного Никите не дадут, он спокойно может отправить на тот свет еще пятерых, десятерых, и в его судьбе уже ничего не изменится. Вот вам оборотная сторона отмены расстрела. Грози Бурундукову высшая мера, он бы испугался, но сейчас никаких сдерживающих рычагов не существует. Преступнику все по барабану, он может отправить на тот свет всех постояльцев «Кошмара» и хозяев с прислугой до кучи. Даже если Никиту поймают и под белы рученьки отведут назад в камеру, хуже ему не станет.

Если он заподозрит, что я знаю правду, в «Кошмаре» начнется бойня. От моих самообладания, хладнокровия и актерских способностей напрямую зависит жизнь людей. Давай не подведи!

Я опять глянула в зеркало. Что-то слишком много у меня появилось тайн. Белке нельзя сообщать правду про Алексея Николаевича, Мише не следует знать про наш с Ваней ночной разговор, Юле не известно, что Геннадий Петрович в курсе, что он не в курсе, что его спутница не девочка-школьница. Степа, смотри не утони в океане вранья, не запутайся во всех этих «в курсе, не в курсе». Вот почему мне показалось, что Никита мент! Преступники часто перенимают повадки следователей.

— Мамааа! — заорал женский голос. — Сюда... скорей... о-о-о!

Ноги сработали автоматически, они помчали меня на выход, донесли до лестницы и подняли на второй этаж. Дверь в спальню Пряниковых оказалась открыта, оттуда доносились голоса. Я вбежала в комнату.

Бурундуков обнимал прижавшуюся к нему Аню, гладил ее по плечу, приговаривая:

— Тише, тише.

Геннадий Петрович, ломая руки, стоял у окна, около него топталась «доченька», громко и вовсе не фальшиво всхлипывая. Ваня наклонился над кроватью Кузьмы Сергеевича, Миша тоже держался возле Комарова, мне даже показалось, что он хочет спрятаться за лжеврача. Горничная Катя и Семен замерли у входа в ванную. Маша стояла у шкафа.

— Случилась неприятность? — звонко спросила Белка, входя в номер. — Что на сей раз? Анечка, если в комнате оказались мыши, приношу свои извинения, из-за непрекращающегося ливня они лезут в дом, ничего поделать нельзя.

Внезапно Аня перестала плакать, воцарилась тишина, было лишь слышно, как капли с силой барабанят по крыше. Белка сделала шаг в сторону.

— Не мыши? — тихо сказала она. — Что у нас произошло?

Ваня выпрямился:

— Кузьма Сергеевич умер.

— Совсем? — глупо спросила я. — Насмерть?

Студент кивнул.

— Ты не ошибся? — нервно уточнил Бурундуков. — Это точно не очередной прикол хозяек? Мы уже тащили один лжетруп в морозильник!

— Так над постояльцами не шутят, — пробормотала Белка, — у нас исключительно муляжи и куклы.

— Мертвая девушка казалась совсем настоящей, — пискнула Юлечка. — Кузьма точно не ваш очередной актер?

— Если вы решили нас повеселить подобным образом, то спасибо, мы впечатлены, но лучше остановить спектакль, — ожил Геннадий Петрович, — у людей и так нервы из-за урагана на пределе.

Мы с Белкой растерялись, Аня отпихнула Геннадия Петровича и медленно, так, словно к ее ступням привязаны гантели, пошла к кровати, на которой лежал ее муж.

— Кузенька? Ты жив? Пожалуйста, произнеси хоть словечко, не пугай! Кузьма Сергеевич! Он что, договорился поучаствовать в розыгрыше?

Последний вопрос был произнесен мне в лицо.

— Нет, — прошептала я, — мы никогда не привлекаем гостей. И не устраиваем никаких жестоких игр.

— Кузенька очень хозяйственный, — сказала Аня, — если ему предложить большую скидку и попросить притвориться умершим, он согласится. Не из жадности, а потому, что любит веселье. Милый, ха-ха-ха, ты молодец. Ваня, отойди!

Студент взял Аню за руки:

— Это не розыгрыш. Он умер.

— По-всамделишному? — по-детски спросила Пряникова. — Совсем-совсем?

В комнате снова стало тихо, но Белка быстро опомнилась и взяла ситуацию в свои руки:

— Юлечка, ты можешь отвести Аню вниз и напоить

ее чаем? В буфете есть коньяк, надо капнуть ей в кружку спиртного. Справишься?

— Конечно, не беспокойтесь. — Девушка выпала из роли школьницы-капризницы.

Когда они покинули комнату, Белка взглянула на Ваню:

— Ты абсолютно уверен, что Пряников мертв?

Студент отошел от кровати.

— Да. Но пусть на него посмотрит Геннадий Петрович.

— Он уже один раз говорил про летальный исход, — сердито перебил его Никита, — и дерматолог отказался помогать Пряникову, когда тому плохо стало.

— Чего пристали? — взвизгнул самозванец. — Сами разбирайтесь!

Налетев на кресло и громко выругавшись, Комаров скрылся в коридоре. Миша посмотрел ему вслед.

— Псих!

— Мда, нервная система ни к черту, — поставил диагноз Бурундуков.

Я избегала смотреть на Никиту, чтобы ненароком себя не выдать. Геннадий Петрович выдал себя за дерматолога, но жизнь непредсказуема, Комарова постоянно загоняют в угол. Здесь любой впадет в истерику! А вот Никита гениальный актер, не найди я в его сумке форму заключенного, ни на секунду бы не засомневалась, что он обычный турист.

— Пряникова зарезали? — прошептала Маша.

Ваня изумился:

— Нет. На первый взгляд его смерть кажется естественной. Но я не способен сейчас установить причину. Вероятно, не выдержало сердце, может, отек легких, оторвался тромб. С чего ты подумала, что его убили?

— Не знаю, — протянула Маша.

— Бытие определяет сознание, — провозгласил Бурундуков, — жил-был такой дядя на свете, звали его Карл Маркс. Он говорил: как живешь, так и думаешь. Сидишь в болоте — все вокруг лягушками кажутся, сам червяк — и человечество для тебя состоит из червей. Маша отдыхает в «Кошмаре», поэтому у нее одни убийства в головке. Так, милая?

— Вроде того, — бормотнула Леонова.

Бурундуков неожиданно попытался привлечь меня к себе, я шарахнулась в сторону и налетела на Мишу. Тот прижал меня к своему плечу. Уж на что мне не нравился парень, который, как выяснилось, является потенциальным вором, но, ей-богу, лучше уж обниматься с ним, чем с убийцей Никитой. Из двух зол выбирают меньшее.

— Прекратите пикироваться, — приказала Белка, — давайте трезво оценим ситуацию. Кузьма Сергеевич мертв. Что нам делать?

— Запереть комнату, — начал командовать Бурундуков. — Это место происшествия, здесь улики, которые могут понадобиться криминалистам. Нам нужно уйти отсюда, мы и так тут изрядно натоптали. Ураган рано или поздно завершится, он не вечен. Когда погода наладится, надо вызвать специальную бригаду.

— Согласен, — кивнул Ваня. — Маленький нюанс: тело начнет разлагаться.

— Необходимо перенести его в холодильник, — пожал плечами Бурундуков, — в тот, куда прятали лжепокойницу.

— Кузьма Сергеевич очень крупный, — возразил Ваня, — он туда не влезет.

— А у меня вопрос, — кашлянул Семен и опасливо покосился на Белку, — можно спросить?

— Если по делу, то да, — разрешила бабуля.

— Девчонка-труп вроде нанятая? Ну, вы ее подыграть попросили и никому не рассказали? — поинтересовался Сеня. — Даже мы с Катей не в курсах!

— Это твой вопрос? — рассердилась я. — У нас сейчас другая проблема.

— Я про холодильник в чулане, — загудел Семен, — у него крышка с защелкой! Опустили ее — и чпок! Как девчонка ее изнутри открыла? Консенсус! Она только снаружи отпирается, надо ручку поднять, иначе не выйдет. Производитель это придумал в целях сохранности продуктов.

— Чтобы замороженные куры не освободились? — абсолютно серьезно осведомился Миша. — Сами бы дверку не подняли?

— Ну, типа того, — кивнул Сеня.

— При чем здесь консенсус? — не понял Никита.

— Он хотел сказать «нонсенс», — уточнила я. — Семен, к чему твои расспросы?

— Не знаю, — признался тот, — просто так говорю.

— У нас есть подвал, — перебила его Белка, — вернее погреб.

— Холодный? — уточнил Ваня.

— Достаточно, — кивнула бабуля, — раньше, когда был один холодильник, я там разные запасы держала. Не ледник, но колбаса долго не портилась.

Никита кивнул:

— Значит, и трупу ничего не будет.

Меня это заявление покоробило, Ваня крякнул, а Белка поморщилась и сказала:

— Так. Степашка, отведи Юлю с Аней в пустой номер. Не надо, чтобы вдова видела, как несут тело мужа. Катя, открой подпол, спустись вниз. Сеня, иди с горничной, проверь, в каком состоянии полки, возьми пару простыней и застели одну из них. Нехорошо труп на голые доски класть. Степа, проследи за Катей и Сеней. Пусть Семен вернется сюда, а мы пока сообразим, как нести бедного Кузьму Сергеевича и опускать в подпол. Думаю, Геннадий Петрович и Олег нам не помощники. Первый в истерике, а второй болен. Ну же, Степашка, не стой.

Я встрепенулась и побежала выполнять указания. Белка легкомысленна, порой бывает на редкость инфантильна, слово «хочу» она употребляет значительно чаще, чем «надо». Но в момент форс-мажора бабуля проявляет ум, сообразительность и отчаянную храбрость. Все вокруг растеряются, впадут в панику, а Белка живо примется руководить ситуацией.

Когда Юля увела Аню в другую комнату, мы с Катей и Семеном вошли в чуланчик, где хранятся консервы и прочие запасы.

Я ткнула пальцем в железное кольцо на полу.

— Тяни!

Семен ухватился за кольцо и рванул его вверх, мне в лицо пахнуло сыростью и холодом.

— Когда мы подпол в последний раз открывали? — спросила Катя.

— Не помню, — ответила я, глядя на выступающие из темноты ступеньки.

— На лестнице-то пыли нет! — удивилась Катя и щелкнула выключателем.

— Откуда ей под землей взяться? — хмыкнул Сеня и начал спускаться в озаренный тусклой лампочкой подпол.

— Пыль завсегда есть, — покачала головой горничная.

— ...! ...! — донеслось из подвала.

— Ты упал? — забеспокоилась я. — Осторожней надо! Эй, Сеня!

Но он молчал. К сожалению, Семен очень неосторожен, а в подполе есть притолока, о которую можно треснуться головой.

— Идиот! — в сердцах воскликнула я и спустилась по ступенькам, ожидая увидеть его на полу.

Но Сеня стоял возле длинных деревянных полок, прикрепленных к одной из стен. Белка рассказывала мне, что в голодные годы перестройки она хранила здесь огромное количество консервов. На крепко сколоченных стеллажах стояли жестяные банки со сгущенкой, тушенкой, топленым маслом, маринованными огурцами, помидорами, вареньем. Когда в Россию хлынули импортные продукты, подполом перестали пользоваться, но крепкие стеллажи остались и сейчас выглядят, как новые. Их собирал отец Вадима, Сергей

Петрович Ханков, они тщательно ошкурены, покрыты морилкой, лаком. Сергей Петрович в отличие от многих был очень аккуратен, даже педантичен. Чего нельзя сказать о Сене, который сейчас стоит с тупым видом, покачиваясь с носков на пятки.

— Что замер? — спросила я. — Ухитрился приложиться головой о притолоку? И кто ты после этого? Даже в подвал без приключений спуститься не можешь!

Семен ткнул пальцем в угол.

— Степа! Гляди! Жуть!

Я прищурилась, в темноте белел непонятный предмет. Пытаясь разглядеть, что это, я сделала несколько шагов и взвизгнула.

Вот уже несколько дней хлещет ливень, и в подвал стала просачиваться вода. Ничего нового. Каждую весну и осень Белка нанимает людей, которые гидроизолируют подпол, но все равно по одной из стен рано или поздно начинает ползти цепочка капель. Из-за дождя здесь сыро, вода размыла часть земляного пола, и из него торчит... человеческая рука.

Глава 28

— Что? Что? Что? — засуетилась Катя. — Мне спуститься к вам?

Я прохрипела:

— Нет необходимости! Я раздавила лягушку.

— Фу-у-у, — протянула Катя и отошла от лестницы, — какая гадость! Я их боюсь.

— Это ж не жаба, — возразил Семен, — это ж...

Я его пнула:

— Если расскажешь Катьке, что тут увидел, больше у нас не работаешь.

— Понял, — испугался Сеня, — заткнулся.

— Вот и молчи, — приказала я, — вылезай и сиди в столовой.

В номер Пряниковых я вошла с озабоченным видом:

— В погребе полно воды.

— Откачаем, — махнула рукой Белка, — есть насос.

— Это имеет смысл делать после окончания потопа, — возразила я. — Ваня, пойдем, глянешь на сундук-морозильник. Думаю, мы сможем поместить туда тело Кузьмы Сергеевича. Никита, останьтесь здесь с Белкой. Не хочется бабушку бросать одну около покойника.

— Ну, конечно, — кивнул Бурундуков, — не волнуйся, Изабелла Константиновна в надежных руках.

— Здесь почти сухо, — удивился Ваня, когда мы очутились в подполе.

Я указала в угол.

— Там смотри.

Иван подошел к стене, присвистнул и деловито сказал:

— Дай кисточку. У вас над плитой пара штук висит.

Минут через десять из земли показалось лицо.

— Это она! — прошептала я сдавленно. — Та самая девушка из коридора. Мы с Белкой ее искали, думали... кто-то из постояльцев дурит, подозревали вас с Мишей... и...

Я говорила сбивчиво, проглатывала слова, но Ваня меня понял.

— Похоже, незнакомка была мертва, когда ее перенесли в холодильник, — сказал он, — все решили, раз он пуст, значит, девушка жива. Тогда в коридоре меня не было.

Я кивнула:

— Точно, я подумала, что ты тайком снимаешь происходящее.

Ваня вздрогнул:

— Нет, у меня голова разболелась, я принял лекарство, оно со снотворным. Я спал. Очень крепко. Я бы понял, что это труп, но меня-то не было. А остальные испарились. И откуда Сене понять: несет он живого человека или мертвого? Опыта по перетаскиванию трупов у него нет.

— Какой смысл перемещать тело? — прошептала я.

Ваня подтолкнул меня к лестнице:

— Так. Успокойся. Нам не нужна паника. В отеле начнется массовый психоз, как только ты сообщишь о находке.

— Да, — признала я, — это ни к чему.

— Согласен, — кивнул Иван. — О мертвой девушке молчим. Тело Кузьмы Сергеевича устроим в холодильнике. Конечно, не положено замораживать труп в положении на боку, но у нас экстремальные обстоятельства. Выпей валокордин и попытайся прийти в себя.

Меня оставила тошнота, а удавка, перехватывающая горло, ослабла.

— Я в порядке. Вот почему на ступеньках отсутствовала пыль. В подвал недавно спускали тело несчастной.

— Молодец, ты взяла себя в руки, — похвалил меня Ваня, — не бойся, я с тобой, а вместе мы сила.

Я ощутила прилив благодарности:

— Ваня, мне надо тебе кое-что рассказать. Про Бурундукова.

— Потом, — отмахнулся студент.

— Это очень важно, — настаивала я.

Иван начал подниматься по ступенькам.

— Давай решать проблемы по мере их поступления. Сначала Кузьма Сергеевич, потом остальное.

К вечеру в «Кошмаре» установилось некое подобие порядка. Гости сели за стол. Геннадий Петрович не потерял аппетита, даже возмутился, увидев еду:

— Опять тосты!

— Ты что, мечтал получить на ужин сложносочиненную солянку? — резко спросил Никита. — Скажи спасибо, что Олеся успела хлеб поджарить.

— Нормально, пап, — одернула самозванца Юля. — Горячее, и ладно.

Маша молча поела и поднялась в номер с подносом для Олега.

Белка отправилась на кухню, и оттуда незамедлительно послышался ее голос:

— Катя! Достань чайный сервиз.

— Лучше в кружки налить, — возразила горничная.

— Нет, вынимай набор! И почему в нем нету одной чашки? — рассердилась бабуля.

— Анна в ней чай для Кузьмы Сергеевича носила, — пояснила Катя, — чашка у них в спальне осталась!

Из холла послышались шаги, в комнату бочком вошла Аня.

— Можно... мне... кусочек... хлеба, — пролепетала она, — ноги... подкашиваются...

Я невольно посмотрела на ступни Пряниковой и привстала. На Ане были белые баретки с бантиками, которые крепились к мыску большой кожаной кнопкой. Сразу заныл правый бок — именно по нему била меня незнакомка, когда я была в костюме медведя-гризли, била и приговаривала: «Идиот! Велено было не вмешиваться, ты погубишь весь план!»

Значит, это была Аня. Она не в курсе, кто скрывался под нарядом гризли. Да что у нас здесь происходит? Я шлепнулась назад на сиденье. Степа, попытайся принять обычный вид!

— Конечно, Анечка, — защебетала Белка, — все, что пожелаешь! Тосты, варенье, масло, бутербродики.

Я схватила чашку, залпом опустошила ее и осторожно посмотрела на Бурундукова. Никита заботливо усаживал Аню в кресло во главе стола.

— Не дует? — спросил он у нее.

Я погасила злость. Уголовник-то у нас с манерами. Он социопат, самый опасный, непредсказуемый преступник. Хорошо воспитанные люди никогда не вызывают подозрений ни у коллег, ни у приятелей, ни у соседей. Если столкнетесь с подобной личностью, то скорей всего будете очарованы, попадете под ее обаяние. Но замечательный во всех отношениях Бурундуков без малейших угрызений совести убьет любого. Социопат не испытывает ни раскаяния, ни страха, ни стыда. С наемным киллером или обычным уголовником есть шанс договориться, с социопатом нет ни малейшей надежды. Они отлично мимикрируют, и очень часто их близкие бывают поражены, когда за главой семьи приходит милиция.

Я ощутила пинок под столом, вздрогнула, увидела сидевшего напротив Ваню и, быстро сказав:

— Пойду, съем пилюлю от головной боли, — выскользнула в холл.

— Степашка, — окликнул меня вышедший следом Ваня.

— Что? — устало спросила я.

— Следи за своим лицом, — приказал Иван.

— А ты за языком, — огрызнулась я. — Мне категорически не нравится кличка «Степашка»!

— Прости, — извинился он, — тебя так Изабелла Константиновна зовет.

— Ей можно, а тебе нельзя, — отрезала я. — И вообще, если говоришь кому-то «Степашка», то в ответ можешь услышать «Хрюша»!

— Не сердись, — улыбнулся Ваня и повторил: — я же не знал, что тебе это неприятно.

— Мог бы и догадаться, — всхлипнула я и неожиданно зарыдала.

Ваня обнял меня и прижал к себе:

— Согласен откликаться на Хрюшу. А ты будешь Каркушей? Да?

— Нет, — сквозь слезы улыбнулась я и вывернулась из его рук, — кстати, собачка Филя тоже не в моем вкусе. Прости. Не знаю, что на меня нашло.

— С катушек слетела, — поставил диагноз Ваня. — Что тебя срубило?

— Белые баретки, — призналась я.

— Пошли в твою комнату, — приказал Иван, — там поболтаем.

Довольно долго мы с Иваном пытались систематизировать разные странности. И пришли к неутешительному выводу: мы понимаем, что ничего не понимаем.

Как в «Кошмар» проникла незнакомая девушка? Ее кто-то привез из Москвы? Кто? Зачем? Почему бедняжку убили? Какой смысл переносить тело из холодильника в подвал? Что хотел убийца? Внушить собравшимся, что ночное происшествие всего лишь очередной прикол хозяев гостиницы? Но ведь мы-то с Белкой знали, что не затевали этот спектакль! Правда, с другой стороны, мы решили, что нас водят за нос Ваня с Мишей. Не спустись я в подвал, не размой вода грунт — труп мог бы лежать в «Кошмаре» много-много лет.

— Ты ее не убивала? — спросил Ваня.

— С ума сошел? Конечно, нет, — вспыхнула я, — и Белка тоже ни при чем. Когда-то, в середине девяностых, она завела кур и поросят. Но только мы не полакомились ни вкусным бульоном, ни свининкой. Бройлеры Рябка, Капка, Фимка и Кнопка благополучно дожили до куриной старости и были похоронены с почестями на солнечной опушке. Там же могилы и свинок Пелагеи и Брунгильды. Понимаешь, Белка не могла сама их зарезать и не стала обращаться к профессионалу.

— Некоторые люди над котенком трясутся, а дедушку из-за завещания подушкой спокойно удавят, — не моргнув глазом, произнес Ваня.

— Белка ни при чем! — топнула я.

— Вычеркиваю ее из списка, — согласился Иван. — Кто остался?

— Миша, — мстительно сказала я.

Ваня скрестил руки на груди.

— Он на такое не способен. Поверь. Я знаю его с рождения. Миша целеустремленный, прет к цели танком, но убить?! Нет. И ехали мы сюда только вдвоем.

— Ладно, — кивнула я, — убрали еще двоих подозреваемых.

— Четверых, — уточнил Ваня, — мы с тобой тоже вне подозрений. Кто остается?

— Полно народа. Геннадий Петрович, Юля, — начала я загибать пальцы.

— Сомневаюсь, что школьница киллер, — остановил меня Ваня.

Секунду я колебалась, но потом решила, что не следует нарушать данное девушке честное слово, и кивнула:

— Хорошо. У меня есть главный подозреваемый. Никита Бурундуков!

— Ну и почему он вызвал у тебя подозрения? — удивился Ваня.

Я набрала полную грудь воздуха и выложила всю правду про сумку и одежду заключенного.

— Ну ваще! — ахнул Иван. — За что его туда посадили?

— Уж не за то, что он помог бабушке перейти дорогу, — ехидно сказала я, — хочешь, спроси у него сам.

— Спасибо, — покачал головой Иван, — мне эта идея не по вкусу.

Из меня забил фонтан слов:

— Думаю, дело обстояло так! Каким-то образом Бурундуков удрал из колонии. Незнакомая девушка ему помогала. Они собирались покинуть остров, но тут рухнул мост, и они очутились в «Кошмаре».

— Нет, — запротестовал Ваня, — не складывается.

— Почему? — обиделась я. — Все очень логично. Он убил сообщницу, чтобы та его не выдала.

Ваня оперся руками о колени.

— Колония на одном острове, вы на другом. Мост снесло. Как они сюда попали?

Я пожала плечами:

— Успели перебежать до того, как переправа развалилась.

Иван взял ручку, лежащую на журнальном столике, слегка помятую «Комсомолку» и начал чертить на свободном газетном поле план.

— Два острова, один ваш, маленький, другой большой, с заключенными. Они находятся рядом, так?

— Да, — подтвердила я, — разделены рекой. Есть место, где они почти соприкасаются. Но там здоровенный забор, колючая проволока, вышка.

— Хорошо, — продолжал Ваня, — мост имеет форму буквы «ипсилон», вот так, да?

Я посмотрела на нарисованный знак «**Y**» и уточнила:

— Верхние части рогульки — это два моста, ведущие к разным островам, примерно на середине реки они сливаются в один.

— Ну и получается, что парочка неслась до этого слияния, а потом повернула в «Кошмар»? — хмыкнул Ваня. — Уж бежали бы прямо.

— Что-то им помешало, пришлось свернуть сюда, — не сдалась я.

— Плохая версия, — сказал Ваня.

— Отличная! — возразила я. — У тебя тоннельное мышление! Ты не способен правильно оценивать чужие замечательные идеи.

— За фигом убивать свою соучастницу? — нахмурился Иван.

— Может, она нервничала, впала в панику, — протянула я.

— Почему Никита не привел ее в дом открыто? — дудел в одну дуду парень. — Ну сказал бы: «Мы за птичками наблюдали, попали в ураган».

Я растерялась, а Иван поднял палец:

— Вот! И, насколько знаю, шум, найдя труп, подняла Маша! Знаешь, очень часто тот, кто нашел тело, и есть убийца.

Я поморщилась:

— Не пори чушь! Маша похожа на убийцу, как я на рогатого зайца. Хотя рогатые зайцы как раз есть в природе.

— Вау! У тебя бывают глюки? — оживился Ваня.

Я ткнула его кулаком в бок:

— Дурак! Вспомни ту ночь, когда я решила, что в мою спальню, прикидываясь призраком, вошел Семен. Он вечно все путает, но потом я сообразила: у балбеса нет белых кроссовок с фонариками на задниках. Кто-то другой замутил историю.

— Кто? — с искренним любопытством воскликнул Ваня.

— Понятия не имею, но почти уверена, что именно он изображал гризли. От призрака сильно пахло апельсиновой жвачкой, и так же воняло внутри костюма. И Аня отлично знакома с тем человеком. Когда я, одетая в наряд медведя, упала, не смогла встать и поползла по коридору за помощью к Белке, на меня напала женщина, лупила якобы медведя по бокам и говорила что-то вроде: «Ты же обещал! Пользуешься тем, что я тебя люблю».

Увидеть тогда лицо я не могла, зато разглядела белые баретки на ее ногах, с бантиками. Они сегодня на Ане.

Глава 29

Устав от разговоров, мы с Ваней спустились в столовую, решив попить чаю. Аню отвели в гостевую, куда ее спешно переселили из номера на втором этаже. Олег и Маша затаились в своей комнате. Геннадий Петрович и Юля поднялись на второй этаж и притихли. Миша и Бурундуков, попив чаю, сначала играли в шахматы, а потом разошлись. Белка приняла успокаивающих таблеток и легла. Вывалив на нас лавину информации, повариха пошла на кухню, и оттуда незамедлительно донесся ее недовольный голос:

— Три шибче!

— Так я стараюсь! — пыхтел Сеня. — О! Развалилась!

— Доверь дураку богу молиться, он и об икону поцарапается! — закричала Катя. — Изабелла меня ругать будет!

— Эка важность, чашка разбилась, — попытался оправдаться Семен.

— Сервиз неполный, — бушевала Олеся, — не оттирается. Что ты туда наливал? А? Отвечай!

— Я? Ничего, — отбивался Семен.

— Ща как дам! — заорала Олеся и, похоже, привела угрозу в исполнение.

— Ой! Больно! — взвизгнул Сеня. — За что?

— Олеся, перестань, — крикнула я. — Не трогай Семена!

Повариха высунулась из кухни:

— Ниче ему не станется! Получил разок по башке, так за дело!

— Не надо лупить человека по голове, — укоризненно добавил Ваня, — можно сотрясение мозга устроить.

— Нет у Сеньки мозга, трястись нечему, — возразила Олеся.

— В чем провинился несчастный? — полюбопытствовал Иван.

Олеся показала ему чашку:

— Видишь, внутри посинела?

Ваня взял у поварихи посудину, приблизился к торшеру и начал насвистывать бодрый мотивчик. Я не утерпела, подошла ближе и удивилась:

— Как странно! Почему белая чашка посерела? Может, от черничного варенья?

— У нас его нет, — пожала плечами Олеся.

— Еще свекла красится, — не успокаивалась я.

— Не, — решила поспорить Катя, выходя в столовую, — от буряка тарелки отлично отмываются, и свеклу в кружки не суют!

— Действительно, — пробормотала я.

Олеся уперла кулаки в бока.

— Ты мало порошка в посудомойку натрусила.

— Вечно у тебя другие виноваты, — ринулась в бой Катерина, — не хочешь признать свою ошибку!

Повариха вздернула подбородок:

— Это какую же?

Горничная ткнула пальцем в стол:

— Я чистые чашки под компот поставила, а когда

их после полоскания из машинки вынула, они посерели! Твой компотец сервиз испортил.

— Во! — обрадовалась Олеся. — Сама и подтвердила, что накосячила! Отвечай честно, как выглядели кружки, когда ты их собрала, а?

— Ну... обычно, с опивками, — нехотя ответила Катя.

Олеся торжествующе повернулась к нам.

— Слышали? Катерина, ты пихала в мойку белые чашки, а достала замазанные?

— Чего привязалась? Да, — призналась горничная.

— Наверное, фарфор плохой, — поспешил на помощь Кате Семен, — я встречал такой! Облезает от горячей воды.

— Это фаянс, не покрытый глазурью, — заметил Ваня, — посуда не лучшего качества!

Мне показалось, что Иван косвенно обвиняет Белку в жадности, и я ринулась на защиту бабули:

— В гостиницах никогда не подают еду на мегадорогих тарелках. Гости часто их бьют. Да, бабуля приобрела посуду на рынке, и что?

— Кабы все было плохое, все и посинело бы, — заявила Катя, — но тарелочки чистые, сахарница, молочник, блюда для пирога как новые. Только чашки в негодность пришли. Компот виноват!

— Да че вы на меня напали! — захныкала Олеся. — Питье у них — причина всех бед! Сначала народ аллергией из-за него обсыпало, затем кружечки страшными стали! Давайте, валите все на меня! Может, я и Кузьму Сергеевича отравила, а?

— Нечего варить дерьмо из пакета, — брякнул Сеня.

Олеся поджала губы, потом схватила стул.

— Тебе сейчас мало не покажется!

Сеня нырнул в коридор, Катя, коротко взвизгнув, шмыгнула в кухню.

— Верни стул на место! — велела я. — Ты что себе позволяешь? Решила драку устроить?

— А че они? — заплакала Олеся. — Я тоже с нервами! Столько всего случилось! Я хорошо готовлю! Чашки с первого раза, когда узвар пили, не посинели. Вот.

— Серый цвет появился после второго употребления компота? — тихо спросил Ваня.

— Не знаю, — попыталась увильнуть от ответа Олеся.

— А ты вспомни, — приказал Иван, — в тот день, когда вишневым отваром полакомились впервые, на посуде не возникла сероватая тень? Олеся, тебя никто не ругает, но это очень-очень важно.

— Вроде плошки, когда я их вынула из посудомойки, чуть потемнели, — призналась повариха.

— Ага, — кивнул Ваня. — А после второго раза они посинели?

— Верно, — нехотя подтвердила Олеся. — И еще одной не хватает! Небось Сенька ее кокнул, но он не признается.

Катя высунулась из кухни:

— Ни фига мужик не бил, ты к нему вяжешься, потому что сама с ним хотела любовь крутить, а он меня выбрал!

Олеся заморгала:

— Слышали дуру? Я и Семен? На черта он мне сдался? Дундук!

— Сама ты дундучиха! — надулась Катя. — Нормальный мужик! В хороших руках, при нужном уходе и руководстве лучше многих станет. И не бил он чашек.

— А то я не видела? — возмутилась Олеся. — На моих глазах нажал, и все!

— Одну! — согласилась Катя. — А вторая цела! Стоит в комнате у покойника!

Олеся опустила голову:

— Дружочка своего выгораживаешь? Чего чашке в спальне делать? Ей в шкафу место!

— И че я скажу гостье, которая наверх после ужина компот поволокла? — зачастила Катя. — «Стой, верни назад, потому что Олеська хочет, чтоб чашка на кухне была?»

— Стоп, бабы, — приказал Иван, — слушайте меня

внимательно и отвечайте исключительно на вопросы, не уходя в сторону. Компот подавали на стол несколько раз?

— Да, — прозвучало хором.

— После первого употребления посуда слегка посерела? — продолжал Ваня.

— Какая разница? — не выдержала я. — Есть дела поважнее!

Иван сделал вид, что не слышит моего замечания.

— Так что, я прав? Сначала появился небольшой налет, а затем проступила явная синева?

— Ну да, — нехотя признала Катя.

— Где вы держите средство для мытья посуды? — поинтересовался Ваня.

— На столике, — хмыкнула Катя.

— Неси его сюда, — распорядился Иван.

— Зачем? — заморгала горничная.

— Давай, не спорь, — нахмурился парень.

Когда Катерина подала ему картонный пакет, Иван схватил его и стал читать текст на упаковке.

— Порошок для посудомоечных машин. Состав: фосфаты, сода, силикаты, полимеры, энзимы, ингибиторы коррозии, красители, отбеливатель на основе кислорода, о... вот она! Кислота!

— Сплошная химия! — схватилась за голову Олеся.

— А ты не знала? — фыркнула Катя. — По мне, так лучше детским мыльцем пользоваться.

— Спасибо, — кивнул Иван, — не ругайте друг друга, посуда посинела не по вашей вине. Компот ни при чем, хотя, полагаю, он здесь основная часть.

— Чего? — разинула рот Катя.

— Ты не заболел? — озадаченно спросила я.

— Нет, — спокойно ответил Ваня, — просто все понял. Всякая глупость идет на пользу!

Я встала на цыпочки и пощупала лоб Ивана. Парень заговаривается. То он заявляет, что «компот ни при чем, хотя, полагаю, он основная часть», а потом поет оду глупости.

— В спальне Кузьмы Сергеевича осталась одна чашка? — уворачиваясь от моей руки, поинтересовался Иван. — Можете ее принести?

Олеся перекрестилась.

— Я повариха, в номерах порядок наводит Катя.

— Не пойду, там дух покойного бродит, — закончила горничная, — он в комнате сорок дней проведет. Боюсь!

Ваня взъерошил волосы:

— Ладно, без вас разберемся.

Олеся и Катя юркнули в кухню, а я уставилась на Ваню. Тот поманил меня пальцем, отвел в пустую гостиную и сказал:

— На первом курсе на летних каникулах я нанялся в один НИИ лаборантом. Платили немного, но это лучше, чем ничего, и работа оказалась простой. В основном мне велели мыть пробирки и всякую утварь. В лаборатории тестировали импортные препараты, исследовали их перед тем, как выбросить на российский рынок. Как-нибудь на досуге расскажу, что это за бизнес, я за два месяца кучу интересного узнал, но сейчас речь о другом. Знаешь, что посуда бывает фаянсовая и фарфоровая?

— Ну да, — кивнула я, — первая недорогая, вторая кусается.

— А чем они еще отличаются? — прищурился Иван.

— Элитные изделия тонкие, через них свет можно увидеть, а простые толстые, — ответила я.

— Вот-вот, — кивнул Иван, — еще посуду иногда не покрывают глазурью, и дешевизна такого товара становится призрачной. На фарфор потратишься, зато всю жизнь им пользуешься, и ничего. А фаянс темнеет от чая, кофе, сока. Мелкие частички жидкости проникают в пористую структуру посуды, да так в ней и остаются. Отмыть налет невозможно. Иногда хлебнешь из такой кружечки минералку, а она кофе на вкус отдает.

— Спасибо за лекцию, — сказала я, — ты заслужил

почетное звание доктора тарелочных наук. Сейчас нарисую диплом!

Ваня сдул со лба упавшую челку:

— В лаборатории, где я подвизался, начальник был жучара. Воровал все! Выделили ему деньги на новые склянки, фарфоровые, он купил фаянсовые, а разницу в свой карман положил!

— Ну и что? — пожала я плечами.

Ваня кашлянул:

— Один раз я пиалы мыл, в них какие-то таблетки давили. Тру себе, тру, а потом в непонятках: посинела посуда! Стою над ней и думаю: чего я не так сделал? Подходит ко мне сотрудник, Федор Грынкин, и ну ругаться: «Сволочь! Мерзавец! Опять нахимичил!» Я испугался и залепетал: «Простите, ничего плохого я не хотел». Федор меня успокоил: «Да ты ни при чем. Завлаб жадная ворюга! Мы сейчас работаем с препаратом кормон[1]. Начальник-идиот приобрел недавно фаянс, кормон проникает в поры посуды и там остается. Кислота, что содержится практически во всех моющих средствах, делает следы лекарства сначала чуть серыми, а потом голубыми. Если доза кормона большая, стенки совсем посинеют, ну как от черники. Сэкономил, подлец! С фарфором это не произойдет».

Иван посмотрел на меня:

— Понимаешь?

— Нет, — честно ответила я.

Ваня пояснил:

— Кормон не простой медикамент. О нем долго спорили. С одной стороны, он отлично помогает при псориазе, у больных кожа прямо на глазах очищается. С другой, имеет массу противопоказаний. Если кормон даже один раз примет здоровый человек, он через короткое время начнет испытывать зуд, появится припух-

---

[1] Название препарата изменено. Настоящее автор не называет из этических соображений, потому что он продается в аптеках и отпускается недобросовестными провизорами без рецепта.

лость губ, красные пятна на лице, коже. Обыватели и врачи, не знающие о кормоне, примут эти признаки за аллергию. Как правило, через сутки, если, конечно, препарат не глотать снова, напасть исчезнет. В компот добавили именно это лекарство.

— Зачем? — испугалась я.

— Чтобы вызвать у обитателей «Кошмара» почесуху и кожные высыпания, — ответил Ваня.

— Зачем? — тупо переспросила я.

Иван встал.

— Есть у меня одно предположение. Дикое! Но его надо проверить. Пошли в спальню Кузьмы, хочу взглянуть на ту чашку! Если она посинела, то...

Парень замолчал.

— Что? Говори, — потребовала я.

— Его убили! — выпалил Иван.

— С ума сошел? — подскочила я. — У Кузьмы Сергеевича случилась аллергия, как у всех! Ты пытался его спасти, сделал операцию, но бизнесмен умер. Все видели!

— Ага! — кивнул Иван. — На то и был расчет. Кормон подложили в компот, немного, чтобы народ чесаться начал и грешил на еду. А Кузьму потом в номере узварчиком еще раз от души напоили, и тогда большую дозу вбухали. А что бывает от передозировки кормона? Для начала сильнейший отек!

Я попыталась разложить по полочкам услышанную информацию, а Ваня продолжал:

— Нам подали компот два раза. Посторонним не желали сильно навредить, рассчитывали, что они почухаются, примут кларитин и забудут. Организатору повезло, Олеся сварила питье из неведомой ягоды пинджамы, которую при помощи красителей и всяких «Е» превратили в вишню. Никаких сомнений ни у кого не возникло: у нас аллергия на неведомую ягодку. А вот потом везение кончилось. По расчету убийцы, Кузьма Сергеевич должен был умереть вскоре после того, как второй раз полакомился компотцем.

— Ты же только что сказал, что доза лекарства была маленькой, — напомнила я.

— Для нас — да, — закивал Ваня, — но Кузьму Сергеевича поили еще и в спальне, он, небось, принял офигенно много кормона. Ну и что будет, когда дяденька и в столовой получит добавку? А то, что произошло! Кузьма стал задыхаться, потерял сознание. Если бы он умер, никаких подозрений ни у кого не возникло бы. С ним случился анафилактический шок, и мы все в пятнах, чешемся, то есть выдаем аллергическую реакцию. У тебя губы-сосиски, у Ани пятна, Миша шею исскреб ногтями, я чихаю. А Кузьма Сергеевич умер. Трагично, но вполне объяснимо. Да только убийце не подфартило, я сделал трахеотомию, она не ожидала, что среди гостей очутится студент-медик.

— Эй, ты подозреваешь Аню? — ахнула я.

— А кого еще? — пожал плечами Ваня. — Больше некого.

— Анна любит Кузьму Сергеевича, — неуверенно ответила я.

Ваня усмехнулся:

— Любит лысого скрягу, который на жену лишнюю копейку не потратит? Сомневаюсь. Ее песни «Милый, какой ты умный» — всего лишь игра. Забота напоказ, сказать можно что угодно, а вот дела свидетельствуют о другом. Я очень внимательный, у меня отличная память. Когда кувшин с компотом первый раз появился на столе, Аня заорала про человека-мертвеца, который стучит в окно, помнишь?

Я кивнула, Ваня продолжил:

— Народ кинулся к эркеру. Все, но не Анна. Она вроде как со страху забилась под стол. Чего не рванула с остальными?

— Перепугалась, — сказала я.

— Нет, она в этот момент сыпанула в питье кормон, — возразил Иван, — порошок хорошо растворяется, но слегка горчит, нужна сладкая вода, вишневый отвар идеально подошел. Анна увидела кувшин и тут же нашла способ всех отвлечь.

Я прикусила губу. Отлично помню, как удивилась, сообразив, что Пряникова зачем-то ползает под столом. Она занырнула туда справа с криком «человек-мертвец», а потом что-то произнесла и высунулась слева. Если вспомнить, что Катя всегда ставит кувшин именно с той стороны, то в голову начинают лезть подозрения. Аня нырнула под стол там, где сидела, быстро проползла к кувшину, бросила лекарство в компот, снова вернулась в укрытие, но не успела вернуться к своему месту. Ей пришлось ответить на чей-то вопрос.

— Твои размышления интересны, — промямлила я, — но они спорны.

Иван не сдавался:

— Дальше. Что произошло, когда компот второй раз появился на столе?

— Аня закричала: «Там мышь!», — протянула я, — и, указывая вниз, орала: «Она по ногам бегает!»

Ваня округлил глаза:

— Отличный ответ, Козлова. Маша, Юля и Мишка — он до смерти боится полевок — удрали. Остальные полезли под стол искать мышь. Аня вновь получила возможность подсыпать в кувшин кормон.

— Слишком сложно, — протянула я.

— Наоборот, — не согласился Ваня, — мышей опасается большая часть человечества, и на вопль «человек-мертвец» все тоже реагируют бурно. Аня не знала, побегут ли люди к окнам или удерут от грызуна, но в том, что отвлекутся от еды, она не сомневалась. Ей требовалось отвлечь наше внимание от кувшина, что она и проделала. Пряникова никак не могла «зарядить» питье заранее, Олеся очень аккуратна, не покидает кухню во время готовки. И вспомни, Аня первой завела разговор об аллергии, обратила внимание Кузьмы на напиток, заботливо спросила: «Тебе его можно? Не будет проблем?» А потом попросила повариху: «Ой, как вкусно! Сделайте нам еще такого компотика!»

Скажи, разве это не глупость? Задергаться из-за реакции мужа на питье и тут же опять попросить то же самое. Аня живо сообразила: компот — лучший растворитель для кормона, он сладкий, скроет горечь, и его пьют все.

— Аня так переживала за мужа! Она даже встала на колени перед Геннадием Петровичем, чтобы тот его спас, — протянула я.

Ваня успехнулся:

— Красивый спектакль. Анна вовсе не дура, хотя усиленно ее изображает. Но порой она теряет бдительность, у нее меняется взгляд, из него пропадает наивность, проскальзывает жесткость, цепкость. Я пару раз удивлялся, когда видел, как она смотрит на Кузьму. И еще. Не мое, конечно, дело, не знаю, почему он соврал, но Геннадий не врач.

Дорогие читатели!

Пришло время завершить нашу игру «Детектив — как я хочу!». Вы держите в руках последнюю книгу, в которой публикуются главы романа «Развесистая клюква Голливуда». Надеемся, что наша игра удалась и была для вас по-настоящему увлекательной.

Как будут дальше развиваться события в новой книге Дарьи Донцовой «Развесистая клюква Голливуда»? Чем закончится история Степы и ее энергичной бабушки? Какие страшные события ожидают постояльцев отеля «Кошмар в сосновом лесу»?

Вы скоро узнаете ответы на эти вопросы! Осталось только с нетерпением ждать выхода в свет детектива «Развесистая клюква Голливуда», который появится на полках книжных магазинов весной 2011 года. Желаем вам приятного чтения!

СОДЕРЖАНИЕ

Литературно-художественное издание

ИРОНИЧЕСКИЙ ДЕТЕКТИВ

Донцова Дарья Аркадьевна

КОРОЛЕВА БЕЗ БАШНИ

Ответственный редактор *О. Рубис*
Редакторы *В. Калмыкова, Т. Семенова*
Художественный редактор *В. Щербаков*
Технический редактор *Н. Носова*
Компьютерная верстка *Е. Кумшаева*
Корректор *Л. Фильцер*

ООО «Издательство «Эксмо»
127299, Москва, ул. Клары Цеткин, д. 18/5. Тел. 411-68-86, 956-39-21.
Home page: **www.eksmo.ru** E-mail: **info@eksmo.ru**

Подписано в печать 06.10.2010.
Формат 80x100 $^1/_{32}$. Гарнитура «Таймс».
Печать офсетная. Бум. офс. Усл. печ. л. 17,78.
Тираж 250 000 экз. (1-й завод — 75 100 экз.). Заказ 3682.

Отпечатано в ОАО «Можайский полиграфический комбинат».
143200, г. Можайск, ул. Мира, 93.
www.oaompk.ru, www.оаомпк.рф тел.: (495) 745-84-28, (49638) 20-685

ISBN 978-5-699-45287-3

Оптовая торговля книгами «Эксмо»:
ООО «ТД «Эксмо». 142700, Московская обл., Ленинский р-н, г. Видное,
Белокаменное ш., д. 1, многоканальный тел. 411-50-74.
E-mail: **reception@eksmo-sale.ru**

По вопросам приобретения книг «Эксмо» зарубежными оптовыми
покупателями обращаться в отдел зарубежных продаж ТД «Эксмо»
E-mail: **international@eksmo-sale.ru**

International Sales: International wholesale customers should contact
Foreign Sales Department of Trading House «Eksmo» for their orders.
international@eksmo-sale.ru

По вопросам заказа книг корпоративным клиентам,
в том числе в специальном оформлении,
обращаться по тел. 411-68-59, доб. 2115, 2117, 2118.
E-mail: **vipzakaz@eksmo.ru**

Оптовая торговля бумажно-беловыми
и канцелярскими товарами для школы и офиса «Канц-Эксмо»:
Компания «Канц-Эксмо»: 142702, Московская обл., Ленинский р-н, г. Видное-2,
Белокаменное ш., д. 1, а/я 5. Тел./факс +7 (495) 745-28-87 (многоканальный).
e-mail: **kanc@eksmo-sale.ru**, сайт: **www.kanc-eksmo.ru**

Полный ассортимент книг издательства «Эксмо» для оптовых покупателей:
В Санкт-Петербурге: ООО СЗКО, пр-т Обуховской Обороны, д. 84Е.
Тел. (812) 365-46-03/04.
В Нижнем Новгороде: ООО ТД «Эксмо НН», ул. Маршала Воронова, д. 3.
Тел. (8312) 72-36-70.
В Казани: Филиал ООО «РДЦ-Самара», ул. Фрезерная, д. 5.
Тел. (843) 570-40-45/46.
В Ростове-на-Дону: ООО «РДЦ-Ростов», пр. Стачки, 243А.
Тел. (863) 220-19-34.
В Самаре: ООО «РДЦ-Самара», пр-т Кирова, д. 75/1, литера «Е».
Тел. (846) 269-66-70.
В Екатеринбурге: ООО «РДЦ-Екатеринбург», ул. Прибалтийская, д. 24а.
Тел. (343) 378-49-45.
В Новосибирске: ООО «РДЦ-Новосибирск», Комбинатский пер., д. 3.
Тел. +7 (383) 289-91-42. E-mail: **eksmo-nsk@yandex.ru**
В Киеве: ООО «РДЦ Эксмо-Украина», Московский пр-т, д. 9.
Тел./факс: (044) 495-79-80/81.
Во Львове: ТП ООО «Эксмо-Запад», ул. Бузкова, д. 2.
Тел./факс (032) 245-00-19.
В Симферополе: ООО «Эксмо-Крым», ул. Киевская, д. 153.
Тел./факс (0652) 22-90-03, 54-32-99.
В Казахстане: ТОО «РДЦ-Алматы», ул. Домбровского, д. 3а.
Тел./факс (727) 251-59-90/91. rdc-almaty@mail.ru

Полный ассортимент продукции издательства «Эксмо»:
В Москве в сети магазинов «Новый книжный»:
Центральный магазин — Москва, Сухаревская пл., 12. Тел. 937-85-81.
Волгоградский пр-т, д. 78. Тел. 177-22-11; ул. Братиславская, д. 12. Тел. 346-99-95.
Информация о магазинах «Новый книжный» по тел. 780-58-81.
В Санкт-Петербурге в сети магазинов «Буквоед»:
«Магазин на Невском», д. 13. Тел. (812) 310-22-44.

По вопросам размещения рекламы в книгах издательства «Эксмо»
обращаться в рекламный отдел. Тел. 411-68-74.

«Ни снег, ни ветер, ни безденежье, ни зависть и вредность окружающих, ни болезнь и вообще ничто на свете не остановит человека, который решил добиться успеха. Я желаю вам помнить: только мы сами хозяева своей судьбы!»

Ваша
Дарья Донцова

Добрые пожелания на каждый день от самого популярного и позитивного современного автора.
Подарочное издание на мелованной бумаге, 91 красочный разворот с яркими фотографиями!

365 поводов для оптимизма!

Дарья ДОНЦОВА

С момента выхода моей автобио-
графии прошло три года.
И я решила поделиться с читате-
лем тем, что случилось со мной
за это время...

В год, когда мне исполнится сто лет, я выпущу еще одну книгу,
где расскажу абсолютно все, а пока... Жизнь продолжается, в ней
случается всякое, хорошее и плохое, неизменным остается лишь
мой девиз: "Что бы ни произошло, никогда не сдавайся!"